MODERN ROMANCE

Modern Romance

Título original: *Modern Romance*

© 2015 Modern Romantics Corporation.
Esta edición ha sido publicada por acuerdo con Penguin Press,
una marca de Penguin Publishing Group, división de Penguin
Random House LLC.

© de la traducción: Jaime Valero Martínez

© de esta edición: Libros de Seda, S.L.
Paseo de Gracia 118, principal
08008 Barcelona
www.librosdeseda.com
www.facebook.com/librosdeseda
@librosdeseda
info@librosdeseda.com

Diseño de cubierta: Mario Arturo
Imagen de cubierta: Alexandra Wyman/Getty Images
Maquetación: Nèlia Creixell

Primera edición: octubre de 2016

Depósito legal: B. 19.257-2016
ISBN: 978-84-945988-0-7

Impreso en España – Printed in Spain

AZIZ ANSARI

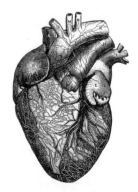

MODERN ROMANCE

El amor en la era digital | *Con Eric Klinenberg*

LIBROS de
seda

SUMARIO

CAPÍTULO 7
SENTAR LA CABEZA

INTRODUCCIÓN

Muchísimas gracias por comprar mi libro. ¡No se admiten devoluciones! Aunque me he esforzado mucho con él, así que creo que os gustará.

Antes de nada, hablemos un poco de este proyecto. Cuando tienes éxito como monologuista, llega un momento en que recibes ofertas para escribir un libro de humor. Al principio las rechazaba siempre, ya que creía que los monólogos eran lo mío. Pensaba que plasmar mis ideas en un libro no resultaría tan divertido como utilizarlas para un monólogo.

Entonces, ¿por qué decidí escribir un libro sobre el amor en la era digital?

Hace unos años hubo una mujer en mi vida —llamémosla Tanya— a la que conocí una noche en Los Ángeles. Los dos habíamos asistido a una fiesta de cumpleaños, y cuando el ambiente empezó a decaer, se ofreció a llevarme a casa. Nos habíamos pasado la noche charlando y coqueteando un poco, así que la invité a tomar una copa.

Por aquel entonces tenía alquilada una bonita casa en lo alto de Hollywood Hills. Se parecía a esa casa que De Niro tenía en *Heat*, aunque un poco más en mi onda que en la de un ladrón experto en dinamitar automóviles blindados.

Preparé un cóctel para cada uno y nos turnamos para poner discos mientras charlábamos y reíamos. Al final nos acabamos liando, y fue estupendo. Acabé tan borracho que recuerdo que cuando se marchaba le dije alguna tontería en plan:

—Tanya, eres una mujer encantadora...

Y ella respondió:

—Aziz, tú también eres un tipo encantador.

Fue un encuentro prometedor, pues parecíamos estar de acuerdo en que los dos éramos encantadores.

Mi deseo de volver a ver a Tanya me hizo toparme de bruces con la incógnita que a todos nos asalta alguna vez: ¿cómo y cuándo vuelvo a ponerme en contacto con ella?

¿La llamo? ¿Le mando un mensaje? ¿Le escribo algo en Facebook? ¿Le mando señales de humo? ¿Queda alguien que haga eso? ¿De verdad sería capaz de prenderle fuego a mi casa alquilada? ¿Con qué cara le diría al propietario, el actor James Earl Jones, que le he quemado la casa para enviar señales de humo?

Ay, no, acabo de revelar la identidad de la persona que me la alquiló: el mismísimo rey Jaffe Joffer, la voz de Darth Vader, la leyenda del cine James Earl Jones.

Al final decidí mandarle un mensaje, porque parecía ser esa clase de chicas a la que les va ese rollo. Esperé unos días para no parecer impaciente. Me enteré de que el grupo Beach House, al que estuvimos escuchando la noche que nos liamos, iba a tocar esa semana en Los Ángeles, así que me pareció la ocasión perfecta.

Esto fue lo que le escribí:

> Hola, ¿te has ido ya a NY? Los Beach House tocan esta noche y mañana en el Wiltern. ¿Quieres ir? ¿Crees que te dejarán cantar *The Motto* si se lo pedimos?

Una propuesta agradable y firme que incluía una pequeña broma entre nosotros (Tanya estuvo cantando la canción *The Motto* de Drake en la fiesta y se sabía casi toda la letra: admirable).

Me sentía seguro. No estaba locamente enamorado de Tanya, pero parecía una chica muy simpática y tenía la sensación de que habíamos conectado.

Mientras esperaba su respuesta comencé a imaginarme nuestra hipotética relación. A lo mejor el fin de semana siguiente podríamos ir a ver una peli a una de esas salas al aire libre tan estupendas que montaban en el cementerio Hollywood Forever. O tal vez podría invitarla esa semana a cenar y preparar la receta de pollo al ladrillo que tenía tantas ganas de probar. ¿Acabaríamos Tanya y yo yéndonos de vacaciones a Ojai el siguiente otoño? ¿Quién sabe qué nos depararía el futuro? ¡Iba a ser maravilloso!

Pasaron unos minutos. El estado de mi mensaje de texto cambió a «leído».

Mi corazón pegó un brinco.

Había llegado el momento de la verdad.

Me preparé y me fijé en cómo aparecían unos puntitos en la pantalla del iPhone. Esos angustiantes puntitos que te indican que alguien está escribiendo, la versión *smartphone* de la lenta subida hasta lo alto de una montaña rusa. Pero entonces, al cabo de unos segundos... los puntitos desaparecieron. No recibí respuesta de Tanya.

Mmm... ¿Qué habría pasado?

Transcurrieron varios minutos más y...

Nada.

Tranquilo, seguro que está elaborando una respuesta superingeniosa. Ha redactado un borrador, no le ha convencido, y ha decidido dejarlo para luego. Entiendo. Probablemente tampoco quiere parecer demasiado entusiasmada y responder tan rápido, ¿verdad?

Pasan quince minutos y... nada.

Mi seguridad empieza a decaer y me entran dudas.

Pasa una hora y... nada.

Pasan dos horas y... nada.

Pasan tres horas y... nada.

Me entra un poco de pánico. Vuelvo a leer el mensaje que le mandé. Antes me sentía muy seguro, pero ahora empiezo a cuestionármelo todo.

> Hola, ¿te has ido ya a NY? Los Beach House tocan esta noche y mañana en el Wiltern. ¿Quieres ir? ¿Crees que te dejarán cantar *The Motto* si se lo pedimos?

«¡Qué idiota soy! ¡Debería haber puesto "Holaaa" en lugar de "Hola"! Y encima le he hecho demasiadas preguntas. ¿En qué mierda estaba pensando? Muy bien, Aziz, yo sí que tengo una pregunta para ti: ¿A QUÉ VIENE ESO DE INTERROGAR A LA GENTE?».

Me devané los sesos por comprender qué había pasado, pero intentando mantener la calma al mismo tiempo.

«A lo mejor está ocupada en el trabajo. Tranquilízate.»

«Seguro que se pondrá en contacto conmigo en cuanto pueda. Al fin y al cabo hemos conectado, ¿no?»

Pasó un día entero.

¡UN DÍA ENTERO!

Llegados a ese punto, mis ideas se volvieron más descabelladas:

«¡¿Qué habrá pasado?! ¡¡Sé que me ha leído!!»

«¿Se le habrá caído el teléfono móvil a un río? ¿A un triturador de basura? ¿A un volcán?»

«¿Se habrá caído Tanya a un río/triturador de basura/volcán? Ay, no, Tanya ha muerto, y a mí, que soy el ser más egoísta del mundo, lo único que me preocupa es si vamos a quedar o no para ir a un concierto. Qué mala persona soy.»

Le conté mis penas a un amigo.

—Bah, venga, no pasa nada. Ya te escribirá. Estará ocupada, nada más —me dijo para animarme.

Después me metí un rato en Facebook. Vi que Tanya se había conectado al chat. ¿Y si le mandaba un mensaje? «¡No! No hagas eso, Aziz. Mantén la calma. Mantén la calma...»

Después me metí en Instagram, y vi que mi amiguita Tanya había colgado una foto de un ciervo. ¿Así que no tenía tiempo para responderme pero sí para colgar la foto de un ciervo que había visto durante una excursión?

Me quedé desolado, hasta que tuve ese momento de lucidez que hasta los más idiotas tenemos al vernos en una situación así.

¡A LO MEJOR NO LE LLEGÓ EL MENSAJE!

Sí, eso fue lo que pasó, ¿verdad? El móvil le dio algún error. Claro, eso es.

Entonces me planteé la posibilidad de enviarle un segundo mensaje, aunque no terminaba de decidirme, ya que jamás me había ocurrido nada parecido con ninguno de mis amigos:

—Oye, Alan. Te puse un mensaje para ir a cenar y no me respondiste en todo el día. ¿Qué pasó?

—¡Mierda! No leí el mensaje. No me llegó. El móvil me dio un error. Lo siento. ¿Quedamos mañana?

Volvamos al asunto de Tanya. Llegados a este punto ya han pasado más de veinticuatro horas. Es miércoles. El concierto es esta noche. No me ha respondido ni siquiera para decirme que no... ¿por qué? Al menos dime que no quieres venir para que pueda invitar a otra persona, ¿no? ¿Por qué, Tanya, por qué? Estoy empezando a perder la cabeza. ¿Cómo puede haber gente tan desconsiderada en el mundo? Ni que yo fuera un acosador.

Seguí devanándome los sesos, intentando decidir si debía escribirle otro mensaje, pero pensé que me haría quedar como un desesperado, así que acepté que Tanya no tenía interés por mí. En cualquier caso, me dije a mí mismo que no quería salir con alguien que trata así a la gente, lo cual es cierto, más o menos, pero aun así me sentía dolido e insultado hasta límites insospechados.

Entonces caí en la cuenta de algo que me resultó interesante.

La locura en la que me había sumido había sido algo que no habría sucedido hace veinte años, o incluso diez. Ahí estaba yo, mirando compulsivamente el móvil cada pocos minutos, en brote total, resentido y enfadado sencillamente porque una persona no me había escrito un estúpido mensaje con su estúpido teléfono móvil.

Estaba muy disgustado, pero ¿de verdad Tanya había hecho algo tan malévolo y desconsiderado? No, sencillamente había decidido no enviarme un mensaje para ahorrarse una situación incómoda. Seguramente yo le habré hecho lo mismo a alguien alguna vez, sin ser consciente del malestar que puedo haberle causado.

Al final no fui al concierto esa noche. En vez de eso me fui a un club a hacer un monólogo con el que canalicé mi horrible frustración, las dudas que tenía sobre mí mismo y la rabia que ese estúpido «mutismo» había despertado en lo más hondo de mi ser. Conseguí que la gente se riera, pero también algo más significativo, como si hubiera logrado conectar con el público a un nivel más profundo.

Me di cuenta de que todos los chicos y chicas del público habían tenido a su propia Tanya en sus móviles en algún momento, que todos tenían sus propios problemas y comeduras de cabeza. Cada uno de nosotros se sienta a solas a contemplar esa pantalla en negro, embargados por un completo abanico de emociones. Pero, aunque suene raro, lo hacemos todos juntos, y debería consolarnos que nadie parece tener ni idea de qué está pasando.

Empezaron a fascinarme incógnitas como por qué a mucha gente parece costarle tanto hacer algo que el ser humano lleva toda la vida haciendo bastante bien: encontrar el amor. Les pregunté a algunos conocidos si sabían de algún libro que pudiera ayudarme a comprender los múltiples desafíos que supone encontrar el amor en la era digital. Me topé con algunos textos interesantes, pero no con el tipo de investigación psicológica y exhaustiva que estaba buscando. Esa clase de libro no existía, así de sencillo, así que decidí intentar escribirlo yo mismo.

Al comienzo del proyecto pensaba que los grandes cambios que se habían producido en las relaciones sentimentales eran evidentes: avances tecnológicos como los *smartphones*, las cibercitas y las redes sociales. Sin embargo, a medida que profundicé en el asunto, fui comprendiendo que las transformaciones de nuestra vida sentimental no se pueden explicar solo basándonos en la tecnología, pues la realidad es mucho más compleja. En un periodo de tiempo muy corto, la cultura relativa a la búsqueda del amor y de una pareja ha cambiado de forma radical en todas partes. Hace un siglo, la gente conocía a una persona decente que vivía en su vecindario. Sus familias se reunían y, tras llegar a la conclusión de que ninguno de los dos tenía pinta de asesino en serie, la pareja se casaba y tenía un niño, todo ello a los veintidós años. Hoy en día la gente dedica años y años a la gesta de encontrar a la persona perfecta, el alma gemela. Las herramientas que empleamos en dicha búsqueda son diferentes, pero lo que de verdad ha cambiado son nuestros deseos y algo que resulta aún más sorprendente: los objetivos inherentes a la propia búsqueda.

Cuanto más pensaba en esos cambios, más convencido estaba de que debía escribir este libro. Pero también era consciente de que yo, un cómico chiflado llamado Aziz Ansari, seguramente no sería capaz de abordar este asunto solo, así que decidí ponerme en contacto con gente muy lista para que me orientase. Me asocié con el sociólogo Eric Klinenberg, y juntos diseñamos un ambicioso proyecto de investigación que requeriría más de un año de pesquisas por ciudades de todo el mundo e implicaría a algunos expertos en cuestiones sentimentales y de pareja.

Antes de meternos en harina quiero contaros algo más sobre nuestro proyecto, para que así sepáis lo que hicimos y lo que no. La principal fuente de información de este libro procede de la investigación que Eric y yo llevamos a cabo entre 2013 y 2014. Organizamos grupos de estudio y entrevistamos a cientos de personas en Nueva York, Los Ángeles, Wichita, Monroe (NY), Buenos Aires, Tokio, París y Doha. No fueron entrevistas convencionales. En primer lugar, reunimos diversos grupos de gente y acabamos hablando con un nivel de complicidad increíble sobre los detalles más íntimos de sus vidas afectivas. En segundo lugar —y más interesante—, muchos de los participantes en nuestra investigación se ofrecieron voluntariamente a compartir con nosotros sus móviles para que pudiéramos hacer un seguimiento de su comportamiento a través de mensajes de texto, correos electrónicos, webs de citas y aplicaciones como Tinder. La información fue muy significativa, porque pudimos comprobar de primera mano cómo se desarrollan estos encuentros románticos y no limitarnos a escuchar lo que la gente recordaba. Dado que les pedimos compartir tanta información personal, les prometimos anonimato. Eso significa que los nombres de personas cuyas historias se cuentan aquí son seudónimos, práctica habitual en esta clase de investigaciones sociales.

Para ampliar el espectro de esas ciudades creamos un foro en la página web de Reddit para formular preguntas y, en esencia, organizar un inmenso grupo de estudio en red donde recibir miles de respuestas desde cualquier parte del mundo. (Aprovecho para transmitir mi enorme agradecimiento a todos los que participaron en esas sesiones, ya que este libro no habría sido posible sin ellos.) Así pues, cuando en el libro hablamos del «foro», nos referimos a esto.

También dedicamos mucho tiempo a entrevistar a gente superinteligente, incluyendo ilustres sociólogos, antropólogos, psicólogos y periodistas que han dedicado sus carreras a estudiar las relaciones de pareja en la actualidad y que nos atendieron con toda la amabilidad del mundo. Esta es una lista de la gente que nos ayudó, espero no dejarme a nadie fuera: Danah Boyd, de Microsoft; Andrew Cherlin, de la Universidad Johns Hopkins; Stephanie Coontz, del Evergreen State College; Pamela Druckerman, del *New York Times*; Kumiko Endo, de La Nueva Escuela, que también nos ayudó durante nuestra investigación en Tokio; Eli Finkel, de la Universidad del Noroeste; Helen Fisher, de la Universidad de Rutgers; Jonathan Haidt, de la Universidad de Nueva York (NYU); Sheena Iyengar, de la Universidad de Columbia; Dan Savage; Natasha Schüll, del Instituto Tecnológico de Massachusetts (MIT); Barry Schwartz, del Swarthmore College; Clay Shirky, de la NYU; Sherry Turkle, del MIT; y Robb Willer, de Stanford, que también nos ayudó a confeccionar algunas de las preguntas de nuestra investigación y a analizar los datos.

Además de estas entrevistas, tuvimos acceso a unos increíbles datos cuantitativos que utilizamos a menudo en el libro. Durante los últimos cinco años, Match.com ha patrocinado el sondeo más exhaustivo entre solteros de Estados Unidos, una muestra representativa a nivel nacional sobre unas cinco mil personas con preguntas acerca de toda clase de comportamientos y preferencias fascinantes. El equipo de Match.com tuvo la generosidad de compartir esos datos con nosotros, y nosotros, a su vez, os ofrecemos un análisis de ellos. También hemos contado con la buena disposición de Christian Rudder y OkCupid, que recopilaron datos muy valiosos sobre el comportamiento de sus usuarios. Esta información nos ha sido de gran utilidad, porque permite distinguir entre lo que la gente dice y lo que en realidad hace.

Otra fabulosa fuente de información fue Michael Rosenfeld, de la Universidad de Stanford, que compartió con nosotros material de la encuesta «Cómo se conocen y mantienen las parejas», un sondeo representativo de ámbito nacional de cuatro mil dos adultos con un nivel de estudios medio o alto, tres cuartas partes de los cuales estaban casados o tenían una relación estable. Rosenfeld y otro investigador, Jonathan Haidt, de la NYU, nos dieron permiso para utilizar las gráficas que prepararon para ese libro. Muchas gracias a los dos.

Con la ayuda de todos ellos, Eric y yo conseguimos abarcar un amplio abanico de temas relacionados con el amor en la era digital, aunque no todos. Una cosa que quiero dejar clara desde el principio es que este libro se centra mayoritariamente en las relaciones heterosexuales. Al principio del proceso, Eric y yo nos dimos cuenta de que si intentábamos analizar si las diversas facetas del amor que tratamos aquí se aplican a las relaciones LGBT, sería imposible hacer justicia al asunto sin escribir un libro dedicado exclusivamente a ello. Sí que abordamos algunas cuestiones relativas al amor y el emparejamiento entre gais y lesbianas, pero no de forma exhaustiva.

Otra cosa que quiero aclarar es que la mayor parte de la investigación que realizamos supuso hablar con gente de clase media. Personas que habían ido a la universidad y que habían aplazado la decisión de tener hijos hasta los veintimuchos o los treintaitantos años y que mantienen relaciones muy intensas con sus carísimos *smartphones*. Soy consciente de que el amor y las relaciones de pareja no funcionan igual en comunidades muy pobres o muy ricas, tanto en los Estados Unidos como en los demás países que visitamos durante nuestra investigación. Pero, una vez más, Eric y yo tuvimos la impresión de que analizar todas las variables relacionadas con la clase social sería una tarea abrumadora, así que no hemos incluido eso en el libro.

Bien, pues eso es más o menos lo que hay que saber a modo de introducción. Pero antes de comenzar, querido lector, quiero transmitirte mi más sincero agradecimiento.

Podrías haberte comprado cualquier otro libro si hubieras querido. Podrías haberte llevado un ejemplar de *Rebelde: Los altibajos de convertirse en un hombre*, de Ja Rule. Podrías haber comprado *Padre rico, padre pobre*. Incluso podrías haber comprado *Ja rico, Ja pobre: La guía de Ja Rule para una buena salud financiera*.

Podrías haber comprado todos esos libros (¡y a lo mejor lo has hecho!), salvo el último, porque, a pesar de mis insistentes correos electrónicos, Ja Rule sigue negándose a escribirlo.

Pero también has comprado el mío. Y por eso te doy las gracias.

Ahora, embarquémonos en este viaje por el mundo de... ¡las relaciones amorosas en la era digital!

CAPÍTULO 1

EN BUSCA DEL ALMA GEMELA

Muchas de las frustraciones que tienen los solteros de ahora parecen deberse a problemas exclusivos de nuestro tiempo: no recibir respuesta a un mensaje, exprimirse la sesera para decidir cuál es de verdad tu película favorita para ponerlo en el perfil de una web de contactos o preguntarte si deberías teletransportarle unas rosas a esa chica con la que cenaste anoche. (En realidad dudo de que ya se haya inventado el teletransporte cuando se publique este libro, tal y como me han explicado mis asesores científicos. Señor editor: haga el favor de suprimir esta referencia al teletransporte en caso de que aún no se haya inventado.)

Desde luego, estas peculiaridades no habían ocurrido en la historia, pero durante mis investigaciones y entrevistas para este libro descubrí que los cambios en el amor y las relaciones de pareja responden a una escala más grande y profunda de lo que imaginaba.

Ahora mismo soy uno de los millones de jóvenes que se encuentran en una situación parecida. Conocemos gente, acudimos a citas, iniciamos relaciones y las rompemos, todo con la esperanza de encontrar a alguien a quien amemos de verdad y con quien sintamos una conexión profunda. Puede que incluso queramos casarnos y formar una familia.

Este proceso parece bastante común actualmente, pero es totalmente distinto al que vivía la gente hace apenas unas décadas. La verdad es que ahora comprendo que nuestras nociones sobre estos conceptos —«la búsqueda» y «la persona apropiada»— difieran totalmente de las que se tenían antes. Lo que significa que nuestras expectativas sobre el proceso de cortejo también han variado.

DONUTS A CAMBIO DE RESPUESTAS:
UNA VISITA A UN ASILO DE NUEVA YORK

Si quería comprobar cómo han cambiado las cosas con el tiempo, supuse que debía empezar por conocer la experiencia de generaciones anteriores. Eso significaba entrevistar a unos cuantos ancianos.

Para ser sincero, tiendo a idealizar el pasado, y aunque aprecio las comodidades de la vida moderna, a veces añoro los tiempos en que todo parecía más sencillo. ¿Acaso no molaría ser soltero en una época pasada? Llevaría a una chica a un cine al aire libre, nos iríamos a tomar una hamburguesa con queso y un batido a una cafetería, y después nos enrollaríamos bajo las estrellas en mi descapotable retro. Por supuesto, no habría sido fácil hacer todo eso en los años cincuenta, teniendo en cuenta mi tez morena y las tensiones raciales de la época, pero en mi fantasía la armonía racial también forma parte del trato.

Así que, para descubrir más cosas sobre las relaciones amorosas en aquella época, Eric y yo nos fuimos a una residencia de ancianos en el Lower East Side de Nueva York a hacer algunas entrevistas.

Acudimos armados con una caja enorme de Dunkin' Donuts y unos cafés, herramientas que según nos habían dicho los empleados de la residencia serían clave para convencer a los ancianos de que hablaran con nosotros. Dicho y hecho: cuando los mayores percibieron el aroma de los donuts, se apresuraron a echar mano de unas sillas y a responder a nuestras preguntas.

Un señor de ochenta y ocho años llamado Alfredo se zampó el donut a toda velocidad. A los diez minutos de conversación, durante los que no nos dio nada más que su nombre y edad, me miró desconcertado, dejó caer las manos cubiertas de migas de donut, y se marchó.

Cuando volvimos unos días más tarde para hacer más entrevistas, apareció Alfredo. El personal de la residencia nos explicó que Alfredo había malinterpretado el motivo de nuestro anterior encuentro —pensó que queríamos hablar sobre su época de servicio en la guerra—, pero que ahora estaba dispuesto a hablar de su experiencia con el amor y el matrimonio. Una vez más, se zampó rápidamente un donut, y entonces, en menos que canta un gallo, se largó otra vez.

Solo espero que a mí también me sea tan fácil conseguir donuts gratis cuando me jubile.

Por suerte, los demás fueron más comunicativos. Victoria, de sesenta y ocho años, se crio en Nueva York. Se casó a los veintiuno con un hombre que vivía en el mismo edificio que ella, en el piso de arriba.

—Yo estaba delante del edificio con unas amigas cuando se me acercó —contó Victoria—. Me dijo que le gustaba mucho y me preguntó si quería salir con él. No le respondí. Me lo pidió dos o tres veces más hasta que dije que sí.

Fue la primera cita de Victoria. Fueron al cine y después cenaron en casa de la madre de ella. Pronto se convirtió en su novio y, tras un año de noviazgo, en su marido.

Llevan casados cuarenta y ocho años.

La historia que me contó Victoria tenía ciertos detalles que supuse serían recurrentes en el grupo: se casó muy joven, sus padres conocieron a su novio casi de inmediato, y al poco tiempo pasaron por el altar.

Supuse que el hecho de que se casara con un tipo que vivía en el mismo edificio que ella era pura casualidad.

Sin embargo, la siguiente mujer con la que hablé, Sandra, de setenta y ocho años, me dijo que se había casado con un hombre que vivía en su misma calle.

Stevie, de sesenta y nueve años, se casó con una mujer que vivía en su misma planta.

José, de setenta y cinco años, se casó con una mujer que vivía en la calle de al lado.

Alfredo se casó con alguien que vivía en la acera de enfrente (probablemente con la hija del propietario de la tienda de donuts del barrio).

Me resultó muy curioso. En total, catorce de los treinta y seis ancianos con los que hablé habían terminado casándose con alguien que vivía a pocos pasos de la casa donde se criaron. La gente se casaba con vecinos que vivían en la misma calle, el mismo barrio e incluso el mismo edificio. Parecía un poco extraño.

—Chicos —les dije—, estáis en Nueva York. ¿Nunca se os ocurrió pensar: «Oye, quizás haya gente fuera de mi edificio»? ¿Por qué os limitasteis tanto? ¿Por qué no ampliasteis vuestros horizontes?

Los ancianos se encogieron de hombros y dijeron que así no se hacían las cosas en aquella época.

Tras las entrevistas indagamos para ver si aquello respondía a una tendencia más amplia. En 1932, un sociólogo de la Universidad de Pensilvania llamado James Bossard analizó los expedientes de cinco mil licencias de matrimonio de personas que vivían en la ciudad de Filadelfia. ¡Cáspita! Un tercio de esos matrimonios vivían en un radio de cinco manzanas de distancia antes de casarse. Uno de cada seis, en el mismo bloque. Y lo más asombroso: uno de cada ocho matrimonios vivía en el mismo edificio antes de casarse.[1]

¿Se daba esa tendencia a casarse con gente de los alrededores solo en grandes ciudades, o en todas partes? Un montón de sociólogos de los años treinta y cuarenta se hicieron esa misma pregunta, y registraron sus descubrimientos en las principales publicaciones de ciencias sociales de la época.

---

1   James H. S. Bossard, "Residential Propinquity as a Factor in Marriage Selection" («La proximidad residencial como factor en la elección matrimonial»), *American Journal of Sociology* 38, # 2 (1932), 219–24.

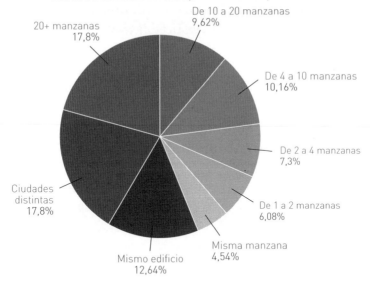

PROXIMIDAD GEOGRÁFICA DE LOS CÓNYUGES
EN 5000 MATRIMONIOS, FILADELFIA, 1932

20+ manzanas
17,8%

De 10 a 20 manzanas
9,62%

De 4 a 10 manzanas
10,16%

De 2 a 4 manzanas
7,3%

Ciudades
distintas
17,8%

De 1 a 2 manzanas
6,08%

Misma manzana
4,54%

Mismo edificio
12,64%

Pues sí: sus descubrimientos se parecían mucho a los de Bossard en Filadelfia, pero con algunas variaciones.

Por ejemplo, la gente que vivía en ciudades pequeñas también se casaba con sus vecinos si estaban disponibles. Pero si no había dónde elegir, la gente se abría a buscar fuera, aunque solo lo justito. Tal y como dijo el sociólogo de Yale John Ellsworth Jr. después de hacer un estudio sobre tendencias matrimoniales en Simsbury, Connecticut (3941 habitantes): «La gente se irá lo lejos que sea necesario para encontrar pareja, pero no más allá.»[2]

Hoy en día es obvio que las cosas han cambiado mucho. Me he enterado de que los sociólogos ya ni siquiera realizan esa clase de estudios geográficos sobre el matrimonio en una sola ciudad. Personalmente, no tengo ni un solo amigo que se haya casado con alguien de su vecindario, y casi ninguno que se haya casado con alguien de su ciudad natal. Por lo general, mis amigos se casaron con personas a las que conocieron

---

2 John S. Ellsworth Jr., "The Relationship of Population Density to Residential Propinquity as a Factor in Marriage Selection", *American Sociological* 13, # 4 (1948): 444-48.

después de la universidad, cuando estuvieron en contacto con gente de otras partes del país y, en algunos casos, de otras partes del mundo.

Piensa en donde te criaste, en tu edificio o en tu barrio. ¿Te imaginas casándote con alguno de esos majaderos?

MADUREZ EMERGENTE:
CUANDO LOS ADULTOS SE HACEN MAYORES

Una razón por la que cuesta tanto imaginarnos casándonos con alguien a quien conocemos de toda la vida es que ahora nos casamos mucho más tarde que antes.

En el caso de la generación de ancianos que entrevisté en la residencia de Nueva York, la edad media para contraer matrimonio rondaba los veinte años para las mujeres y los veintitrés para los hombres.

Hoy en día, la edad media para casarse por primera vez está en torno a los veintisiete años para las mujeres y los veintinueve para los hombres, y ronda la treintena tanto para hombres como para mujeres en ciudades grandes como Nueva York y Filadelfia.

¿Por qué ha subido tan radicalmente la edad para casarse por primera vez en las últimas décadas? Para los jóvenes que se casaron en los años cincuenta, el matrimonio suponía el primer paso hacia la madurez. Después del instituto o la universidad, te casabas y te ibas de casa.

Para la gente de hoy, el matrimonio suele ser una de las últimas etapas de la madurez. La mayoría de los jóvenes pasan la veintena y la treintena en otra fase de la vida: van a la universidad, inician una carrera profesional y experimentan lo que significa ser adulto fuera del hogar paterno antes del matrimonio.

Este periodo no se limita solo a encontrar pareja y casarse. También existen otras prioridades: formarse, probar distintos empleos, mantener unas cuantas relaciones y, con suerte, convertirse en una persona más plena. Los sociólogos tienen incluso un nombre para esta nueva etapa de la vida: madurez emergente.

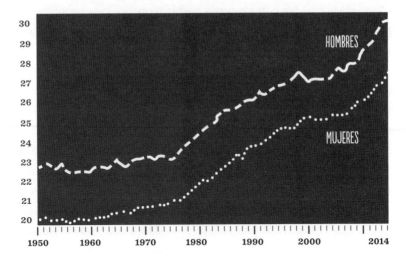

EDAD MEDIA DEL PRIMER MATRIMONIO EN EE. UU.

Fuente: Oficina del censo de EE. UU., Censos por decenios, de 1890 a 1940. Encuesta de población, Suplementos sociales y económicos anuales, 1947 a 2014.

Durante esta etapa también ampliamos de forma notable nuestro espectro de opciones sentimentales. En lugar de quedarnos en el barrio o en nuestro edificio, nos mudamos a otras ciudades, pasamos años conociendo gente en la universidad y en el trabajo, y —este es el factor que ha provocado el mayor cambio— contamos con las infinitas posibilidades que dan las cibercitas y otras tecnologías similares.

Aparte de los efectos que produce sobre el matrimonio, la madurez emergente también posibilita que los jóvenes pasen un periodo interesante y divertido de independencia de los padres: empiezan a disfrutar del placer de ser adultos antes de convertirse en maridos o esposas y de formar una familia.

Si eres como yo, no se te ocurriría casarte sin pasar por todo eso. Cuando tenía veintitrés años no tenía ni idea de lo que iba a hacer con mi vida. Era estudiante de Biología y Empresariales en la Universidad de Nueva York. ¿Me acabaría casando con una chica que viviera a pocas manzanas de mí, en Bennettsville, Carolina del Sur, que es donde me crie? Y en cualquier caso, ¿de qué iba ese rollo que me había montado de mezclar la biología con los negocios? No tenía ni idea. Era un tonto que, desde luego, no estaba preparado para tomar unas decisiones vitales tan importantes.[3]

Los ancianos con los que hablamos no pasaron por esa etapa, ni mucho menos, y a muchos de ellos les daba rabia. Sobre todo a las mujeres, que por lo general no tuvieron la oportunidad de acceder a una educación superior e iniciar sus propias carreras profesionales. Antes de la década de los sesenta, en la mayor parte de los Estados Unidos no se concebía que las mujeres solteras vivieran solas, y muchas familias no veían con buenos ojos que sus hijas se mudaran a pisos compartidos para «chicas trabajadoras». Hasta que se casaban, esas mujeres estaban atadas a su casa bajo una supervisión paternal bastante estricta y carecían de las libertades básicas de un adulto. Siempre tenían que decirles a sus padres adónde iban y qué planes tenían. Incluso acudir a una cita implicaba a los padres: debían darle el visto bueno al chico o bien acompañarlos durante la cita.

En un momento dado, durante un grupo de estudio con mujeres mayores, les pregunté abiertamente si muchas de su generación se casaban solo para poder salir de sus casas. Todas dijeron que sí. Para las mujeres de aquella época, el matrimonio parecía la forma más fácil de conseguir las libertades básicas de la madurez.

Pero no todo era un camino de rosas a partir de entonces. El matrimonio, tal y como la mayoría de las mujeres descubrió al poco tiempo, las liberaba de sus padres, pero las hacía dependientes de un hombre que podía tratarlas bien o no, y encima cargaba sobre sus hombros la responsabilidad del cuidado del hogar y de la crianza de los hijos. Esto provocó entre las mujeres de esa época lo que en su momento describió Betty Friedan en su famoso libro *La mística de la feminidad* como «el problema sin nombre».[4]

---

3   El tatuaje que me hice de Bubba Sparxxx me lo recuerda constantemente.
4   En el primer borrador, Friedan lo llamó «el problema Hampton», pero los editores le dijeron que no tenía gancho.

Cuando la mujer se ganó el acceso al mercado laboral y consiguió el derecho a divorciarse, el índice de divorcios se disparó. Algunas de las ancianas a las que conocí en nuestro grupo de estudio abandonaron a sus maridos durante el auge del divorcio, y me dijeron que siempre habían lamentado no haber podido saber qué supone ser una mujer adulta, soltera y libre de responsabilidades.

Deseaban haber tenido una madurez emergente.

—Tengo la sensación de que me ha faltado una etapa en la vida, la etapa en la que sales con tus amigas —nos contó con melancolía una mujer llamada Amelia—. Nunca me daban permiso para salir con ellas. Mi padre no me lo permitía. Así de estricto era. Así que yo les digo a mis nietas: «Disfrutad, disfrutad. Ya tendréis tiempo de casaros.»

Espero que esas palabras no induzcan a las nietas de Amelia a meterse una tonelada de éxtasis y después decirle a su madre: «¡La abuela nos dijo que disfrutásemos! ¡Tú no te metas!».

La mayoría pensaba lo mismo. Todas, incluso las mujeres que afirmaban estar felizmente casadas, nos contaron que querían que sus hijas y sus nietas tuvieran un concepto del matrimonio distinto del suyo. Querían que las jóvenes salieran con un montón de chicos y vivieran experiencias distintas antes de elegir marido.

—A mi hija le dije que saliera, que se formara, que se comprara un automóvil, que se divirtiera —nos contó Amelia—. Y después de todo eso, eligió a alguien para casarse.

Incluso Victoria, que llevaba casada cuarenta y ocho años con el hombre que se había criado en el piso de arriba, estuvo de acuerdo. Recalcó que amaba profundamente a su marido, pero también señaló que, si le dieran otra oportunidad, quizás elegiría otro camino.

—Mi marido y yo nos entendemos —dijo—. Pero somos muy diferentes. A veces me pregunto si me hubiera casado con alguien que tuviera los mismos gustos que yo... —No concluyó la frase.

¿Quizá le gustaban los donuts y se estaba planteando cómo habría sido su vida al lado de Alfredo?

EL LUJO DE LA FELICIDAD:

CASARSE POR COMPAÑERISMO O CON EL ALMA GEMELA

El cambio producido en nuestra forma de buscar el amor y de concebir el matrimonio ha venido acompañado por un cambio en lo que buscamos en una pareja para casarnos. Cuando los ancianos a los que entrevisté me explicaron las razones por las que se decidieron a salir con alguien, a comprometerse y finalmente a casarse, dijeron cosas como: «Parecía un buen chico», «Era una chica agradable», «Tenía un buen trabajo» y «Tenía acceso a un sinfín de donuts y a mí me gustan los donuts».[5]

Cuando haces esa misma pregunta a los jóvenes de hoy, las respuestas son mucho más grandilocuentes y apasionadas. Dicen cosas como «Es mi media naranja», «No puedo imaginarme probar los placeres de la vida sin tenerlo a mi lado» o «Cada vez que le toco el pelo, se me pone más tiesa que un palo.»

En nuestro foro le preguntamos a la gente: si te has casado o has mantenido una relación larga, ¿cómo decidiste que esa persona era (o sigue siendo) la adecuada para ti? ¿Qué hace que esa persona sea diferente a las demás? Las respuestas que recibimos eran completamente diferentes a las que nos dieron los ancianos que conocimos en la residencia.

Muchas estaban aderezadas con anécdotas que servían como prueba de una conexión muy profunda entre dos personas, una conexión que les llevaba a pensar que habían encontrado a una persona única, y no simplemente a alguien con quien existía la posibilidad de formar una familia.

Una mujer escribió:

La primera vez que recuerdo haberme sentido verdaderamente enamorada de mi novio fue una vez que estaba tarareando el *Greatest Love of All*, de Whitney Houston, mientras estábamos estu-

---

5   Habéis acertado: Alfredo.

diando juntos, y entonces él empezó a cantarla a pleno pulmón. Nos pusimos a cantar la canción entera, riendo y bailando por la habitación. Momentos como ese, en los que me sentía tan libre, tan ridícula y tan querida, son los que me confirman que es la persona adecuada. También tengo la sensación de que, desde que estamos juntos, he logrado ser la mejor versión de mí misma. Me esfuerzo por probar cosas diferentes y sigo aprendiendo, aunque ya haya terminado mis estudios. Tengo muchas responsabilidades, pero su apoyo es lo que me ha ayudado siempre a salir adelante.

Otra mujer escribió:

Me hace reír, y si ve que no me apetece reírme, se pone serio y se toma el tiempo necesario para descubrir por qué. Me hace sentir hermosa y querida en mis peores momentos. También compartimos la misma fe, la misma moral, ética de trabajo, pasión por la música y el cine, y el gusto por los viajes.

Y otra dijo:

Mi novio es distinto a todos los demás porque es un ser humano inigualable. No hay nadie como él en este mundo. Es increíble, y me sorprende cada día que pasa. Me he convertido en una persona mejor por haberlo conocido y amado. Llevamos cinco años juntos y todavía estoy obsesionada con él. Es mi mejor amigo.

Todas estas personas habían encontrado a alguien muy especial. Por su forma de describir la situación, cabría pensar que sus requisitos para comprometerse con alguien son mucho más exigentes que los de aquellos ancianos que sentaron la cabeza hace unas cuantas generaciones.

Para descubrir por qué la gente de hoy describe su compromiso con su pareja de forma tan apasionada, hablé con Andrew Cherlin, eminente sociólogo familiar y autor del libro *The Marriage-Go-Round*. Hasta hace unos cincuenta años, me contó Cherlin, la mayoría de la gente se sentía satisfecha con lo que él llama un «matrimonio por compañerismo». En esta clase de matrimonio cada miembro tenía unos papeles claramente definidos. El hombre era el cabeza de familia y el que traía los garbanzos a casa, mientras que la mujer se quedaba en casa y cuidaba del hogar y de los hijos. Gran parte de la satisfacción que se obtenía de un matrimonio así dependía de lo bien que cada uno cumpliera con el papel asignado. Como hombre, si traías a casa los garbanzos, podías considerarte un buen marido. Como mujer, si mantenías limpia la casa y parías una media de 2,5 hijos eras una buena esposa. Sí, claro que podías amar a tu pareja, pero no en plan: «cada vez que le miro el bigote, mi corazón aletea como una mariposa.»

Si la gente se casaba no era porque estuvieran locamente enamorados; se casaban porque juntos podían formar una familia. Pese a que algunas personas aseguraban haberse casado por amor, la presión para contraer matrimonio y formar una familia era tanta que no todos los emparejamientos podían ser fruto del amor, así que en su lugar aparecía el «matrimonio lo suficientemente bueno».

Esperar el amor verdadero era un lujo que muchos, sobre todo las mujeres, no podían permitirse. A principios de los años sesenta, nada menos que un 76 % de las mujeres admitían estar dispuestas a casarse con alguien a quien no amasen. Sin embargo, solo el 35 % de los hombres compartían esa opinión.[6]

Si eras mujer, tenías mucho menos tiempo para encontrar a un hombre. ¿Amor verdadero? Ese tipo tiene trabajo y un bigote frondoso. Échale el lazo, nena.

Esto nos conduce a un cambio fundamental en la forma de concebir el matrimonio. Hoy en día, casarse significa encontrar a un compañero de por vida. Alguien a quien amamos. Pero esta noción de casarse por amor y felicidad es relativamente reciente.

---

6   William M. Kephart, "Some Correlates of Romantic Love" («Cuestiones relativas al amor romántico»), *Journal of Marriage and the Family* 29, # 3 (1967): 470–74.

Durante la mayor parte de la historia de nuestra especie, el cortejo y el matrimonio no se limitaban, en la práctica, a dos individuos que encuentran el amor y la plenitud. Según la historiadora Stephanie Coontz, autora del libro *Historia del matrimonio*, hasta fechas recientes la principal importancia de una unión marital radicaba en establecer un vínculo entre dos familias. Se trataba de conseguir seguridad de varios tipos: financiera, social y personal. Se trataba de crear las condiciones necesarias para asegurar la supervivencia y la reproducción.

Esto no es historia antigua. Hasta la Revolución Industrial, la mayoría de los estadounidenses y europeos vivían en granjas, y todos los miembros del núcleo familiar tenían que trabajar. A la hora de decidir con quién casarse, se era eminentemente práctico.

En el pasado, el hombre pensaba: «A ver, debo tener hijos para que trabajen en la granja. Necesito mano de obra infantil cuanto antes. Y también necesito una mujer para que me remiende la ropa. Será mejor que me ponga a buscarla ya mismo». Y la mujer pensaba: «Más me vale encontrar a un hombre que sea competente con la granja y bueno con el arado si no quiero morirme de hambre».

Asegurarse de que esa persona compartiera tu gusto por el *sushi* y las pelis de Wes Anderson y comprobar que se te pusiera tiesa como un palo cada vez que le tocabas el pelo no parecía demasiado relevante.

Por supuesto, las personas también se casaban porque estaban enamoradas, pero sus expectativas sobre lo que les reportaría ese amor eran distintas de las que tenemos en la actualidad. Para las familias cuya seguridad futura dependía de que sus hijos encontraran una pareja adecuada, la pasión se veía como una causa demasiado arriesgada para casarse. «El matrimonio era una institución económica y política demasiado crucial como para acceder a él basándose solamente en algo tan irracional como el amor», escribe Coontz.[7]

Coontz también nos explicó que, antes de los años sesenta, la mayoría de la gente de clase media tenía unas expectativas bastante inflexibles sobre lo que cada persona debía aportar al matrimonio en función

---

7   Stephanie Coontz, *Historia del matrimonio* (Gedisa, 2013), 7.

de su sexo. Las mujeres querían seguridad económica. Los hombres querían que sus esposas fueran vírgenes y no se preocupaban por cualidades más elevadas como la educación o la inteligencia.

—De media, una pareja se casaba al cabo de apenas seis meses. Es un indicio bastante claro de que el amor seguía pasando por el filtro de unos marcados estereotipos de género en lugar de fundamentarse en un conocimiento profundo de la otra persona como individuo —explicó Coontz.

Eso no significa que las personas que se casaran antes de 1960 tuvieran matrimonios sin amor. Al contrario, en aquel entonces las parejas solían desarrollar unos sentimientos crecientes el uno por el otro a medida que pasaban tiempo juntos, maduraban y formaban sus familias. Puede que esos matrimonios comenzaran cociéndose a fuego lento, pero con el tiempo podían alcanzar el punto de ebullición.

Pero en los sesenta y los setenta cambiaron muchas cosas, y nuestras expectativas sobre lo que debe reportarnos el matrimonio lo que más. La lucha por la igualdad de la mujer fue uno de los motores principales de esta transformación. A medida que más mujeres iban a la universidad, conseguían buenos empleos y lograban ser independientes desde el punto de vista económico, establecían un nuevo control sobre sus cuerpos y sobre sus vidas. Cada vez más mujeres se negaban a casarse con el tipo de su vecindario o de su edificio. También querían probar cosas, y ahora tenían la libertad necesaria para hacerlo.

Según Cherlin, la generación que alcanzó la mayoría de edad durante las décadas de los sesenta y los setenta rechazaba el matrimonio por compañerismo y empezó a buscar algo más elevado. No querían un simple cónyuge: querían una alma gemela.

Llegados a la década de los ochenta, el 86 % de los estadounidenses y el 91 % de las estadounidenses afirmaban que no se casarían con alguien si no estaban enamorados.[8]

---

8   Elizabeth Rice Allgeier y Michael W. Wiederman, "Love and Mate Selection in the 1990s" («El amor y la elección de pareja en los años noventa»), *Free Inquiry* 11, # 3 (1991): 25–27.

El matrimonio con un alma gemela es muy distinto al matrimonio por compañerismo. No se trata de encontrar a alguien decente con quien formar una familia. Se trata de encontrar a la persona perfecta de la que estés verdadera y profundamente enamorado. Alguien con quien quieras compartir el resto de tu vida. Alguien que, cuando huelas alguna camiseta suya, te evoque de inmediato algo feliz de la época en que te preparaba el desayuno y los dos os quedabais en casa para veros del tirón la octava temporada de *Primos lejanos*.

Queremos una relación que sea muy apasionada, o efervescente, desde el principio. En el pasado, la gente no andaba buscando nada efervescente, se conformaban con un poco de gaseosa. Y una vez que la encontraban, se comprometían a pasar la vida juntos y hacían todo lo posible para que el gas no se perdiera del todo. Hoy por hoy, si una relación no resulta efervescente, la idea de comprometerse en matrimonio se antoja prematura.

Pero buscar un alma gemela conlleva mucho tiempo y requiere un tremendo desgaste emocional. El problema radica en que la búsqueda de la persona perfecta puede generar mucho estrés. Las generaciones más jóvenes se enfrentan a la enorme presión de encontrar a esa «persona perfecta» que en el pasado sencillamente no existía, cuando «lo suficientemente bueno» era suficientemente bueno.

Cuando lo consiguen, no obstante, la recompensa es increíble. Según Cherlin, el matrimonio con un alma gemela es potencialmente más feliz, y alcanza niveles de plenitud que la generación de los ancianos a los que entrevisté rara vez conseguían.

Cherlin también está al tanto de lo difícil que es mantener todas esas cosas positivas, y asegura además que el modelo actual de matrimonio con un alma gemela tiene el índice más alto de desengaños. Dado que nuestras expectativas son tan altas, la gente de hoy se apresura a romper los compromisos cuando su relación no cumple con lo previsto (tocar pelo, no se pone tiesa). A Cherlin también le gustaría recalcar que mi reiterada analogía cabello/erección es mía y solo mía.

La psicoterapeuta Esther Perel ha aconsejado a cientos de parejas que tienen problemas en sus matrimonios. Desde su punto de vista, pedirle tantas cosas a un matrimonio mete mucha presión a las relaciones. Según sus propias palabras:

> El matrimonio era una institución económica en la que se te asignaba un compañero de por vida basándonos en conceptos como el estatus social, la descendencia, la sucesión y el compañerismo. Actualmente queremos que nuestra pareja nos siga proporcionando todas esas cosas, pero además queremos que sea nuestro mejor amigo, nuestro confidente y, para colmo, un amante fogoso, todo ello sin olvidar que ahora vivimos el doble de tiempo que antes. Así que nos acercamos a una persona y básicamente le pedimos que nos dé todo lo que antaño solía ser tarea de una comunidad entera: dame un sentimiento de pertenencia, dame una identidad, dame continuidad, pero dame también trascendencia, misterio y asombro, todo al mismo tiempo. Dame tranquilidad, dame emoción. Dame novedad, dame familiaridad. Dame previsibilidad, dame sorpresa. Y creemos que es algo que debe darse por hecho, y que unos juguetitos y un poco de lencería nos van a ayudar a sortear cualquier problema.[9]

En el mejor de los casos, tenemos suerte y encontramos a nuestra alma gemela, y entonces disfrutamos de una plenitud que cambia nuestras vidas. Pero un alma gemela es algo muy difícil de encontrar.

ENCONTRAR A TU ALMA GEMELA

Nadie dijo que la búsqueda de un alma gemela fuera fácil. Aun así, en muchos sentidos parece que la generación actual de solteros goza de

---

9   Esther Perel, "The Secret to Desire in a Long-Term Relationship" («El secreto para mantener el deseo en una relación a largo plazo»), Conferencia en la organización TED, febrero de 2013.

una situación más favorable gracias a los cambios que han dado lugar a la nueva era romántica. Dedicar tiempo a desarrollarnos y a salir con personas distintas antes de casarnos nos ayuda a tomar mejores decisiones. Por ejemplo, la gente que se casa después de los veinticinco años tiene muchas menos probabilidades de divorciarse que aquellos que se casaron siendo más jóvenes.[10]

Tampoco tenemos que casarnos si no queremos. Hubo un tiempo en que casarse y formar una familia parecía la única opción viable en la vida. Hoy en día aceptamos mejor los estilos de vida alternativos, y la gente pasa por multitud de estados diferentes: soltero que vive con compañeros de piso, soltero que vive solo, soltero con pareja, casado, divorciado, divorciado que vive con una iguana, arrejuntado que vive con una iguana, divorciado que vive con siete iguanas porque la obsesión por estos reptiles echó a perder su relación, y, finalmente, soltero que vive con seis iguanas (lamentablemente, a Arturo le atropelló el camión de los helados).

Ya no existen caminos trazados. Ahora, cada uno de nosotros debe buscar el que más le convenga.

Cuando nos casamos, lo hacemos por amor. Porque hemos encontrado a nuestra alma gemela. Y las herramientas que tenemos para encontrarla son increíbles. No estamos limitados a los panolis que viven en nuestro edificio. Contamos con las webs de contactos, que nos dan acceso a millones y millones de panolis de todo el mundo. Podemos filtrarlos de cualquier forma imaginable. Cuando salimos, podemos usar los *smartphones* para escribirnos con infinidad de pretendientes mientras estamos de bares. No estamos condicionados a usar el teléfono fijo y relegados a la persona con la que quiera que hayamos hecho planes en firme.

Nuestras opciones amorosas no tienen precedente, y nuestras herramientas para clasificarlas y comunicarnos con ellas son asombrosas.

Y eso genera una pregunta: ¿Por qué hay tanta gente frustrada?

---

10   Casey E. Copen, Kimberly Daniels, Jonathan Vespa y William D. Mosher, "First Marriages in the United States: Data from the 2006-2010 National Survey of Family Growth" («Primeros matrimonios en Estados Unidos: Datos extraídos de la encuesta nacional de crecimiento familiar 2006-2010»), *National Health Statistics Reports*, 49 (2012).

Para el libro, Eric y yo quisimos comprobar qué pasaría si reuníamos a personas de diferentes generaciones para hablar de las citas en el pasado y en el presente. Organizamos un enorme grupo de estudio con doscientos individuos.

Mandamos una invitación y dijimos que todo el que quisiera asistir debía traer al menos a uno de sus padres al acontecimiento. Entonces, cuando llegaron los participantes, dividimos a las familias en dos apartados distintos: los jóvenes a la izquierda y sus padres a la derecha. Nos pasamos una hora yendo y viniendo de un lado a otro, pidiendo a la gente que nos explicara qué hacían para conocer gente, cómo invitaban a salir a otra persona, y cómo tomaban decisiones sobre el matrimonio y el compromiso.

Basándonos en las conversaciones que mantuvimos con ellos, supimos que la gente mayor que disfrutaba de un matrimonio próspero y feliz se había conocido de una forma sencilla, a la antigua usanza, con mucho menos estrés del que tienen los solteros hoy en día. Claro está, se conocieron a una edad temprana y seguramente no eran tan sofisticados como lo acabarían siendo años después, pero tal y como me dijo una mujer: «Crecimos y cambiamos juntos. Y aquí nos ves, todavía juntos a los sesenta y tantos años.»

En su época, la mayoría de las personas mayores que acudieron aquella noche se invitaban a salir directamente, por teléfono o en persona. Así es como un caballero llamado Tim describió la primera vez que le pidió salir a su futura esposa:

—La vi en la escuela y le dije: «Oye, tengo entradas para ver a los Who en el Madison Square Garden…».

Eso suena muchísimo mejor que escribirse mensajes con una chica durante dos semanas para que al final te deje plantado en un concierto de Sugar Ray.

Hablando sobre lo que hacía antaño la gente cuando acudía a una cita, me contaron que iban a un bar o a algún baile comunitario que normalmente organizaba la iglesia, la universidad o alguna otra institución local donde la gente podía hablar y conocerse. Se pasaban allí toda la noche y se bebían una o dos copas.

Eso parece mucho más agradable que lo que veo en los bares de hoy, que suele ser un puñado de gente mirando el móvil mientras intentan buscar algo más interesante que lo que están haciendo en ese momento.

¿Y qué pasa con todas las opciones que tenemos? Ahora podemos encontrar a la persona perfecta, ¿verdad? Pues lo cierto es que las personas mayores veían esa abundancia de opciones como una desventaja. Mostraban simpatía y preocupación por la situación de sus hijos, y gratitud por que las cosas fueran más sencillas, aunque lejos de ser perfectas, cuando eran jóvenes.

—Algo que debo decir en defensa de los jóvenes de hoy es que hay muchas opciones disponibles —dijo una madre—. Cuando yo era joven, había un baile, un bar y punto. Pero ahora... santo cielo. No me gustaría nada ser soltera hoy en día.

—¿Por qué piensa que la cosa pinta tan mal para los jóvenes? —le pregunté—. Piense en todas las opciones que tienen ahora, todas las puertas que pueden abrir.

Pero los mayores no daban su brazo a torcer. Eran conscientes de que habían tenido muy pocas opciones cuando eran jóvenes, pero, y eso es algo que me intriga, no parecían lamentarlo. Una mujer me dijo:

—No te parabas a pensar en las opciones que tenías. Cuando encontrabas a alguien que te gustaba, te metías en una relación. Nosotros no pensábamos: «Bueno, tengo doce puertas, o diecisiete, o cuatrocientas, o treinta y tres» —replicó—. Simplemente, veíamos una puerta que nos gustaba y la abríamos.

Y ahora, pensemos en mi generación. Nos encontramos en un vestíbulo con muchas puertas, millones de puertas. Da gusto tener tantas opciones.

¿Un vestíbulo con millones de puertas? ¿Es eso mejor? ¿O asusta?

Por un lado, puedes probar con un montón de puertas. Y eso suena mejor que que te empujen a cruzar una cuando eres todavía muy joven y quizás aún no estés preparado para ser adulto. Pero por otra parte, es posible que la gente de aquellas generaciones estuviera decidida a abrir una de esas puertas lo antes posible. Después de todo, pensad en Amelia, en Victoria, y en todas esas mujeres que estaban deseando salir de casa de sus padres para siempre: corrieron hacia la primera puerta que vieron sin pensárselo dos veces. A veces, esos matrimonios hacia los que corrían acababan siendo una fuente de problemas y soledad. Pero otras veces florecían hasta convertirse en algo valioso y gratificante.

En la actualidad queremos disponer de múltiples puertas a modo de opciones y nos pensamos muchísimo cuáles abrir. La fase vital de la madurez emergente es, básicamente, la posibilidad que te da la sociedad de deambular por el vestíbulo hasta descubrir cuál es la puerta apropiada para ti. La estancia en ese vestíbulo puede resultar frustrante en ocasiones, pero con suerte acabarás creciendo y madurando, y cuando estés preparado encontrarás una puerta que de verdad encaje contigo.

La gente que busca el amor en la actualidad dispone de un espectro de opciones sin precedentes en la búsqueda de una pareja asombrosa o, mejor aún, de un alma gemela. Prácticamente nos podemos casar con quien queramos, con independencia de su sexo, etnia, religión, raza... o incluso de su ubicación. Tenemos más probabilidades que las generaciones anteriores a la nuestra de mantener relaciones en las que ambos miembros estén en igualdad. Y, al contrario que muchas generaciones anteriores, casi todos nosotros nos casaríamos solamente con alguien a quien amásemos.

La cuestión es que, con tantas posibilidades, el proceso de encontrar a esa persona puede resultar muy agobiante. Y, al contrario de la época en la que casi todo el mundo se casaba a los veintipocos años, hoy en día la búsqueda del amor se puede alargar durante muchos años.

Se acabó casarse con el vecino de arriba o con la chica de al lado.

Se acabó emparejarse de por vida con la novia del instituto.

Se acabó lo de «Eh, mamá y papá, esa persona que está en el salón parece simpática. ¿Qué os parece si nos casamos dentro de tres meses?».

En vez de eso tenemos una cultura amorosa totalmente nueva, basada en la heroica búsqueda de la persona adecuada. Una búsqueda que puede llevarnos por la universidad y varias etapas de nuestra carrera profesional. Una búsqueda que también adopta formas nuevas, porque en el panorama amoroso de hoy, buena parte de la acción tiene lugar en nuestras pantallas.

EL MUNDO VIRTUAL

En 2014, el estadounidense medio pasó 444 minutos al día —casi 7,5 horas— delante de una pantalla, ya fuera un *smartphone*, una tableta, el televisor o el ordenador personal. Son cifras más elevadas que en la mayoría de países europeos, donde la gente «apenas» pasa entre 5 y 7 horas delante de una pantalla, aunque no lo suficiente como para poner a los Estados Unidos entre los cinco primeros países de la lista: en China, Brasil, Vietnam, Filipinas y, en el primer puesto, Indonesia, la gente se tira 9 horas al día mirando una pantalla.[11]

Esa cifra de 7,5 horas es muy elevada, pero he hecho un seguimiento del uso que yo mismo doy a estos dispositivos y no resulta tan descabellada. Hoy es una mañana de domingo normal y corriente en Los Ángeles. Después de levantarme, me tiré un rato escribiéndome con mis amigos Nick y Chelsea para elegir un sitio donde almorzar. Después me puse con el portátil para buscar los restaurantes propuestos. Me metí en Yelp y en las páginas de los restaurantes para echar un vistazo a los menús, y entremedias me dediqué a navegar sin rumbo por Internet (básicamente me puse a leer cualquier titular tonto que me llamara la atención en Reddit[12] y a ver los mejores momentos del *Saturday Night Live* de la noche anterior), hasta que, al cabo de una hora y siete minutos de escribirnos mensajes sin parar, Chelsea y Nick decidieron que querían ir a una cafetería de la zona. A mí no me apetecía ir allí, así que al final ni siquiera acabamos almorzando juntos.

---

11   Estas cifras proceden de un informe sobre tendencias en Internet realizado por Mary Meeker, del fondo de capital riesgo Kleiner Perkins Caufield & Byers. El informe puede consultarse en la web de *Quartz,* en http://qz.com/214307/mary-meeker-2014-Internet-trends-report-all-the-slides/.

12   Uno de esos titulares correspondía a un vídeo en el que unos chavales habían transformado la puerta de su casa en un «monstruo puerta» que repartía caramelos en Halloween. La puerta era antigua y tenía dos pequeños postigos que se abrían en la parte superior, a ambos lados, así que le pusieron ojos y después encajaron un brazo de fieltro que asomaba por otra abertura, dando como resultado el «monstruo puerta» que reparte caramelos. Era muy bonito.

En vez de eso me fui a otro sitio, Canelé, con otro grupo de gente. Durante el almuerzo pusieron una canción de Nelly y consulté la entrada «Nelly» en la Wikipedia, como debería hacer cualquier persona cada vez que le atormente una duda relacionada con este rapero. Después de almorzar, de camino a casa, me escribí con otra gente para ver si salíamos a cenar.[13] Y ahora estoy otra vez en casa con el portátil, escribiendo cosas para este capítulo que estás leyendo en estos momentos, ¡posiblemente también en una pantalla!

Mi manera de pasarme el día planeando un almuerzo se parece bastante a mi experiencia como soltero: hacer (o intentar hacer) planes con el móvil con quienquiera que esté en mi órbita amorosa en ese momento. Al igual que mi almuerzo con Chelsea y Nick, muchas veces los planes no llegaban a buen puerto. Y al igual que yo me dediqué a investigar detenidamente esos restaurantes, los jóvenes solteros también se investigan unos a otros: en webs de contactos, en las redes sociales o incluso a través de una búsqueda en Google para hacerse una idea mejor de un posible pretendiente.

He llegado a la conclusión de que pasamos tanto tiempo delante de nuestros dispositivos digitales porque hemos desarrollado nuestro propio «mundo virtual».

A través de ese mundo virtual estamos conectados con todos aquellos que forman parte de nuestra vida, desde nuestros padres hasta los simples conocidos a los que hemos agregado en Facebook. En el caso de las generaciones más jóvenes, su vida social se desarrolla en las redes sociales —como Instagram, Twitter, Tinder y Facebook— tanto como en los campus, los bares y las discotecas. Pero en los últimos años, a medida que más adultos han empezado a dedicar cada vez más tiempo a sus propios dispositivos digitales, casi todos los que pueden comprarse un dispositivo y pagarse una tarifa de datos se han sumergido de lleno en su propio mundo virtual.

---

13 Con este experimento queda claro que dedico la mayor parte del día a estar con el móvil o con el portátil intentando decidir dónde y con quién comer.

El mundo virtual es a donde acudes cuando quieres encontrar a alguien con quien ir al cine. Es donde decides qué película ir a ver. Es donde compras las entradas. Es donde avisas a tu amigo de que ya has llegado. Es donde tu amigo te dice: «Mierda, estoy en otro cine», y donde tú le respondes: «¿Qué narices estás diciendo, chaval? Siempre me haces lo mismo. Está bien. Me iré SOLO a ver *G.I. Joe 2: La venganza.*»

Y ahora que hemos incorporado nuestro mundo virtual hasta a la más cotidiana de las tareas, es lógico que también sea uno de los principales escenarios en los que desarrollamos nuestra vida amorosa.

Hoy en día, tener un *smartphone* es el equivalente a llevar en el bolsillo un bar para solteros abierto 24 horas. Basta pulsar unos cuantos botones en cualquier momento del día para poder zambullirse de inmediato en un océano de posibilidades amorosas.

Al principio, nadar en ese océano puede parecer una experiencia increíble. Pero la mayoría de los solteros actuales comprenden pronto que hace falta muchísimo esfuerzo para mantenerse a flote, y todavía más para encontrar a la persona adecuada y llegar juntos a la orilla.

Ocurren muchas cosas en esas aguas, hay que tomar muchas decisiones rápidas y ejecutar movimientos difíciles. Y de todos esos desafíos, no hay nada más abrumador que averiguar qué hacer cuando encuentras a alguien que te gusta.

Tal y como comprobamos con el ejemplo de Tanya, no importa lo sencillo que pueda parecer; dar el primer paso puede suponer mucho agobio y mucha incertidumbre.

CAPÍTULO 2

EL PRIMER PASO

edir salir a alguien es una tarea mundana que habitualmente se convierte en una espantosa mezcla de ansiedad, aprensión e inseguridad. Implica un montón de decisiones complicadas: ¿Cómo se lo pido? ¿En persona? ¿Por teléfono? ¿Por mensaje? ¿Qué le digo? ¿Será esta la persona con la que acabaré pasando el resto de mi vida? ¿Y si es la única persona adecuada para mí? ¿Y si lo echo todo a perder con un mensaje inapropiado?

Aunque la tecnología ha añadido sus propias peculiaridades modernas a este dilema, pedir salir a alguien nunca ha sido tarea fácil. Implica revelar la atracción que sientes por alguien y quedar expuesto, arriesgándote a la despiadada posibilidad del rechazo. O, en la era digital, a un silencio gélido e inexplicable.

En el caso del pretendiente moderno, la primera decisión que debe tomar es elegir el medio que va a utilizar: una llamada o un mensaje. Hay gente que incluso añade los correos electrónicos y las redes sociales a la mezcla. Hace apenas una generación, el teléfono fijo o incluso un anuncio por palabras en el periódico habrían sido el primer paso para encontrar el amor. Hoy, sin embargo, consultamos nuestras pantallas casi de inmediato. De hecho, en el caso de muchos pretendientes, gran parte de su vida amorosa se desarrolla en su mundo virtual.

Un apunte rápido: las cifras demuestran, de forma abrumadora, que se sigue esperando que sean los hombres quienes den el primer paso. En 2012, solo el 12 % de las mujeres estadounidenses había pedido salir a alguien el año anterior. Así que, al abordar este asunto, me baso en la situación en la que un chico le pide salir a una chica. No obstante, la mayor parte de las cuestiones que comentaremos aquí se pueden extrapolar a ambos sexos (salvo la cuestión de que las chicas odien que los tipos den el primer paso mandándoles una foto de su pene).

Muy bien, veamos cuáles son las tendencias mayoritarias.

En 2013, los promotores de la encuesta de Match.com preguntaron a los estadounidenses: «Si quisieras invitar a alguien a salir por primera vez, ¿qué método utilizarías con más probabilidad para ponerte en contacto con esa persona?». Esto fue lo que descubrieron:

Manera de pedirlo	Más de 30	Menos de 30
LLAMADA TELEFÓNICA	52 %	23 %
EN PERSONA	28 %	37 %
MENSAJE DE TEXTO	8 %	32 %
CORREO ELECTRÓNICO	7 %	1 %

Hay dos cosas que destacar aquí. Primero, la caída en las llamadas telefónicas como método preferido al cambiar de grupo de edad es espectacular: del 52 al 23 %. Entre los adolescentes, el porcentaje de personas que utilizan mensajes de texto es incluso mayor. En una encuesta de 2012 realizada por textPlus, el 58 % de los estadounidenses de entre trece y diecisiete años afirmaban haberle pedido salir a alguien con un mensaje de texto.[14] Es evidente que los más jóvenes, que se han criado

---

14 Los resultados de la encuesta dirigida por la empresa de comunicación textPlus pueden consultarse en http://www.textplus.com/its-prom-party-time/.

en una cultura más habituada a este formato, se sienten mucho más cómodos viviendo sus romances por medio de mensajes.

La segunda cuestión que cabe destacar es que, con el tiempo, a todos nos ocurre lo mismo.

En 2010, solo el 10 % de los jóvenes utilizaban mensajes de texto para pedir salir a alguien por primera vez, comparado con el 32 % en 2013. Pedir salir a alguien por mensaje va camino de convertirse en la norma, mientras que las llamadas telefónicas van perdiendo relevancia a pasos agigantados.

Vale la pena detenerse aquí para darse cuenta de la vertiginosa rapidez con la que está cambiando nuestra forma de comunicarnos. Durante muchas generaciones, la gente joven utilizaba el teléfono para ponerse en contacto con sus posibles parejas. Se trataba de una experiencia espantosa por la que casi todos pasábamos. Antes de soltar tu discurso, oías los aterradores tonos del teléfono hasta que alguien respondía. Podía ser tanto el objeto de tu deseo como un compañero de piso o incluso su padre. Entonces preguntabas por la persona a la que querías pedirle salir.

Si estaban por allí, al final la persona tomaba el auricular, decía «hola», y te entraba una ligera sensación de pánico. Entonces tenías que tirarte un rato hablando con tu amado, intentando establecer un vínculo y allanar el terreno para una incómoda transición al momento de pedirle una cita.

—Pues sí, al final no gané el concurso de comer tartas... Por cierto, ¿te apetece ir algún día al cine?

Esta petición telefónica requería cierta intrepidez en su ejecución y cierta habilidad para llevarla a buen puerto, pero con el tiempo ibas mejorando y acababas por diseñar tu propia estrategia.

Imaginemos que eres un joven llamado Darren. Al principio, tus llamadas serían más o menos así:

DARREN: Hola, Stephanie. Soy yo... Darren.
STEPHANIE: Hola, Darren, ¿qué tal estás?
DARREN: Bien.
DARREN: (Pausa prolongada)
DARREN: Bueno, adiós.

Pero pronto lo harías mejor. Con el tiempo, ganabas más confianza a la hora de hacer esta clase de llamadas. Tenías preparada de antemano una anécdota graciosa o algún tema de conversación. Armado con un comentario ingenioso en la punta de la lengua, Stephanie y tú no tardaríais en convertiros en dos espadachines verbales que lanzaríais y esquivaríais estocadas tal que así:

> **DARREN:** Hola, Stephanie. ¡Soy yo, Darren! (Enérgico, seguro de sí mismo)
> **MUJER:** Hola, Darren. Soy la madre de Stephanie. Un momento...
> **DARREN:** Mierda. (En voz baja)
> **DARREN:** Puedes hacerlo, Darren. Puedes hacerlo. (En voz baja)
> **STEPHANIE:** ¿Hola?
> **DARREN:** Hola, Stephanie. ¡Soy yo, Darren! (Recupera la energía y la confianza)
> **STEPHANIE:** Ah, hola, Darren. ¿Qué tal?
> **DARREN:** ¡Acabo de comprarme un paraguas!
> **STEPHANIE:** Qué bien...
> **DARREN:** Pues nada, ¡adiós!

En fin; acabarías haciéndolo mejor.

La habilidad para despertar un interés romántico a partir de una llamada telefónica es una capacidad que las generaciones más jóvenes puede que nunca quieran o necesiten desarrollar.

A medida que la tecnología ocupa un lugar cada vez más importante en nuestras vidas, comportamientos que resultaban extraños o inapropiados para una generación pueden convertirse en la norma a seguir para la siguiente.

Por ejemplo, en una encuesta reciente, el 67 % de los adolescentes afirmaba haber aceptado una invitación a un baile de graduación enviada a través de un mensaje.[15] Para las generaciones anteriores, el hecho

---

15 Ibídem.

de que te invitaran a algo tan especial como un baile de graduación por mensaje podría resultar frío e impersonal. Algo inapropiado para una ocasión así. Pero los jóvenes viven en un entorno donde los mensajes son habituales, y eso modifica su percepción de lo que es apropiado y lo que no. Por ejemplo, y esto forma parte de un asunto que abordaremos con detenimiento más adelante, romper con alguien por mensaje parece bastante duro para la gente de mi generación, pero cuando entrevistamos a personas más jóvenes, algunas de ellas nos contaron que solamente rompían con sus parejas de esa forma. Visto así, me pregunto qué clase de mensajes recibirá la gente en el futuro...

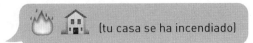

🔥 🏠 (tu casa se ha incendiado)

Estoy embarazada pero... no es tuyo, el padre es ese tipo al que conocí en Miami hace unas semanas. Lo siento mucho. ¿Lo hablamos cuando llegue a casa?

Hola, soy el Dr. Sampson. Malas noticias. Padece usted un cáncer testicular 🗑

EL AUGE DEL MENSAJE
DE TEXTO

Los mensajes de texto, también conocidos como *Short Message Service* (SMS), fueron concebidos por el ingeniero alemán Friedhelm Hillebrand en 1984, y el primero que se envió se lo debemos a Neil Papworth, un joven ingeniero británico que en 1993 le mandó a un amigo un mensaje que decía «Feliz Navidad». Por desgracia, su amigo no respondió, porque su teléfono móvil no le permitía introducir texto.[16]

Ya, claro. Esa es la misma excusa que me ponen mis amigos cuando mando mi mensaje viral para felicitar la Navidad. Tengo incluso la costumbre de mandar una foto todos los años. Echadle un ojo a esta de 2012.

Dicho esto, ¿os podéis imaginar la locura que debió de ser recibir el primer mensaje de texto de todos los tiempos, cuando nadie sabía lo que era eso? Debió de ser algo en plan: «¿¿POR QUÉ APARECEN PALABRAS EN MI TELÉFONO?? ¡¡LOS TELÉFONOS SON PARA PONER NÚMEROS!!».

Felices fiestas de parte de la familia Ansari (bueno, solo de parte de Aziz).

En 1997, Nokia presentó un teléfono móvil con teclado independiente, que allanó el terreno para la epidemia BlackBerry que no tardaría en asolar a buena parte de la comunidad *yuppie* internacional. Pero hasta 1999 los mensajes de texto no pudieron cruzar de una red telefónica a otra, y a partir de entonces su uso comenzó a crecer. En 2007, el número de mensajes de texto que se intercambiaban en un mes superó al número de llamadas telefónicas realizadas en Estados Unidos por primera vez en la historia. Y en 2010, la gente mandaba 6,1 billones de mensajes por todo el planeta, a un ritmo de unos 200 000 por minuto.

---

16 El relato sobre los mensajes que contamos aquí se basa en un artículo de Chris Gayomali, "The Text Message Turns 20: A Brief History of SMS" («El mensaje de texto cumple veinte años: breve historia del SMS»), *The Week*, 3 de diciembre de 2012.

Las empresas tecnológicas han introducido toda clase de servicios nuevos para ayudarnos a intercambiar mensajes breves, y nosotros hemos respondido tecleando como locos. Por supuesto, esto ha desembocado en una tremenda subida en el número de interacciones románticas que se realizan por medio de mensajes.

Una razón que podría explicar este auge de pedir salir a la gente por mensaje es que cada vez más personas disponen de *smartphones* con pantallas grandes que, además de facilitar el envío de mensajes, hacen que resulte más divertido. De acuerdo con las encuestas de usuarios, la proporción de adultos estadounidenses que poseían un *smartphone* pasó del 17 % en 2010 al 58 % en 2014, y la cifra es aún mayor entre aquellos adultos emergentes de entre dieciocho y veintinueve años, de los que el 83 % lleva un *smartphone* encima a todas horas.[17] Además de enviar mensajes de texto convencionales, ahora contamos con aplicaciones como WhatsApp, Facebook Messenger, iMessage y la mensajería directa de Twitter, que nos permiten enviar mensajes sin coste alguno. A lo largo y ancho del mundo, cada vez más personas utilizan los SMS para sus comunicaciones cotidianas, y los jóvenes en particular utilizan los mensajes en detrimento de las anticuadas llamadas telefónicas.

Dicho esto, no hemos abandonado del todo nuestras viejas costumbres. A muchas personas, incluidos algunos jóvenes, les gusta llamar por teléfono de vez en cuando, e incluso consideran que puede ser indicio de algo especial en una relación incipiente. Pero cuando hablamos con nuestros entrevistados acerca de cómo pedían salir a alguien descubrimos que, a raíz de todos estos cambios tecnológicos, nuestras nociones sobre cuándo utilizar un medio u otro se han vuelto bastante confusas. ¿Cómo se sabe cuándo es mejor llamar, mandar un mensaje u optar por la vía directa de plantarnos

---

17 Los datos de 2010 se incluyen en David Goldman, "Your smartphone will run your life" («Tu *smartphone* regirá tu vida»), CNN.com, 19 de octubre de 2010. Los datos de 2014 proceden de Pew Research Center, "Devide Ownership over Time" («Evolución de la tendencia en la adquisición de dispositivos»), Pew Research Internet Project, enero de 2014, http://www.pewInternet.org/data-trend/mobile/cell-phone-and-smartphone-ownership-demographics/.

ante la ventana de alguien y darle una serenata con sus canciones favoritas de R&B de los noventa, como *All My Life* de K-Ci & JoJo?

Para descubrirlo, nos tocó investigar.

LLAMADAS *VS.* MENSAJES

«¿Una llamada telefónica? Qué HORROR.»
Una chica que participó en un grupo de estudio

«Si quieres hablar conmigo, o me llamas o nada.»
Otra chica del grupo de estudio

(Callados con cara de no entender nada.)
Todos los hombres de ese grupo de estudio

El asunto de la rivalidad entre llamadas y mensajes generó toda clase de respuestas en nuestros grupos de estudio. Por lo general, los chicos más jóvenes se morían de miedo ante la perspectiva de tener que llamar a alguien por teléfono. Eso no me sorprendió demasiado, pero sí me llamó la atención que a las chicas más jóvenes tampoco les hiciera ninguna gracia la idea de recibir una llamada telefónica tradicional. «Odio las llamadas, me provocan ansiedad», dijo una chica de veinticuatro años. «Desde que empezaron a ponerse de moda los mensajes, cuando te llaman por teléfono te crees que es una emergencia», dijo otra. A otras chicas les parecía que era un atrevimiento que alguien diera el primer paso llamando por teléfono, y afirmaban que en general lo más apropiado era un mensaje.

Sin embargo, otras mujeres decían que recibir una llamada de un hombre demostraba que tenía seguridad en sí mismo, y les ayudaba a diferenciarlos de ese lote de mensajes masivos en plan «Ola k ase» que normalmente inundan sus aplicaciones de mensajería. A ojos de esas chicas, los hombres que llaman por teléfono parecen más valientes y maduros. Las conversaciones telefónicas ayudaban a lograr una complicidad que las hacía sentirse lo suficientemente cómodas y seguras como para salir con un desconocido.

Una de las mujeres que acudió a uno de nuestros grupos de estudio nos contó que acabó tan harta de los mensajes de texto que canceló su servicio de mensajería y ya solo se podía contactar con ella llamándola por teléfono. Esa mujer no volvió a salir con ningún hombre en toda su vida. (De acuerdo, no, la verdad es que no tardó en empezar a salir con alguien.) También afirmó que los hombres que reunían el coraje necesario para llamarla estaban hechos de otra pasta, y que así lograba espantar a los babosos.

Pero con algunas de las mujeres a las que les gusta que las llamen por teléfono las cosas no son tan sencillas. Sorprendentemente, y bastante complicado para los potenciales pretendientes, muchas chicas dijeron que les encantaba que las llamasen… pero que pasaban de contestar la llamada. «No suelo responder, aunque me gusta que me llamen», dijo una mujer, que no parecía ser consciente de lo absurda que sonaba esa afirmación.

Para estas mujeres, los mensajes de voz eran como una especie de criba. Cuando me lo explicaron me pareció que tenía su lógica. Si el mensaje era de un tipo al que habían conocido de pasada en un bar, les permitía oír su voz y facilitaba la labor de descartar a los bichos raros. Una chica habló entusiasmada sobre un bonito mensaje de voz que le había dejado un tipo poco antes. Le pedí amablemente que lo reprodujera y pudimos escuchar esta perla: «Hola, Lydia. Soy Sam. Solo llamaba para ver qué tal estás. Llámame cuando tengas un rato.»

ESO FUE TODO.

Le pedí que me explicara por qué le parecía tan estupendo. Ella respondió con dulzura: «Se acordaba de mi nombre, me dijo hola, y me pidió que le devolviera la llamada.»

Le daba igual que esa descripción concordara con el contenido de TODOS Y CADA UNO DE LOS MENSAJES DE VOZ DE LA HISTORIA. Nombre, saludo, pedir que te devuelvan la llamada. No es lo que se dice un derroche de ingenio. Para no superar esta prueba, el tipo tendría que haberle dejado un mensaje como este: «Paso de saludarte. Soy un hombre. No me acuerdo de ti. Fin del comunicado.»

Si revisamos las cifras globales sobre tendencias a la hora de comunicarnos veremos que en general mandamos más mensajes y llamamos menos. Según Nielsen, el uso que los estadounidenses daban al teléfono móvil para hacer llamadas alcanzó su cenit en 2007; desde entonces, hemos ido llamando cada vez menos y hablando menos minutos.[18]

Este cambio en la manera de comunicarnos también puede provocar ciertos efectos colaterales. En su libro *Alone Together*, la psicóloga social del MIT Sherry Turkle expone de forma convincente el argumento de que los jóvenes están tan acostumbrados a comunicarse a través de mensajes, con los que tienen tiempo para organizar sus pensamientos y planear de antemano lo que van a decir, que están perdiendo su capacidad para mantener conversaciones espontáneas. Argumenta que los músculos de nuestro cerebro que nos ayudan en las conversaciones espontáneas se ejercitan menos en un mundo plagado de mensajes, de modo que estamos perdiendo esas habilidades.

Cuando organizamos ese enorme grupo de estudio en el que dividimos a los asistentes por generación —los hijos a la izquierda, los padres a la derecha—, ocurrió algo curioso. Antes de comenzar, nos dimos cuenta de que se oía mucho barullo en el bando de los padres. La gente hablaba entre sí, se contaban cómo habían acabado acudiendo al evento y empezaban a conocerse. En el bando de los hijos, todos estaban absortos en sus móviles, sin hablar con ninguna de las personas que tenían alrededor.

Aquello me hizo preguntarme si nuestra capacidad e interés por hablar con desconocidos son otro músculo que corre el riesgo de atrofiarse en el mundo de los *smartphones*. No hace falta entablar conversación con ningún desconocido cuando te puedes meter en la página de Wikipedia

---

18   Clive Thompson, "Clive Thompson on the Death of the Phone Call" («Clive Thompson habla sobre la muerte de la llamada telefónica»), *Wired*, 28 de julio de 2010.

de *Beverly Hills, 90210* siempre que quieras. Y, sinceramente, ¿qué desconocido puede competir con un vídeo que documente la amistad incipiente entre dos crías de hipopótamo? Os lo diré: ninguno.

Como mínimo, a los más jóvenes les entra cierta ansiedad ante la idea de mantener conversaciones telefónicas con personas a las que no conocen bien, sobre todo con posibles pretendientes. «Padezco ansiedad social, y tener que responder o reaccionar en el acto a una llamada telefónica o cara a cara me llevaría a sobreanalizarlo todo y me pondría muy nerviosa», nos contó una chica joven. «Prefiero disponer de tiempo para pensar una respuesta auténtica.»

La ventaja evidente de un mensaje es que un hombre puede escribir algo sin tener que reunir el coraje necesario para hacer una llamada. Si aceptamos la idea de Turkle de que los hombres en general también están perdiendo sus habilidades para mantener conversaciones espontáneas, parece lógico pensar que esta tendencia seguirá aumentando.

Estuve hablando sobre este cambio en la manera de comunicarnos con Turkle en Los Ángeles, y ella sacó a colación una interesante idea sobre lo que significaba recibir una llamada de un pretendiente en los viejos tiempos.

—Que un chico te llamara y te pidiera salir en aquella época era algo muy bonito. Te sentías especial, y era muy halagador que hubiera tenido el coraje de hacerlo.

Cuando le comenté lo que había oído en las entrevistas con los jóvenes de hoy, Turkle dijo que el hecho de que te pidan salir mandando un mensaje de texto se ha convertido en algo tan habitual que las mujeres ya no se sienten halagadas. Desde su punto de vista, el tipo que les ha mandado el mensaje podría estar tirándole la caña a un montón de chicas más y esperando a ver cuál pica. Salvo que les escriba algo muy diferente y personalizado, el mensaje de texto no tiene ningún valor.

Tras haber hablado con multitud de mujeres solteras, no podría estar más de acuerdo.

LOS TIPOS QUE DAN GRIMA

Algo que saqué en claro de nuestras entrevistas con todas esas mujeres es que hay un montón de tipos sueltos por ahí que dan muchísima grima. He pasado muchas horas hablando con mujeres y viendo la clase de «mensajes de presentación» que reciben de los hombres y, creedme, te ponen de mala leche. Eran mujeres inteligentes, atractivas y agradables, y ninguna se merecía algo así.

Hay quien dice que da igual lo que le escribas a alguien. Que si le gustas, le gustas. Pero después de entrevistar a cientos de solteros, puedo afirmar con todo rigor científico que eso es una soberana estupidez.

Para aquellos que no me crean, os dejo un ejemplo extraído de un monólogo que hice en el Chicago Theatre en la primavera de 2014.

Durante esa gira, después de hablar sobre los mensajes de texto, preguntaba si había alguien entre el público que hubiera conocido recientemente a una persona y se hubiera estado escribiendo con ella. Entonces elegía a unos cuantos para que subieran al escenario a leer y analizar las conversaciones que mantenían a través de mensajes.

En ese monólogo en concreto estuve hablando con Rachel, que había conocido a un tipo en la boda de un buen amigo. Resultó que el tipo también era amigo de su hermana, así que tenía bastantes probabilidades de conseguir una cita con ella. Estaba soltera. Parecía dispuesta. Lo único que tenía que hacer era enviarle un mensaje sencillo para presentarse e invitarla a hacer algo.

Esto es lo que ocurrió.

El tipo le mandó este primer mensaje:

> ¡Hola, Rachel! Como no tuve ocasión de sacarte a bailar en la boda de Marissa y Chris (fui compañero de habitación de Chris en Purdue...), tu hermana y él me dieron tu número. Así que te he mandado este mensaje para que veas que soy un tipo «texty». Jaja. :-)
> Espero que lo pasaras bien este finde... ¡a ver si hablamos pronto!

En cuanto pronuncié la palabra «texty»[19], quedó claro que ninguna de las 3600 personas que llenaban el aforo del Chicago Theatre se tiraría a ese tipo ni aunque fuera el último hombre sobre la Tierra. Ese juego de palabras, por alguna razón, nos produjo un rechazo tremendo a todos los presentes.

Ya puestos, podría haber añadido: «Por cierto, ¡padezco una desagradable enfermedad de transmisión sexual! Jaja :-) No, es broma.»

Rachel respondió diez minutos después:

> ¡Hola! Me alegro de «conocerte» :-) Ahora mismo estoy celebrando mi cumpleaños con un montón de comida mexicana (es la costumbre cuando cumples años el Cinco de Mayo). ¡Espero que tú también pasaras un buen finde!

El tipo respondió al poco:

> Joooooo, acabo de darme cuenta al leer mi mensaje de que no puse mi nombre, jajaja. Soy Will :-) ¡Feliz cumpleaños[20] como dicen por ahí! Me encanta el asunto ese del Cinco de Mayo.

Rachel no quedó nunca con Will. Al cabo de varios mensajes en esa onda, ella dejó de responder. Ninguno de nosotros conoce a Will. Puede que se trate de un hombre bueno y atractivo, con un corazón de oro. Pero solo disponemos de esos pocos mensajes para hacernos una idea de él. Y la idea que nos han dejado es la de un tipo rarito que da una grima tremenda. Desde el «texty» al «joooooo» pasando por el «¡Feliz cumpleaños como dicen por ahí!», todas esas frases inoportunas se habían unido para impedir las posibilidades de que Rachel quisiera conocer a Will en la vida real. Así que, por favor, que nadie intente

---

19 «Texty» es un juego de palabras entre «text», refiriéndose a los mensajes de texto, y «sexy». (*N. del T.*)

20 En castellano en el original. (*N. del T.*)

convenceros de que da igual lo que le escribáis a otra persona. Si no os creen, presentadles a un tipo tan «texty» como Will y, joooooo, vaya si cambiarán de opinión.

Lo interesante de los mensajes es que te permiten mantener cierta distancia con la persona con la que te estás comunicando, así que puedes actuar de forma distinta a como lo harías cara a cara o incluso por teléfono. En *Alone Together*, Sherry Turkle cuenta la historia de un chico joven que todos los domingos tenía que quedar a cenar con sus abuelos. Todas las semanas quería cancelarlo, y su madre le decía que llamara a sus abuelos y les dijera que no iba a ir. Sin embargo, nunca lo hacía, porque le daba pena notar en sus voces que se decepcionaran cuando se lo dijera. Si hubiera sido un mensaje, sin embargo, seguramente no se lo habría pensado dos veces. Podemos decir sin temor a equivocarnos que los mensajes, como medio de comunicación, facilitan la desconsideración, la grosería y muchas otras faltas de respeto que no se producirían en una llamada o en una interacción cara a cara.

Cuando se trata de ligar, he conocido a muchos hombres que, pese a ser personas aceptables en el trato cara a cara, se convierten en unos monstruos despreciables y agresivos sexualmente al ocultarse detrás de sus móviles. Los mensajes que envían son inapropiados y a menudo ofensivos, de eso no cabe duda, pero como ya comentamos antes, por ser mensajes, las consecuencias derivadas de ofender al destinatario son mínimas. No les ves la cara. No oyes su voz. Y no están allí en persona para mirarte horrorizados o tirarte un objeto contundente a la cabeza.

Por otro lado, en el hipotético caso de que le gustes a esa persona, estás vendido. Muchos idiotas echan a perder sus posibilidades al enviar esos textos tan repulsivos.

Una página web llamada Straight White Boys Texting se ha convertido en un punto de encuentro donde las mujeres pueden colgar esos horribles (y a menudo hilarantes) mensajes que les mandan los hombres.

Tal y como nos cuentan en la página, este blog es fruto de todos esos mensajes lamentables que mandan muchos tipos diciendo cosas como «Oye ¿cuál es tu talla de sujetador? ;-)» o «¿Qué me harías si estuvieras aquí? Jaja lol ;)», intentando ligar con alguien.

Esta clase de mensajes se conocen como «mensajes del hetero caucásico», de ahí el nombre del blog, si bien la web contiene mensajes de babosos de cualquier raza, etnia y orientación sexual.

Aquí os dejo algunos de mis favoritos:

> ¿Echamos un polvete de sobremesa? ;-¹

Este caballerete no pierde el tiempo. Lo que me pregunto, no obstante, es si este tipo actuará así en la vida real. Me extrañaría que se plantara delante de una mujer y le dijera: «¿Echamos un polvete mañanero?» mientras le guiña un ojo. Salvo que sea una estrella del pop, en cuyo caso supongo que lo hará a todas horas y encima le saldrá bien.

Aquí hay otro ejemplo:

> Me gustan tus tetas.

> Es imposible que las hayas visto en ninguna de mis fotos. No entiendo.

> Doy por hecho que son bonitas.

Una vez más, debo suponer que si este tipo conociera a esta mujer en un bar, se presentaría con una frase más apropiada que ese «Me gustan tus tetas».

La web, y los móviles de mujeres de todo el mundo, están repletos de conversaciones tan insultantes como esta. Obviamente, los mensajes que aquí destacamos son casos extremos. Pero en nuestras entrevistas descubrimos que incluso para los hombres que no escriben estos mensajes tan ofensivos el más mínimo desliz en una pantalla puede determinar el éxito o el fracaso a la hora de conseguir una cita con alguien.

Hay hombres que, después de haber causado una buena impresión cara a cara, cuando están a punto de conectar de verdad con alguien escriben un mensaje estúpido con el que lo echan todo a perder. Dentro de este grupo hay casos extremos, como el del tipo que le pidió a la chica con la que estaba coqueteando que le enviara por SnapChat una foto de «una teta solo».

Sin embargo, los errores que comete la gente no suelen ser tan indignantes. Descubrimos en más de una ocasión que un solo mensaje puede cambiar por completo la dinámica de una relación en ciernes. En un contexto determinado, decir incluso algo tan inofensivo como «Ey, a ver si quedamos un día» o cometer errores ortográficos o de puntuación, puede bastar para irritar a alguien. Cuando hablé de esto con Sherry Turkle, me dijo que los mensajes, al contrario de lo que ocurre en las conversaciones cara a cara, son un medio en el que los errores no se perdonan.

En una conversación cara a cara, la gente puede interpretar el lenguaje corporal del otro, sus expresiones faciales y el tono de su voz. Si dices algo inapropiado, hay indicios que te avisan de tu error y puedes rectificar o formularlo con otras palabras antes de que no tenga remedio. Incluso por teléfono puedes percibir un cambio en la voz de alguien o una pausa que te indique que no se ha tomado bien lo que le acabas de decir. En un mensaje, sin embargo, tu error se queda macerando en la pantalla de la otra persona, deja un registro permanente de tu memez y tu ineptitud.

El hecho de que las interacciones por móvil puedan producir un efecto tan profundo en la imagen que la gente se hace de ti es la prueba de que ahora tienes dos identidades diferenciadas: la real y la virtual.

Tu identidad virtual queda definida por aquello que comunicas a los demás a través de la pantalla. He entrevistado a muchas mujeres que me dijeron que no siempre recordaban con claridad a los tipos a los que les daban su número después de charlar en un bar o tomando copas en una fiesta. En esa situación, el primer mensaje que reciben puede ser un factor determinante a la hora de decidir si responderán o no; es la identidad virtual la que marca la diferencia. Tal y como visteis en el ejemplo de Rachel, incluso el más mínimo comentario en un mensaje de texto puede hacer que te perciban como agradable o molesto, inteligente o idiota, divertido o aburrido.

Durante nuestras entrevistas y grupos de estudio, personas de todas partes del mundo tuvieron la amabilidad de abrirnos la puerta a la privacidad de sus móviles. Probablemente he repasado más conversaciones de texto que nadie y formulado a hombres y mujeres las preguntas que todos nos hacemos: «¿Qué se te pasó por la cabeza cuando leíste/escribiste eso? ¿Qué pensaste de este chico o esta chica cuando leíste su mensaje?». Resultó fascinante comprobar cómo unas simples palabras pueden generar un abanico tan amplio de reacciones.

Echemos un vistazo primero a las cosas que más molestaban a la gente.

EL MENSAJE GENÉRICO «EY»

Después de ver cientos y cientos de mensajes en los móviles de muchas chicas, puedo afirmar con rotundidad que la mayoría de los mensajes que reciben las mujeres muestran, lamentablemente, una falta absoluta de consideración e interés. ¿Queréis saber qué hay en los teléfonos móviles de casi todas las solteras? Cosas así: «Ey», «¡Ey!», «¡¡Eyyy!!», «Ey, ¿qué tal?», «Ola!», «Ola k ase!», «¿Cómo te va?», «¿Qué haces?».

Parecen mensajes bastante inofensivos, y sin duda yo habré mandado un montón de ellos cuando era soltero. Seguramente, todos los que hemos enviado algún mensaje así lo hicimos sin intención de ofender. Sin embargo, ver la situación desde la perspectiva contraria te abre los ojos. Cuando tu móvil está repleto de cosas así, los mensajes genéricos terminan siendo un incordio, fruto de la pereza por parte de tu pretendiente. Si le mandas un mensaje así a alguien, das la impresión de que no le consideras especial.

Y si eres un hombre y nunca has visto qué aspecto tienen esos mensajes «Ey» que mandas en masa, aquí tienes otro ejemplo extraído de Straight White Boys Texting:

EL SÍNDROME DE LA SECRETARIA

Otra cosa que molesta a hombres y mujeres por igual es la ristra interminable de mensajes que nunca llevan a un encuentro en el mundo real. Mucha gente que intenta establecer una conexión acaba perdiendo tanto tiempo escribiendo mensajes e intentando planearlo todo de antemano que al final cualquier chispa que pudiera haber se disipa. Fíjate en la historia de Nicole y Aaron, que se conocieron en la web de citas Tinder (hablaremos de ella más tarde) y empezaron a intercambiar mensajes. Información a tener en cuenta: la foto de perfil de Aaron era la de su gato.

> Ey holaaaa.

> Ah, hola. Me pillas comprando un árbol de Navidad. Hablemos claro: ¿Eres Aaron, el hombre o Aaron el gato? No suelo salir con gatos…

Vaya. Podrías ser un pelín más tolerante, Nicole.

Lo sé, lo sé...

Al día siguiente...

Es sábado, ¿qué haces?

Pues la pregunta debería ser qué no he hecho hoy. Ahora mismo estoy conduciendo y escribiendo un mensaje, trabajando para un cliente. ¿Y tú? ¿Qué haces TÚ?

Guau, ¡impresionante! He quedado en el centro. Y... no estoy conduciendo mientras escribo esto.

Deberíamos quedar para tomar algo la semana que viene.

¡OK!

¿Dónde vives?

Estoy en Venecia.

¡En el centro!

Por cierto, esta noche estaré en el Hotel Café. Creo que tenemos amigos comunes allí.

¡Oh, acabo de enterarme! Ja.

Me pillas llegando a casa tras una cena. Creo que por hoy se acabó. Mañana tengo que ir temprano al mercado de los granjeros.

Llegados a este punto, la conversación termina. Resulta asombroso ver cómo esta interacción pasa del coqueteo divertido del principio a la desidia más absoluta. Ya habéis visto lo que ocurre: de divertirse con los mensajes iniciales, los dos pasan de repente a actuar como secretarias.

Otra cosa que también resulta molesta en esta retahíla de mensajes es que ambas partes a veces se quedan preguntándose si la otra persona está ocupada de verdad o si solo finge estarlo, lo cual desconcierta y frustra más. Cuando te ves metido en un tira y afloja como este es normal preguntarse si de verdad le gustas a la otra persona o no.

LA INTERACCIÓN INTERMINABLE

Tener una conversación para quedar es simplemente una más de las retahílas inútiles que hacen que ligar en la era digital resulte tan frustrante, sobre todo para las mujeres de más de veinticinco años, pues tienen menos paciencia para estos interminables intercambios de mensajes. Otro ejemplo especialmente común entre los chavales más jóvenes se da cuando el chico en cuestión es demasiado tímido como para invitar a otra persona a hacer algo. En lugar de proponer horas y lugares, acaban intercambiando mensajes absurdos *ad nauseam*.

He conocido a no sé cuántas chicas que estaban visiblemente interesadas por algún chico que, en lugar de pedirles salir, no hacía más que meterlas en conversaciones intrascendentes con perlas como «Bueno, ¿y tú dónde haces la colada?», seguidas de interminables mensajes sobre detergentes. («Sí, acabo de pasarme al detergente sin fragancia. Ha sido ESTUPENDO»).

Durante un monólogo que hice en Tulsa conocí a un joven llamado Cody. Subió al escenario y leímos sus mensajes de texto. Había literalmente veinte mensajes repletos de cháchara inútil. Estaba claro que a la chica le gustaba, pero el pobre Cody era incapaz de proponerle salir a hacer algo. Le dije que debería invitarla a salir. Cody le escribió: «Hola, Ally. ¿Has ido al restaurante de Brian *el Hawaiano*? Dime si te apetece ir esta semana». Al cabo de dos horas le dijo que sí, y a la semana siguiente disfrutaron de una comida deliciosa en dicho restaurante.

Como nota al margen, ¿existe algún lugar en la tierra con un nombre que dé tan mal rollo como el restaurante de Brian *el Hawaiano*? O, ya puestos, ¿hay un nombre más escalofriante que «Brian *el Hawaiano*»? «¡Maldición! ¡Brian *el Hawaiano* me ha robado la tarjeta de crédito y me ha dejado sin blanca!». Espero que nadie tenga que pronunciar nunca esa frase.

GRAMÁTICA/ORTOGRAFÍA

En todas las entrevistas nos contaron que cuando la persona con la que te estás escribiendo comete un error ortográfico o gramatical se corta el rollo de inmediato. Para las mujeres, esto es síntoma evidente de que el tipo es un idiota. Pongamos que eres un joven atractivo y encantador que ha causado una fantástica primera impresión. Si le mandas a la chica un mensaje como «Ey, si no azes nada oy kedamos» es casi seguro que te cargues la buena imagen que se había hecho de ti.

En nuestro foro nos contaron la historia de un hombre que estaba saliendo con una mujer espectacular, pero que al final rompió con ella. Dijo que la cosa fue cuesta abajo cuando le escribió un mensaje para preguntarle si se había enterado de la fiesta que iban a organizar en la casa de un amigo común. Y esto fue lo que le respondió la chica: «¿Cuá?». No «cuál», sino «cuá». Él intentó forzar a que saliera la palabra «cuál» durante la conversación para asegurarse de que aquella mujer era capaz de escribir correctamente una simple palabra de cuatro letras. Pero todas las veces ella escribió «cuá». Aquello lo estropeó todo. (NOTA: Hemos confirmado que efectivamente se trataba de una mujer y no de un pato.)

¿QUEDAMOS PARA UNA CITA O COMO AMIGOS?

Otra cosa que molesta mucho a las mujeres es que los hombres no sean claros. No especificar si se trata de una cita o de un encuentro como amigos resulta muy molesto para ambos sexos, pero como suelen ser los chicos los que dan el primer paso, ellos son los que deben intentar solventar el problema.

—Cada vez es más habitual que los chicos te propongan salir a hacer algo, pero sin especificar si lo que quieren es tener una cita o simplemente quedar como amigos —nos contó una mujer—. No sé si será porque tienen miedo al rechazo o porque no quieren que la cosa parezca demasiado seria, pero al final lo único que consiguen es que ninguno de los dos sepamos qué estamos haciendo.

Si eres directo en ese sentido, puede que consigas ser distinto a los demás. Una chica de nuestro foro recordó un encuentro con un chico en una fiesta ruidosa:

> Después de marcharme, me escribió: «Hola, (aquí puso su nombre), soy (nombre, apellido), quiero salir contigo.» Su seguridad, su claridad y ese acercamiento educado pero a la vez directo (frente al típico rodeo en plan «a ver si coincidimos algún día») hicieron que la primera impresión fuera increíble y durara mucho tiempo.

LOS MENSAJES APROPIADOS

No todos los tipos dan grima. También encontramos algunos mensajes muy acertados que me hicieron tener esperanzas en el hombre moderno. Aunque una llamada telefónica puede ser una buena opción, la ventaja de los mensajes de texto es que permiten que el chico o la chica preparen un mensaje estupendo y meditado capaz de generar atracción.

También pudimos localizar algunos detalles que tenían todos esos mensajes. Después de hablar con cientos de hombres y mujeres, estos son los tres puntos que nos parecieron más importantes:

INVITAR A ALGUIEN PARA HACER ALGO CONCRETO, EN UN MOMENTO CONCRETO, Y SIN RODEOS

Hay una diferencia monumental entre el resultado que consigue el chico que le escribe a una chica «Ey, ¿qué tal?», y el que le escribe: «Hola, Katie, me encantó conocerte el sábado. Si estás por aquí la semana que viene, me encantaría llevarte a cenar a ese restaurante del que estuvimos hablando. Dime si estás libre.»

Esos dos chicos podrían albergar los mismos sentimientos e intenciones en sus corazones, pero la chica a la que están escribiendo nunca lo sabrá. Decidirá salir con uno o con otro basándose en cómo interprete los mensajes que aparezcan en su teléfono móvil. Un mensaje tan poco concreto como «¿Te apetece hacer algo algún día de la semana que viene?» provoca una reacción totalmente negativa entre las mujeres. Las chicas a las que entrevistamos preferían mil veces que les propusieran algo muy concreto (preferiblemente, interesante y divertido), y que se lo dijeran sin rodeos.

INCLUIR ALGUNA REFERENCIA A LA ÚLTIMA VEZ QUE OS VISTEIS EN PERSONA

Eso demuestra que para ti ese encuentro fue especial, y causa muy buena impresión entre las chicas. Por ejemplo, un chico se acordó de que la chica que le gustaba estaba de mudanza y le escribió un mensaje que decía: «Buena suerte con la mudanza». La chica en cuestión nos contó en una de nuestras entrevistas que aquello había ocurrido «hace años», pero que aún lo recordaba.

Otro chico nos contó que había conocido a una chica en un bar y que estuvieron hablando un rato hasta que en cierto momento sacó el asunto del grupo Broken Bells y le recomendó a la chica que los escuchara. A la mañana siguiente recibió un mensaje que decía: «*October* es mi canción favorita del disco de Broken Bells». *October* también era la canción favorita de este chico. «No solo escuchó el grupo que le recomendé, sino que además conectamos de una forma muy intensa. Así fue como empezamos a hablar, y todavía seguimos en contacto», nos explicó.

Otra chica nos contó esta historia:

—En una ocasión, conocí a un chico en una fiesta. Cuando llegué a casa, me escribió: «Buenas noches, mi pequeña Audrey». Yo no me llamo así, así que supuse que estaba tan borracho que ni siquiera se acordaba de mi nombre. Cuando se lo reproché, me explicó que me había llamado «Audrey» porque yo le había dicho que me parecía a Audrey Hepburn. Me pareció muy lindo.

Espero que no tengas un helado cerca del pecho en estos momentos, porque el calor que habrá provocado esta historia en tu corazón amenaza con derretirlo...

UNA PIZCA DE HUMOR

Es un terreno peligroso, porque algunos tipos se pasan de la raya o sueltan alguna grosería que no sienta bien, pero con un poco de suerte los dos tendréis el mismo sentido del humor y bastará con tener un poco de ingenio para causar una buena impresión. Si se hace bien, la atracción que se siente por una persona que tiene un sentido del humor parecido al tuyo puede llegar a ser muy intensa.

Os dejo con otra historia de nuestro foro:

La conocí en un bar. A las dos o tres de la mañana, después de que me diera su número, estaba borracho y le escribí esto: «Hola, soy el tipo alto con el que te has liado hace un rato.» A la mañana siguiente me desperté con un mensaje que decía: «¿Cuál de ellos?». Me encantó su sentido del humor, y ya llevamos juntos dos años y medio.»

ESTO ES SOLO EL COMIENZO

Esto es todo lo que sé sobre dar el primer paso, pero no es más que la punta del iceberg. Aunque domines la técnica necesaria para invitar a alguien a salir, no vayas a creerte que todo resulta tan fácil. Puede que la otra persona esté ocupada... ¿o quizá solo finja estarlo? También es posible que te haga el vacío, ¡como me ocurrió a mí! Ten en cuenta que la aventura apenas acaba de empezar. Y como ahora todo el mundo tiene su propio mundo virtual en el teléfono móvil, ese dispositivo que se lleva a todas partes está repleto de toda clase de relaciones, dramas e historias de amor. Navegar por ese mundo resulta interesante, y es increíble lo que se puede llegar a encontrar cuando te pones a investigar el teléfono de otra persona.

TRAS LA INVITACIÓN...

Pongamos que has enviado un mensaje que ha dado en el blanco, o acabas de recibir uno. Si formas parte del creciente número de personas que organizan sus planes con sus pretendientes a través de mensajes de texto, el juego apenas acaba de comenzar. Al contrario que las llamadas telefónicas, que implican conversar con alguien simultáneamente y estar, al menos hasta cierto punto, en la misma onda, la comunicación por mensaje no sigue una secuencia temporal predeterminada y deja mucho espacio a la ambigüedad. ¿Acabo de utilizar la frase «secuencia temporal predeterminada»? ¡Alucina!

En uno de nuestros primeros grupos de estudio, una joven llamada Margaret nos habló de un chico al que conoció en el trabajo. Parecía encantador, y se notaba que a ella le gustaba. Cuando le pedí que me enseñara sus mensajes, me di cuenta de que el nombre de aquel tipo, según el iPhone de Margaret, era «Greg NO ESCRIBIR HASTA EL JUEVES».

Comprendí entonces lo importantes que son esos primeros mensajes. Esas conversaciones iniciales podían ser el factor determinante para que esta chica decidiera si algún día se casaría con el señor NO ESCRIBIR HASTA EL JUEVES y formaría su propia familia de retoños con el apellido NO ESCRIBIR HASTA EL JUEVES.

Margaret me explicó más tarde que en realidad no era su apellido, sino que le había puesto esa coletilla para recordar que no debía enviarle a Greg ningún mensaje durante unos cuantos días para no parecer impaciente y, ya de paso, hacerse un poco la interesante. El temor a parecer desesperado o ansioso con los mensajes era una preocupación constante en nuestros grupos de estudio, y casi todo el mundo parecía tener su propia estrategia para sortear esa trampa mortal. De momento no existe ninguna guía oficial sobre el arte de escribir mensajes, pero con el tiempo se ha ido creando una especie de sabiduría popular en torno a ellos. Estas son algunas normas básicas:

· No respondas de inmediato. Dará la impresión de que no tienes nada mejor que hacer con tu vida.
· Si escribes a alguien, no vuelvas a hacerlo hasta que te responda.
· La longitud de tus mensajes debería ser similar a la de los que te haya escrito la otra persona.
· Al hilo de lo anterior, si tus mensajes aparecen de color azul en la pantalla y los de la otra persona en verde, y resulta que hay muchísimo más azul que verde en la conversación, significa que a la otra persona le importas un comino.
· La persona que recibe el último mensaje en una conversación, ¡GANA![21]

---

21 George Homans estableció el clásico término sociológico «principio del menor interés», que sostiene que la persona que está menos interesada en una relación es la que tiene mayor poder sobre ella. Ver George Caspar Homans, *Social Behavior: Its Elementary Forms (Comportamiento social: aspectos básicos)*, New York: Harcourt Brace Jovanovich, 1961.

EL ARTE DE LA ESPERA

La cuestión que generó más debate fue cuánto tiempo se debería esperar para responder a un mensaje. Dependiendo de la personas implicadas, es un jueguecito que puede llegar a convertirse en un asunto muy molesto —y, admitámoslo, también un tanto absurdo— si nadie se pone de acuerdo sobre cómo se juega... y cómo se gana. Tal y como nos contó una mujer: «Existe un deseo, al menos por mi parte, de llevar las riendas. Necesito tener el control. Así que si escribo a alguien y esa persona espera diez minutos para responderme, yo espero veinte. Parece una estupidez, pero en el fondo los dos sabemos que el otro se pasa el día pegado al teléfono móvil. Todo el mundo lo hace. Así que si quieres jugar a ese juego, por mí bien, pero yo voy a jugar mucho mejor. Soy muy competitiva.»

MADRE MÍA.

Varios entrevistados más apoyaban esa táctica de doblar el tiempo de respuesta (si te responden a los cinco minutos, tú esperas diez, etc.). Así consigues llevar la voz cantante y parecer más ocupado y menos disponible que el otro. Otros opinaban que con esperar unos minutos para demostrar que tu vida no se limita a estar delante del móvil todo el día es suficiente. Algunos pensaban que hay que doblar el tiempo, pero que se debe mandar de vez en cuando una respuesta rápida para no parecer un perdonavidas (¡aunque la respuesta tampoco debe ser muy larga!). Otros optaban por esperar 1,25 veces más. Otros decían que tres minutos era el lapso adecuado. También había quienes estaban hartos de jueguecitos y opinaban que recibir una respuesta sin demora alguna era una muestra de confianza por parte de la otra persona.

Pero ¿hasta qué punto resulta efectivo todo esto? ¿Por qué tanta gente lo hace? ¿Se puede aprender algo importante sobre la naturaleza humana a partir de estas estratagemas?

El jueguecito de hacer esperar al otro para hacerse de rogar se practica desde hace siglos. De acuerdo con el historiador griego Jenofonte, una prostituta acudió a Sócrates[22] en una ocasión en busca de consejo, y él le dijo: «Debes atraer a los hombres comportándote como un modelo de decoro, siendo reticente a entregarte, y sin hacer ningún acercamiento hasta que estén consumidos por el deseo. Así apreciarán tus virtudes mucho más que si se las ofrecieras cuando aún no las desean.» Sócrates sabía que la gente tiende a subestimar, y a veces incluso a rechazar, aquello que se consigue con facilidad.

Personalmente creo que todo este asunto resulta muy frustrante. Si de verdad le gusto a una persona y me demuestra que está interesada, ¿no debería valorarlo y mostrarme receptivo a sus insinuaciones? ¿Por qué queremos lo que no podemos tener? ¿Por qué a veces la gente que más nos atrae es la que menos caso nos hace?

EL PODER DE LA ESPERA

En los últimos años, estudiosos del comportamiento han arrojado cierta luz sobre el poder que puede llegar a otorgar la técnica de la espera. Pensemos primero en la idea de que responder de inmediato a un mensaje te quita atractivo. Los psicólogos han realizado cientos de estudios en los que recompensan a animales de laboratorio bajo diversas condiciones. Uno de los descubrimientos más interesantes fue que la «incertidumbre ante la recompensa» —por ejemplo, cuando los animales no pueden predecir si al accionar una palanca recibirán comida— puede incrementar de forma exponencial su interés por conseguirla, al tiempo que sube de forma notable sus niveles de dopamina.[23]

---

22 Para que quede claro, no se trata de un proxeneta llamado Sócrates, sino del célebre filósofo. Dicho esto, «Sócrates» sería un nombre estupendo para un proxeneta.

23 Mike J. F. Robinson, Patrick Anselme, Adam M. Fischer y Kent C. Berridge, "Initial Uncertainty in Pavlovian Reward Prediction Persistently Elevates Incentive Salience and Extends Sign-Tracking to Normally Unattractive Cues" («La incertidumbre inicial en la predicción pavloviana de recompensas incrementa de forma constante las cualidades del incentivo y aviva el interés por alicientes que normalmente no resultan atractivos»), *Behavioral Brain Research* 266 (2014): 119–30.

Si consideramos las respuestas de alguien como una forma de «recompensa», tened en cuenta que los animales de laboratorio que reciben una recompensa cada vez que accionan una palanca acaban por perder el entusiasmo, porque saben que la próxima vez que quieran la recompensa les estará esperando. Así que, en esencia, si eres un chico o una chica que responde al momento, el otro te acaba subestimando y no te considera una recompensa tan valiosa. Por lo tanto, la otra persona pierde el interés en escribirte, igual que le ocurre al animal de laboratorio que tiene que accionar la palanca.

La mensajería es un medio que condiciona nuestras mentes de forma singular, así que no concebimos de igual forma las interacciones realizadas por mensaje que las que se hacían a través de llamadas telefónicas. Antes de que todo el mundo tuviera teléfono móvil, lo habitual era que la gente pudiera esperar un tiempo para responder —unos cuantos días, incluso— antes de que la otra persona empezara a ponerse nerviosa. En cambio, con los mensajes nos hemos acostumbrado a recibir respuestas mucho más rápidas. Según nuestras entrevistas, ese lapso de tiempo varía de unas personas a otras, pero puede situarse en cualquier punto entre diez minutos y una hora, o puede que incluso en el mismo momento, según cómo se haya desarrollado la interacción previa. Cuando no recibimos una respuesta rápida, nuestra mente empieza a temerse lo peor.

La antropóloga del MIT Natasha Schüll estudia la adicción al juego y, más concretamente, lo que ocurre dentro de la mente y el organismo de las personas que se vuelven dependientes de la gratificación instantánea que proporcionan las máquinas tragaperras. Cuando nos reunimos en Boston me explicó que, al contrario que las cartas, las carreras de caballos o la lotería semanal —todos ellos, juegos que hacen esperar a los ludópatas: a que les toque el turno, a que acabe la carrera, a que se den los resultados semanales—, jugar a las máquinas es algo tan veloz como un rayo, de forma que los jugadores conocen el resultado al momento.

—Te acostumbras a recibir un resultado al instante, así que ya no toleras ningún retraso. —Schüll hizo una analogía entre las máquinas tragaperras y los mensajes, dado que ambos generan la expectativa de una respuesta rápida—. Cuando te escribes con una persona que te gusta, con alguien a quien aún no conoces bien, es como jugar a una máquina tragaperras: se genera mucha incertidumbre, expectación y ansiedad. Todo tu cuerpo está concentrado en recibir una respuesta. Quieres (necesitas) recibir ese mensaje cuanto antes, y si no llega, te entra el pánico. No sabes cómo reaccionar ante esa falta de respuesta, ante esa situación no resuelta.

Schüll opinaba que escribirle un mensaje a alguien es muy distinto a dejarle un recado en el contestador automático, algo que solíamos hacer antes de que existieran los *smartphones*.

—Desde el punto de vista temporal, y también emocional, dejarle a alguien un mensaje en el contestador se parecía a comprar un billete de lotería —me explicó—. Al hacerlo, eras consciente de que tenía que pasar un periodo de tiempo relativamente largo hasta que descubrieras los números premiados. No esperabas recibir una llamada al instante, y puede que incluso disfrutaras de ese suspense, porque sabías que se alargaría durante unos cuantos días. Pero en el caso de un mensaje, si no recibes respuesta en unos quince minutos, puedes acabar atacado de los nervios.

Schüll nos contó que ella misma había experimentado en primera persona la angustia de esa espera. Hace varios años se estuvo escribiendo con un pretendiente, alguien con quien había empezado a salir y que le gustaba mucho, y él le mostraba por activa y por pasiva que también estaba colado por ella. Entonces, sin venir a cuento, el tipo enmudeció. Schüll no recibió ninguna respuesta durante tres días. Se obsesionó con la extraña desaparición de aquel tipo y tuvo problemas para concentrarse e incluso para afrontar los aspectos más mundanos de su vida social.

—Nadie quería quedar conmigo —nos contó—, porque estaba todo el rato en plan: «¡Mierda! ¿Dónde leches se ha metido este tipo?».

Al final el tipo contactó con Schüll, que se sintió aliviada al enterarse de que había perdido el móvil, que lo había perdido de verdad, y como era allí donde tenía apuntado su número, no tuvo manera de comunicarse con ella.

—Si hubieran sido llamadas telefónicas seguramente no me habría puesto tan histérica por no haber recibido respuesta en tres días, pero como mi mente estaba acostumbrada al ritmo que marcan los mensajes, la pérdida de esa recompensa… En fin, fueron tres días espantosos —dijo.

Incluso la gente que mantiene una relación estable siente esa ansiedad con los mensajes. A mí mismo me ha pasado en varias ocasiones. Aquí os dejo un ejemplo:

> ¿Vas a volver al hotel antes de ir al club de la comedia?

Enviado a las 18:34

> No creo. Tengo que prepararme para el espectáculo y tomar un vino rápido con Zach.

> ¿Te apetece venir?

Enviado a las 18:36

(Fijaos en el lapso de veinte minutos que se produce aquí.)

> No

Enviado a las 18:56

Durante el lapso posterior a ese «¿Te apetece venir?», estuve convencido de que ella estaba cabreada por algo. Sus respuestas habían sido bastante rápidas, y aquella pausa parecía un indicativo de que algo no marchaba bien y de que debería haber vuelto al hotel.

> Nos vemos en el club

Enviado a las 18:56

> ¿Estás enfadada por algo?

Enviado a las 19:01

(Fijaos aquí también en el lapso de tiempo.)

> Para nada. Solo estaba descansando en el hotel.

> Llevo todo el día andando y no me apetecía salir.

Enviado a las 19:17

 OK, era por asegurarme

Enviado a las 19:17

Una vez más, al no responder a ese «¿Estás enfadada por algo?», llegué a la conclusión de que efectivamente lo estaba. ¿A qué venía si no tanta tardanza? Y todos esos quebraderos de cabeza para tratar de interpretar su posible estado anímico se debieron simplemente al tiempo que tardó en responder a unos mensajes.

Incluso en contextos no románticos la espera provoca inquietud. Un día le mandé un mensaje a un conocido para proponerle leer un borrador de este mismo libro. Le escribí esto: «Oye, ¿te apetecería leer un borrador del libro que estoy preparando sobre el amor en la era digital? Me gustaría que lo leyeran algunas personas y creo que tú pillarías el tono que estoy buscando y podrías darme algunos consejos. Si estás muy ocupado, etc., no me lo tomaré a mal.»

Envié el mensaje a las 13:33 h de un miércoles, y al momento recibí esta notificación: «Leído a las 13:33 h». Pero no obtuve respuesta hasta las 18:14 h del día siguiente. Durante todo ese tiempo pensé que a lo mejor había sobrepasado los límites de nuestra amistad, que no era adecuado que se lo pidiera, etc. Al final resultó que me había preocupado en vano, ya que me respondió: «¡Por supuesto! Parece divertido.»

Si esa espera produce un efecto tan fuerte entre personas que tienen una relación o una amistad sólida, tiene su lógica que los solteros se sirvan de ella para intentar generar atracción.

Por ejemplo, pongamos que eres un hombre y acabas de conocer a tres mujeres en un bar. Al día siguiente les escribes un mensaje. Dos de ellas responden casi de inmediato, pero la otra no dice nada. Las dos primeras mujeres, en cierto modo, han mostrado interés con su respuesta, y te quedas tranquilo. Pero la otra mujer, al no responderte, genera una incertidumbre a la que tu cerebro intenta buscar explicación. No dejas de preguntarte: «¿Por qué leches no me responde? ¿Qué ocurre? ¿He hecho algo mal?». Esta mujer ha provocado una inquietud que, según han descubierto los psicólogos sociales, conduce a una fuerte atracción amorosa.

El equipo formado por Erin Whitchurch, Timothy Wilson y Daniel Gilbert realizó un estudio en el que mostraban a varias mujeres perfiles de Facebook de hombres que, al parecer, habían visitado los suyos. A un grupo le enseñaban perfiles de hombres que, según les decían, habían valorado muy positivamente sus perfiles. Al segundo grupo le decían que estaban viendo perfiles de hombres que habían dicho que los suyos eran del montón. Y a un tercer grupo le mostraron perfiles de hombres y les dijeron que «no estaba claro» hasta qué punto habían mostrado interés por ellas. Como cabía esperar, las mujeres preferían a los hombres que, según les habían contado, las habían valorado positivamente, frente a aquellos que las consideraban del montón (el principio de reciprocidad: nos gusta la gente a la que le gustamos). Sin embargo, los hombres hacia los que sentían mayor atracción eran aquellos que «no lo tenían claro». También declararon más tarde que aquellos hombres en los que más pensaban eran en los que «no lo tenían claro». Cuanto más piensas en una persona, más espacio ocupa en tu mente, y eso en última instancia puede conducir a un sentimiento de atracción.[24]

Otra idea extraída de la psicología social que encaja con el jueguecito de los mensajes es el principio de escasez, que viene a decir que las cosas nos resultan más deseables cuando están menos disponibles. Basándose en este concepto, cuando escribes a alguien con muy poca frecuencia generas una «escasez de ti» que te hace resultar más atractivo.

---

24   Erin Whitchurch, Timothy Wilson y Daniel Gilbert, "He Loves Me, He Loves Me Not... Uncertainty Can Increase Romantic Atraction" («Me quiere, no me quiere... La incertidumbre puede aumentar la atracción amorosa»), *Psychological Science* 22, # 2 (2011): 172–75.

QUÉ HACER CUANDO NOS GUSTA ALGUIEN

A veces hay otra razón que explica por qué la gente tarda tanto en responderte. No es que estén jugando contigo, ni tampoco que estén ocupados. ¡Simplemente te están buscando como locos en Google!

En una encuesta de 2011, más del 80 % de los encuestados admitía haber buscado en Internet información sobre sus pretendientes antes de acudir a una primera cita.[25] ¿Y por qué no? A medida que se amplía nuestro radio de acción nos topamos con gente a la que apenas conocemos, incluso completos desconocidos que no comparten vínculos sociales con nosotros. Por suerte, la misma tecnología que nos permite conectar con ellos también nos ayuda a averiguar si cuelgan fotos monas de crías de elefante o si ocultan algo más siniestro, como un blog donde relaten su última caza furtiva de elefantes en Botsuana.

Por lo general, las búsquedas en Internet aportan poco más que ciertos datos biográficos esenciales y un puñado de fotos de Facebook e Instagram. Pero algunos solteros afirmaron que incluso una información tan nimia resulta útil, porque les daba pistas sobre el carácter y los intereses de una persona antes de quedar con ella. Me parece que tiene su lógica, dado que en muchos casos las fotos que una persona publica en su cuenta de Instagram pueden ofrecer una imagen de ella más convincente y realista que un perfil cuidadosamente elaborado en una web de contactos.

Sin embargo, otros consideran que se trata de un arma de doble filo, porque leer demasiadas cosas sobre la historia de una persona puede privarlos, a ellos y a sus pretendientes, de la diversión de descubrir cómo es alguien. Algunos solteros con los que hablamos nos contaron que a veces eran incapaces de disfrutar de una cita por culpa de las ideas preconcebidas que se habían formado en torno a la otra persona.

---

25   La encuesta, dirigida por Hunter Public Relations, se puede consultar en http://clientnewsfeed.hunterpr.com/category/Wine-Spirits-News.aspx?page=25.

Un chico al que conocí me contó que la información personal que podemos obtener con tanta facilidad en la red a menudo le hacía ser demasiado estricto con la gente.

—Si me pongo a revisar su historial de tuits y me encuentro algún comentario tonto con el que no estoy de acuerdo, se me quitan las ganas de quedar con esa persona —dijo.

Puede que sea un poco excesivo juzgar la personalidad de alguien en función de un par de tuits, pero si te tomas en serio la búsqueda, Internet puede ofrecerte mucha más información. Cuando planteamos en nuestro foro la cuestión de buscar a alguien en Internet antes de quedar con él, escuchamos historias horripilantes.

Una mujer nos contó que canceló una cita después de indagar un poco:

> Busqué en Google a mi pretendiente, que tenía un nombre muy peculiar. Según el boletín informativo semanal de una sinagoga, su esposa y él iban a dar clases de la Torá para niños en su casa el mismo día que habíamos quedado.

Este es también el único caso registrado en la historia en la que alguien ha dicho: «Uf, menos mal que he leído el boletín semanal de esa sinagoga.»

Pero hubo otras historias aún más inquietantes.

Una mujer escribió:

> (Una) amiga del trabajo conoció a un bombero en un bar hace unos meses. Hablaron un montón esa noche, se dieron los teléfonos y se escribieron durante la semana siguiente para concertar una primera cita. El bombero le dijo a mi amiga que no tenía Facebook, y cuando ella se lo mencionó a otros amigos le dijeron que tuviera cuidado por si le estaba mintiendo y en realidad tenía novia o estaba casado. Así que mi amiga buscó su nombre en Google+ «departamento de bomberos de L.A.» y descubrió que habían publicado una noticia sobre él (¡con vídeo y todo!) en la que se contaba cómo SU MADRE Y ÉL le habían dado una paliza a una

anciana que se dedicaba a alimentar a los gatos callejeros de su calle. De inmediato dejó de hablar con él.

Eso es lo que siempre digo: si tu madre te pide que la acompañes a apalear a una anciana en plena calle por alimentar a unos gatos... DILE QUE NO. O las consecuencias te perseguirán toda la vida.

QUÉ HACER CUANDO NO NOS GUSTA ALGUIEN

Si no sientes el más mínimo interés hacia alguien te enfrentas a otro embrollo que debes resolver. ¿Cómo le explicas a esa persona que no te gusta? Basándonos en nuestras entrevistas, parece haber tres opciones principales: fingir que estás ocupado, no decir nada o ser sincero.

En todas las paradas de mi gira, desde San Francisco a Londres pasando por Wichita, pregunté al público qué método utilizaba. En total hablamos de más de 150 000 personas, y en cada uno de los casos, la respuesta era siempre la misma. Por goleada, la mayoría de la gente se inclinaba por «fingir que estás ocupado» o por «no decir nada». Solo una pequeña porción del público afirmó que optaría por la sinceridad.

Sin embargo, decidí darle la vuelta a la tortilla y dije:

—De acuerdo, imaginemos que la situación es al contrario. Es otra persona la que tiene que deciros que no siente nada por vosotros. ¿Cómo preferiríais que lo hiciera? Dad una palmada si preferís que finja estar ocupado.

Unas pocas palmadas.

—Dad una palmada si preferís que guarde silencio, que no os diga nada.

Menos palmadas aún.

—Y por último, dad una palmada si preferís que sea sincero con vosotros.

Casi todo el público se ponía a aplaudir en ese momento.

¿Por qué será que todos preferimos que sean sinceros con nosotros, pero rara vez lo somos nosotros con los demás? Puede que en el fondo todos queramos ser honestos, pero nos cueste llevarlo a la práctica. La sinceridad implica confrontación. Preparar un mensaje «sincero» requiere mucho tiempo y dedicación. Y por muy delicado que intentes ser, rechazar a alguien no es plato de buen gusto para nadie. En muchos sentidos, resulta más fácil no decir nada o fingir que estás ocupado hasta que la otra persona capte la indirecta.

De hecho, ¿de verdad preferimos afrontar la cruda verdad cuando alguien nos rechaza? No reaccionamos bien ante el rechazo, sobre todo tras habernos quitado la coraza y haber mostrado interés hacia otra persona, y resulta doloroso recibir un mensaje en el que alguien te dice que no quiere salir contigo.

Si somos sinceros con nosotros mismos, descubriremos que, aunque parezca extraño, en el fondo preferimos que nos mientan. Si alguien te miente y te dice que está saliendo con otra persona o que pronto se va a mudar a otra ciudad, no te sientes rechazado, porque el problema dejas de ser tú.

De esta forma, no hieren nuestros sentimientos y no nos quedamos confusos o frustrados por el silencio o por la artimaña de «fingir que estás ocupado». Supongo que lo que vengo a decir es que la próxima vez que una persona que no te gusta te pida salir, esto es lo que deberías responderle: «Lo siento, mañana no puedo ir a cenar. ¡Parto en una misión secreta del programa espacial! Cuando regrese a la Tierra apenas habré envejecido, pero tú tendrás setenta y ocho años, así que creo que no es un buen momento para quedar.»

¿Y QUÉ PASÓ CON TANYA?

Lo más importante de todo este batiburrillo de ideas es que, por mucho que te comas el coco sobre el contenido de tu mensaje o el momento en que lo mandas, a veces el resultado no depende

de ti, ya que entran otros factores en juego. Cuando estuve dándole vueltas al asunto de Tanya, un amigo me dio un consejo estupendo. Me dijo esto: «Muchas veces te encuentras en una situación así y te devanas los sesos sobre lo que has dicho, hecho o escrito, pero a veces simplemente tiene que ver con algo que depende del otro y que tú desconoces.»

Unos meses más tarde me encontré con Tanya. Lo pasamos muy bien juntos y al final me dijo que sentía no haberme respondido aquella vez. Por lo visto, por aquel entonces se estaba cuestionando su propia identidad sexual y estaba intentando averiguar si era lesbiana.

En fin, no era precisamente una teoría que se me hubiera pasado por la cabeza.

Acabamos liándonos esa noche, y esta vez me dijo que no habría más juegos.

La escribí unos días más tarde para volver a vernos.

Su respuesta: silencio.[26]

---

26   Para que quede claro, Tanya y yo seguimos siendo amigos y es muy buena persona.

CAPÍTULO 3

CIBERCITAS

Al ser un personaje público, nunca me he planteado apuntarme a una web de contactos. Siempre he pensado que cabía la posibilidad de que algún acosador demente pudiera aprovechar la ocasión para secuestrarme y asesinarme.

No sé muy bien cómo se desarrollaría la situación. Puede que mi acosador (que probablemente sería hindú) viera mi perfil y pensara: «Ajá, aquí está el perfil de OkCupid de ese cómico. Al fin tengo una manera de llegar hasta él y planear lentamente su asesinato.» Entonces me enviaría un mensaje haciéndose pasar por una mujer. Yo visitaría su perfil y vería que a «ella» le gustan los tacos y *Juego de tronos*. ¡Qué guay!

Concertaríamos una cita. Yo estaría nervioso, pero serían unos nervios positivos. Iría a «buscarla» a su casa. Él me abriría la puerta, con una peluca puesta. Yo comprendería de inmediato que algo no marcha bien, pero él me dejaría fuera de combate antes de que pudiera reaccionar. Al despertar, me encontraría en un sótano oscuro repleto de muñecos, mientras sonaría de fondo alguna canción horripilante en plan «The Chaffeur», de Duran Duran. Entonces mi acosador me sometería a una operación quirúrgica para arrancarme la cara y apropiarse de mi vida.

Y mientras tanto yo pensaría, entre gritos agónicos: «Ya sabía yo que pasaría esto.»

Así me imagino a mi acosador hindú.[27]

De acuerdo, puede que se trate de una situación altamente improbable, pero aun así, comprended mi recelo. En realidad, las cibercitas siempre me han parecido estupendas.

En una ocasión me encontré a un tipo que conoció a su esposa a través de Match.com, buscando (y cito textualmente): «Judía + mi código postal». Le dije en broma que eso era lo que yo haría para buscar un McDonald's. Escribiría «McDonald's + mi código postal» y después me iría a comer unos buenos *nuggets.* Puede parecer una forma un poco tonta de conocer a alguien, pero a mí me resulta hermoso y fascinante, de verdad, que una búsqueda tan tonta le llevara a encontrar a la persona con la que compartirá el resto de su vida.[28]

---

27 **NOTA:** Dado que esto no es más que una imagen de archivo de un joven hindú, me veo legalmente obligado a mencionar que aunque acabo de decir que así es como me imagino a mi acosador, este tipo no es en realidad ningún acosador. No es más que un hindú que a veces cobra dinero por posar con un portátil para salir en fotografías de archivo.

28 Algo menos hermoso, pero igual de fascinante: «Judío + código postal» también es una búsqueda habitual en ariosbuscancasa.com, una web inmobiliaria para antisemitas.

Es una asombrosa cadena de acontecimientos: él escribe esa frase, todos esos algoritmos y factores aleatorios se sincronizan, aparece la cara de esa mujer, él la pincha con el ratón, le manda un mensaje, y al final esa mujer se convierte en la persona con la que va a compartir el resto de su vida. Ahora están casados y tienen un hijo. Han forjado una vida en común. Y un nuevo ser humano ha llegado al mundo porque en un momento determinado, hace años, a mi amigo le dio por escribir «Judía 90046»[29] en un ordenador.

Hoy en día se realizan contactos de ese tipo a escala masiva. Por sí sola, la web de OkCupid genera cerca de cuarenta mil citas al día. Eso significa que cada día ochenta mil personas se conocen gracias a esta página. Aproximadamente tres mil de esas personas acabarán manteniendo relaciones a largo plazo, doscientas de ellas se casarán, y muchas otras tendrán hijos.[30]

EL AUGE DE LAS CIBERCITAS

Las cibercitas tienen sus orígenes en la década de los sesenta, con la aparición de los primeros servicios de búsqueda de pareja por ordenador. Estos servicios aseguraban que podían aprovechar las nuevas capacidades de los ordenadores para ayudar a los que el amor no les sonreía a encontrar su alma gemela de forma eficiente y racional. Pedían a sus clientes que rellenaran larguísimos cuestionarios cuyas respuestas debían introducir en ordenadores del tamaño de un salón. (Bueno, no todos los servicios hacían lo mismo. Por lo visto había uno, el Project Flame de la Universidad de Indiana, en el que los estudiantes rellenaban tarjetas perforadas y después, en lugar de meterlas en el ordenador, los

---

29   Judío 90046 también es el nombre del modelo de Terminator menos intimidante de todos los tiempos.

30   Christian Rudder, *Dataclysm: Who We Are (When We Think No One's Looking)* (*Citaclismo: Quiénes somos cuando pensamos que no hay nadie mirándonos*), Nueva York, Crown, 2014.

investigadores las barajaban para crear falsos emparejamientos). El ordenador evaluaba la información y, basándose en el primitivo algoritmo que le habían introducido, elegía a dos clientes teóricamente compatibles, a los que entonces concertaban una cita.[31]

Estos servicios estuvieron en activo, con fórmulas más o menos similares, hasta los años ochenta, pero nunca llegaron a cuajar del todo. Su fracaso se debió a varias razones. Una era muy sencilla: poca gente tenía un ordenador personal en casa, ni siquiera en el trabajo, y a la gente le costaba creer que una máquina extraña pudiera decir cuál era la pareja perfecta para ti. Tras miles de años de citas y emparejamientos sin necesidad de asistencia electrónica, la mayoría de la gente se resistía a la idea de que la clave para encontrar el amor verdadero radicara en un IBM gigantesco. También había otra poderosa razón por la que la gente no recurría en masa a los emparejamientos por ordenador: las empresas que los gestionaban no podían demostrar que supieran qué factores hacen que dos personas encajen, no había pruebas de que el sistema fuera efectivo. Por último, las citas por computador acarreaban un fuerte estigma, puesto que la mayoría de la gente pensaba que utilizar una máquina para buscar pareja era algo propio de desesperados.

Los anuncios por palabras, y no los programas informáticos para buscar pareja, fueron el método estrella entre los solteros que buscaban nuevas vías para conocer gente durante los años ochenta y a principios de los noventa. Este sistema ya se había inventado en 1690, y ya en el siglo XVIII los anuncios matrimoniales se habían convertido en una sección destacada dentro de los periódicos.[32] Los anuncios pegaron el petardazo tras la revolución sexual de los sesenta, cuando hombres y mujeres por igual se animaron a buscar nuevas formas de conocer gente. Décadas antes de que existiera Craigslist,[33] las secciones de «anuncios personales» de los diarios, y sobre todo las de los semanarios, estaban

---

31   Nathan Ensmenger, "Computer Dating in the 1960s" («Citas por ordenador en los años sesenta») *The Computer Boys* (blog), 5 de marzo de 2014.

32   H. G. Cocks, *Classified: The Secret History of the Personal Column (Clasificado: La historia oculta de los anuncios personales),* Londres, Random House, 2009.

33   Conocida web de anuncios clasificados, fundada en 1995 (*N. del T.*).

repletas de acción, sobre todo en los «mercados alternativos» tales como los del colectivo LGBT y los heteros de mediana edad (divorciados, principalmente).

Los anuncios eran muy breves, por lo general de menos de cincuenta palabras, y estaban encabezados por un titular en negrita y en mayúsculas que intentaba llamar la atención de la gente, con mensajes que iban desde ¡PELIRROJA BUSCA CHICO SOLITARIO! hasta un simple ¡ME LLAMO WILLIE!

A continuación, la persona contaba en pocas palabras cómo era y qué estaba buscando. Para ahorrar espacio, la gente utilizaba abreviaturas como HBS (hombre blanco soltero), MJS (mujer judía soltera), HNST (hombre negro soltero trabajador) y, por supuesto, SAD (saxofonista asiático divorciado).

Lo normal era que te concedieran cierta cantidad de espacio sin coste alguno y que después pagaras si querías más espacio. Por ejemplo, en el *L.A. Times* tenías cuatro líneas gratis y después pagabas ocho dólares por cada línea adicional.

Aquí os dejo algunos anuncios publicados en el *Beaver County Times* en diciembre de 1994, unos meses antes de que apareciera la primera web de contactos:

Una vez que se publicaban estos anuncios, los interesados podían llamar a un número 900 de pago para dejar un mensaje en el buzón de voz de la persona que se anunciaba. El coste de esos mensajes rondaba 1,75 dólares por minuto, y cada llamada duraba una media de tres minutos. Primero escuchabas el mensaje de presentación de la otra persona y después dejabas el tuyo propio, e incluso tenías la opción de escucharlo o de volver a grabarlo si lo deseabas. La persona que ponía el anuncio revisaba los mensajes y contactaba con las personas que le llamaban la atención.

Al no disponer de fotos, y al tener tan poca información en la que basarse, encontrar el amor por medio de los anuncios personales podía resultar una experiencia frustrante. Dicho esto, de vez en cuando los anuncios de los periódicos sí conducían a relaciones fructíferas. Sin ir más lejos, el padre de Eric, Ed, fue un usuario activo de los anuncios personales por palabras en Chicago durante las décadas de 1980 y 1990, y recuerda bien su experiencia. Ed publicaba sus anuncios en el *Chicago Reader*, el semanario alternativo local. Por suerte para nosotros, guardó el último anuncio que publicó, que a la postre fue el que le reportó mejores resultados:

¿¿Buscas aventura??

Hombre judío divorciado, 49, me gusta pescar, salir de excursión, montar en bici, acampar, viajar, el arte, la música, el francés y el español. Busco mujer que quiera relación a largo plazo y comparta algunos de mis gustos. Sé valiente... ¡y llama ya! Chicago Reader Box XXXXX

Hay muchos detalles en este anuncio que les resultarán familiares a los usuarios de las webs de contactos actuales. Ed describe su estado civil, religión, edad e intereses personales. Nos da la impresión de ser bastante cosmopolita, e incluso nos promete aventura si nos atrevemos a ser valientes. (¡Bien jugado, Ed!)

Treinta y cinco mujeres respondieron a este anuncio, según recuerda Ed. Todas ellas tuvieron que llamar al número 900 designado e introducir el código de su buzón de voz. Al hacerlo, escuchaban el saludo personal de Ed, que tuvo a bien reconstruirlo para nosotros:

> ¡Hola! Si estás buscando aventura y diversión, ¡has llegado al anuncio adecuado! Me llamo Ed. Tengo cuarenta y nueve años, soy judío y tengo dos hijos mayores. Tengo una casa en Lincoln Park y soy propietario de mi propia empresa de publicidad y relaciones públicas desde 1969. Desde hace mucho tiempo me dedico a la náutica recreativa y tengo un bote en el puerto de Monroe. También me gusta montar en bici, salir de excursión, correr, acampar y la fotografía. Soy licenciado en Filología Inglesa por la Universidad de Michigan, y tras licenciarme trabajé durante seis meses, ahorré todo lo que gané y asistí a la Sorbona. Durante las vacaciones de verano hice un viaje en autostop de más de 15 000 kilómetros por Europa y parte de Oriente Medio. ¡Me encanta viajar por el mundo! Participo activamente en dos grupos de conversación en francés y también hablo español. Si te he llamado la atención y te apetece hablar conmigo por teléfono, por favor, responde a este mensaje y deja un número donde pueda localizarte. ¡Espero tener noticias tuyas pronto!

¡Madre mía, Ed, eres el amo! El tipo tiene un barco y participa, no en uno, sino en dos grupos de conversación en francés. Ed nos contó que llamaba para comprobar sus mensajes más o menos una vez a la semana, nada que ver con los usuarios de las webs de contactos de ahora, muchos de los cuales comprueban si tienen algún mensaje cada pocas horas o incluso activan las notificaciones instantáneas en sus móviles.

—Escuchaba cada mensaje varias veces y apuntaba los datos más relevantes. Después llamaba a las mujeres que me parecían más interesantes, y en aquella ocasión una destacó sobre el resto:

> Hola, me llamo Anne y me gustó mucho tu anuncio en el *Reader* y también tu mensaje de presentación, así que me he animado a llamarte. Soy una divorciada de treinta y siete años sin hijos, y sí,

¡estoy deseando vivir aventuras! Me gustan muchas de las actividades que comentabas. Viví en Colombia y en Perú durante un breve periodo de tiempo, así que hablo español, igual que tú. Si te apetece conocerme en persona, por favor, contacta conmigo. ¡Espero tu llamada!

Ed llamó a Anne y la invitó a tomar café. A menudo, según nos contó, estos primeros encuentros salían mal, porque con los anuncios de los periódicos no tenías ni idea del aspecto que tendría la otra persona, solo podías basarte en el sonido de su voz por teléfono. Pero Anne y él conectaron de inmediato, y la cosa no tardó en ir a más. Estuvieron saliendo durante seis años hasta que Ed le propuso salir a navegar. Desplegó una vela que él mismo había confeccionado y que decía: «Querida Annie, te amo. ¿Quieres casarte conmigo?». Ella dijo que sí, y poco después navegaron rumbo a California para iniciar una nueva vida juntos.

Hoy por hoy, el hecho de conocerse por medio de un anuncio en el periódico da para una historia estupenda, pero durante muchos años Anne lo mantuvo en secreto. Es una mujer de éxito en su carrera profesional, con un título importante de una universidad de élite y una familia conservadora, y era consciente del estigma que acarreaban las parejas que se conocían a través de un anuncio. Así que se inventó una historia según la cual alguien le había presentado a Ed para contarla en esos inevitables momentos en los que la gente les preguntaba cómo se habían conocido. Ni sus amigos ni su familia descubrieron la verdad hasta el día de su boda, cuando Anne lo confesó durante el brindis, momento que aprovechó su familia para desheredarla por panoli. OK, eso no ocurrió, pero ¿no habría sido increíble?

Unos años antes de que Ed y Anne encontraran el amor gracias a un anuncio en el periódico, varios emprendedores intentaron aplicar los últimos avances tecnológicos a la búsqueda de pareja creando servicios de citas en vídeo que permitían a los solteros hacerse una idea más completa de sus pretendientes, incluyendo el tan necesario componente visual. Con las citas en vídeo, la gente como Ed o Anne acudía a un pequeño estudio, se sentaba ante un reducido equipo de grabación y dedicaba un rato a presentarse ante la cámara. Cada cierto tiempo recibían por correo una cinta VHS con vídeos cortos de posibles candidatos, y si alguno de ellos les gustaba, podían intentar concertar una cita.

Lo cierto es que las citas por vídeo no llegaron a cuajar, pero si buscas un poco en YouTube podrás ver algunas estupendas grabaciones de archivo. Un tipo, un tal Mike, hizo este asombroso aviso:

Hola, me llamo Mike, y si estás viendo esta cinta con un cigarro en la mano, pasa a la siguiente grabación, porque ni fumo ni me gusta la gente que fuma.

Además de eso, la mayoría de los vídeos que vi estaban protagonizados por tipos que se definían como personas a las que les gustaba «divertirse» y que estaban buscando a «alguien con quien divertirse». También contaban algunos detalles sobre sí mismos. «Me gusta la *pizza*», decía un tipo. «Nada de gordas ni alcohólicas», proclamaba otro. «Actualmente me dedico a limpiar residuos tóxicos» fue la frase que empleó un caballero para describir su vida profesional, mientras que otro se pintaba a sí mismo como «ejecutivo de día y animal salvaje de noche», y un tercero afirmaba: «Me interesan todos los aspectos del procesamiento de datos.»

Un tipo declaró que nada de «Donna Juanitas», lo que me pareció un horripilante insulto racista contra las mujeres hispanas. Sin embargo, tras una búsqueda en Internet descubrí que en realidad se trataba del equivalente femenino al Donjuán. Es decir, que lo que no quería ese tipo era una mujer que se acostara con cualquiera. Dicho esto, si ese era su objetivo, ¿el término no debería haber sido «Donna Juan» en vez de «Donna Juanita»? ¿A qué venía eso de «Juanita»? ¿Por qué le cambió el nombre? Por lo visto, el tipo que acuñó este término pensaba que los nombres en español se modifican en función del género. Entonces, ¿un hombre llamado Jorge López estaría casado con una mujer que se llamara Ana Lopezita? No tengo casi ni idea de español, pero hasta donde yo sé eso no tiene sentido. En fin, me estoy yendo un poco por las ramas. Para más información, consultad mi libro *Donna Juan: Etimología del insulto racista*, que se publicará allá por el año 2023.[34]

Después de cada vídeo, aparecían en pantalla los datos básicos de cada candidato, tal que así:

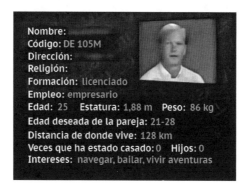

En cierto sentido, me da lástima que las citas en vídeo se fueran al garete, porque los vídeos que vi eran estupendos. Echadle un vistazo al tipo de arriba. ¡Uno de sus intereses es «vivir aventuras»!

El fracaso de las citas en vídeo no acobardó a los emprendedores, que supieron anticipar cómo otro invento reciente, Internet, podría revolucionar la búsqueda de pareja. Así que a mediados de los noventa,

---

34 ACTUALIZACIÓN: Le mostré este pasaje a mi amigo Matt Murray, que hizo una estupenda observación. Tras leerlo me lo aclaró en una nota: «En este caso, ¿"don" no es un título honorífico, como en don Julio o don Corleone? De ser así, creo que el tipo acertó al decir "Juanita" en lugar de "Juan". Curiosamente, lo que sí escribió mal fue lo de "donna", pues según tengo entendido debería ser "doña"». Guau. Gracias, Matt. ¿Quién iba a pensar que esta madriguera de conejos sería tan profunda?

cuando empezaron a extenderse los ordenadores personales y los módems, las cibercitas comenzaron a despegar.

Match.com se inauguró en 1995, y no se trataba de una simple versión actualizada de los servicios de búsqueda de pareja por Internet. Contaba con una innovación crucial: en vez de emparejar a los clientes según un algoritmo, Match.com permitía que fueran los propios clientes los que se eligieran entre sí y al instante. Poca gente creía que ese servicio pudiera cambiar las cosas. Pero entre esos pocos estaba Gary Kremen, fundador y primer presidente ejecutivo de la empresa. Durante su primera gran entrevista en televisión, Kremen llevaba una camisa estampada desteñida, estaba sentado en un puf de colores chillones y dijo abiertamente a la cámara: «Match.com traerá más amor a este planeta que ninguna otra cosa desde que Jesucristo bajó a la tierra.»[35]

Pero primero hubo que realizar algunos ajustes. En un principio, Match.com arrastraba el mismo estigma que había alejado a la gente de los antiguos servicios de citas por computador. Durante el auge de Internet a finales de los noventa, sin embargo, nuestra percepción de los ordenadores y la cultura digital cambió de forma drástica, y la gente fue acostumbrándose cada vez más a utilizar los ordenadores para toda clase de tareas cotidianas. Con el tiempo, el correo electrónico, las salas de chat y finalmente las redes sociales requirieron que la gente desarrollase una identidad virtual. Entonces la idea de usar un ordenador para buscar pareja dejó de resultar tan descabellada. En 2005, cuarenta millones de personas se habían registrado en Match.com.

Sin embargo, una vez que quedó claro que las cibercitas tenían su mercado, empezaron a surgir competidores por todas partes que buscaban su parte del pastel e intentaban expoliar la cartera de clientes de Match.com. Cada nueva web tenía su propia imagen de marca: eHarmony era para la gente que buscaba relaciones serias, Nerve para los *hipsters*, JDate para los judíos, y así.

---

35   Esta historia la cuenta Jeff Kauflin en "How Match.com's Founder Created the World's Biggest Dating Website—and Walked Away with Just $50,000" («Cómo el fundador de Match.com creó la web de citas más grande del mundo, y se marchó con solo 50.000 $»), *Business Insider*, 16 de diciembre de 2011.

Pero la mayoría de esas webs partían de una concepción similar: presentaban un amplio catálogo de gente soltera y ofrecían un método pseudocientífico para filtrar las opciones disponibles y encontrar a las personas con más probabilidades de encajar. Que dichos algoritmos fueran más efectivos que los de los servicios de citas por Internet resulta controvertido, pero a medida que los ordenadores se fueron volviendo muchísimo más potentes y sofisticados la gente pareció más dispuesta a confiar en sus consejos de emparejamiento.

LAS CIBERCITAS EN LA ACTUALIDAD

Siempre he sabido que las webs de contactos eran populares, pero hasta hace poco no tenía ni idea del enorme papel que desempeñan hoy en día en la búsqueda de pareja.

Según un estudio realizado por el psicólogo de la Universidad de Chicago John Cacioppo (no confundirlo con John Cacio e Pepe, un italiano gordo al que le encanta la pasta con queso *pecorino* y pimienta negra), entre 2005 y 2012 más de un tercio de las parejas que se casaron en Estados Unidos se habían conocido a través de un portal digital de citas. Las cibercitas eran el método más utilizado por los solteros para conocer a sus parejas. Por encima de la suma del trabajo, los amigos y el centro de estudios.[36]

Los hallazgos de Cacioppo fueron tan sorprendentes que muchos especialistas cuestionaron su validez, mientras que otros argumentaron que los investigadores no habían sido imparciales porque los fondos para su investigación provenían de una empresa de cibercitas. Pero lo cierto es que esos descubrimientos concuerdan en su mayoría con los

---

36 John T. Cacioppo, Stephanie Cacioppo, Gian C. Gonzaga, Elizabeth L.Ogburn y Tyler J. VanderWeele, "Marital Satisfaction and Break-ups Differ Across On-line and Off -line Meeting Venues" («La satisfacción y las rupturas maritales difieren en función de que el encuentro se haya producido *online* u *offline*»), *Proceedings of the National Academy of Sciences* 110, # 47 (2011): 18814–19.

de Michael Rosenfeld, sociólogo de la Universidad de Stanford, que ha documentado mejor que nadie el crecimiento de las citas por Internet en detrimento de prácticamente cualquier otra forma de conocerse.

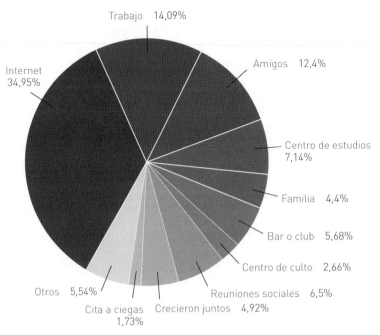

CÓMO CONOCIERON LOS ESTADOUNIDENSES
A SUS CÓNYUGES 2005-2012

Trabajo 14,09%

Amigos 12,4%

Internet
34,95%

Centro de estudios
7,14%

Familia 4,4%

Bar o club 5,68%

Centro de culto 2,66%

Otros 5,54%

Reuniones sociales 6,5%

Cita a ciegas
1,73%

Crecieron juntos 4,92%

Su encuesta, llamada «Cómo se conocen y se mantienen las parejas», es un estudio representativo a nivel nacional que incluye a cuatro mil estadounidenses, un 75 % casados o inmersos en una relación sentimental, y un 25 % solteros. Preguntaron cómo habían conocido a sus parejas a adultos de todas las edades, y como algunos de los participantes eran ya de edad avanzada, el estudio nos ha permitido ver cómo han cambiado las cosas a lo largo de diferentes periodos.[37]

---

37 Más información al respecto en: http://data.stanford.edu/hcmst. El sondeo se centró especialmente en los gais y lesbianas para asegurarse de que hubiera un número suficiente como para sacar conclusiones significativas.

Es especialmente instructivo comparar la situación entre 1940 y 1990, justo antes del auge de las cibercitas, y de nuevo entre 1990 y el momento actual.

CÓMO CONOCIERON LOS ESTADOUNISENSES
HETEROSEXUALES A SUS CÓNYUGES 1940-2010

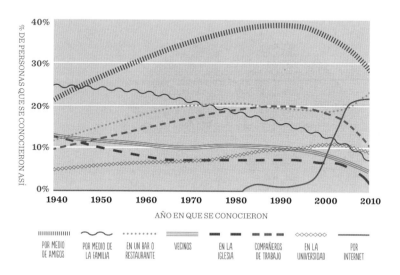

Observemos primero la diferencia entre 1940 y 1990, justo antes de que se inventaran las cibercitas. En 1940, la forma más habitual de conocer a una pareja sentimental era a través de la familia, mientras que el 21 % se conocieron a través de sus amigos. Cerca del 12 % se conocieron en la iglesia o en el vecindario, y un porcentaje similar se conoció en un bar, en un restaurante o en el trabajo. Apenas unos pocos, en torno al 5 %, se conocieron en la universidad, por la simple razón de que poca gente tenía acceso a una educación superior en aquel entonces.

Las cosas cambiaron en 1990. La familia se convirtió en el método menos influyente, emparejando apenas al 15 % de los solteros, igual que la iglesia, que se desplomó hasta el 7 %. La forma más popular de encontrar el amor era por medio de los amigos, que en esa época generaba casi el 40 % de los emparejamientos.

La proporción de gente que se conocía en bares también se incrementó, alcanzando el 20 %. Conocer a alguien en la universidad subió hasta el 10 %, mientras que el porcentaje de gente que se conocía en el vecindario se redujo con respecto a 1940, aunque tampoco demasiado.

CÓMO CONOCIERON LOS ESTADOUNIDENSES
HETEROSEXUALES A SUS CÓNYUGES Y PAREJAS[38]

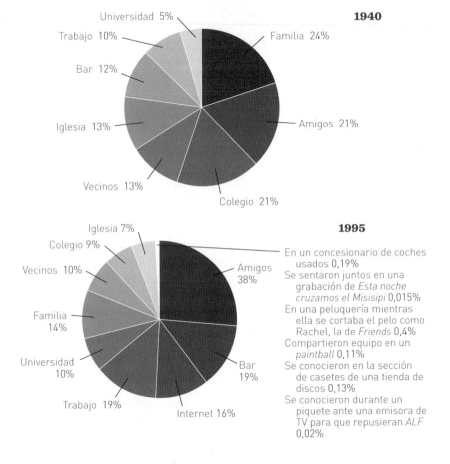

1940

Universidad 5%
Trabajo 10%
Bar 12%
Iglesia 13%
Vecinos 13%
Colegio 21%
Familia 24%
Amigos 21%

1995

Iglesia 7%
Colegio 9%
Vecinos 10%
Familia 14%
Universidad 10%
Trabajo 19%
Internet 16%
Bar 19%
Amigos 38%

En un concesionario de coches usados 0,19%
Se sentaron juntos en una grabación de *Esta noche cruzamos el Misisipi* 0,015%
En una peluquería mientras ella se cortaba el pelo como Rachel, la de *Friends* 0,4%
Compartieron equipo en un *paintball* 0,11%
Se conocieron en la sección de casetes de una tienda de discos 0,13%
Se conocieron durante un piquete ante una emisora de TV para que repusieran *ALF* 0,02%

38 **NOTA:** La suma de todas las cifras aquí incluidas supera el 100 % porque muchos de los encuestados marcaron más de una categoría a la vez. Por ejemplo, personas con conexiones familiares que se habían conocido en el colegio, estudiantes universitarios que se conocieron en un bar... Por eso dieron más de una respuesta.

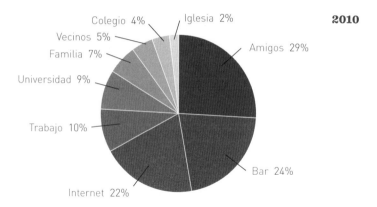

Otra forma común de conocerse en 1990 era cuando un tipo gritaba algo en plan «oye, nena, mueve hacia acá ese culito enfundado en ese peto vaquero que te queda tan bien y deja que te lleve a un concierto de Spin Doctors/Better Than Ezra.» La mujer, halagada por la atención recibida y por la oportunidad de ver a los gurús musicales de la época, accedía sin pensárselo dos veces. Así es como se formó aproximadamente el 6 % de las parejas. Debo aclarar que esto es solo una suposición por mi parte y no tiene nada que ver con la investigación del señor Rosenfeld.

La llegada de las webs de contactos transformó la manera de iniciar nuestras relaciones. En el año 2000, apenas cinco años después de la inauguración de Match.com, el 10 % de las personas que tenían una relación habían conocido a sus parejas por Internet, y en 2010 la cifra llegó casi al 25 %. Ninguna otra forma de entablar una relación amorosa se ha incrementado tanto ni tan rápidamente en toda la historia.[39]

En 2010, solo la universidad y los bares seguían siendo casi tan importantes como en 1995. En cambio, la proporción de gente que se había conocido por medio de amigos cayó de forma notable, del 40 al 28 %, y conocerse por medio de la familia, en el trabajo o en el

39   Michael J. Rosenfeld y Reuben J. Thomas, "Searching for a Mate: The Rise of the
      Internet as a Social Intermediary" («Buscar pareja: El auge de Internet como in-
      termediario social»). *American Sociological Review* 77, # 4 (2012): 523–47.

vecindario se volvió cada vez menos habitual, reduciéndose a una cifra en torno al 10 %. Por su parte, las iglesias y lugares de culto siguieron la senda de Spin Doctors y Better Than Ezra: se quedaron fuera de juego.

Hoy en día, las cibercitas son un paso casi obligatorio para el soltero moderno. Mientras escribo esto, el 38 % de los estadounidenses que se describen como «solteros y buscando» han utilizado alguna web de contactos.[40]

CIBERCITAS Y MERCADOS ALTERNATIVOS

Las citas por Internet han cambiado el juego de una forma todavía más drástica en lo que Rosenfeld llama los «mercados alternativos», especialmente entre las personas que buscan pareja del mismo sexo, pero también entre los heterosexuales de mayor edad. La razón es bastante evidente: cuanto menor es el abanico de pretendientes en potencia, menores son las probabilidades de encontrar el amor por lo métodos tradicionales, ya sea a través de amigos, en los centros de estudio o en lugares públicos. Sí, puede que haya florecientes barrios gais en algunas ciudades, pero la gente que vive y sale por allí ya se tiene muy vista. Al cabo de un tiempo, los que siguen solteros han agotado sus opciones y necesitan buscar algo nuevo. Esa es una de las razones por las que hoy en día, en el colectivo LGBT, ya no es tan habitual conocerse en bares o en el vecindario y por la que casi el 70 % de las parejas LGBT se conocen en Internet. (Las parejas BLT —beicon, lechuga y tomate— son objetos inanimados y no se embarcan en búsquedas amorosas.)

Sigamos con el colectivo LGBT. La investigación de Rosenfeld revela que las cibercitas se han convertido en un método de conocerse

---

40   Aaron Smith y Maeve Duggan, "Online Dating and Relationships" («Citas online y relaciones de pareja»), Pew Research Center, 21 de octubre de 2013.

«muchísimo más habitual entre parejas del mismo sexo que ninguna otra forma en el pasado, tanto entre heterosexuales como entre personas del mismo sexo». Y teniendo en cuenta que cada vez más gente mayor utiliza Internet, parece lógico pensar que las cibercitas también acabarán por predominar en ese colectivo.

CÓMO SE CONOCIERON LAS PAREJAS DEL MISMO SEXO

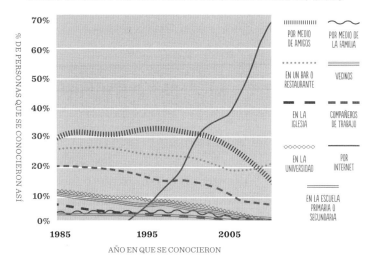

ESTIGMA SOCIAL

Puede que las webs de contactos sigan arrastrando un estigma social, y a veces la gente tiene miedo de reconocer que así es como conocieron a sus parejas. Temen que usar una web de este tipo signifique que no son lo bastante atractivos como para conocer a gente sirviéndose de los métodos tradicionales, aunque es un temor que parece estar mitigándose en los últimos años. En alguno de nuestros grupos de estudio entrevistamos a gente que se avergonzaba de haber conocido a sus parejas por Internet y se inventaban alguna historia para contársela a sus familiares y amigos. Espero que ese auge de las cibercitas que estamos describiendo en este capítulo sirva para que los lectores dejen de sentir reparos. Qué más da lo que digan tus familiares y amigos cuando se enteren de que has conocido a una persona especial a través de una página web si cada vez más gente se conoce de esa manera. No obstante, si la situación te sigue incomodando y necesitas inventarte tu propia historia, aquí te propongo unas cuantas que podrían servirte:

Era una lluviosa tarde de invierno, era domingo y decidí ir al cine. No quedaban entradas para ninguna película, salvo para el reestreno navideño de la peli de Arnold Schwarzenegger *Un padre en apuros*. Eché un vistazo a mi alrededor y vi que había otra persona en la sala. Era Janine. Me senté a su lado y empezamos a charlar. Cuando Arnold consiguió al fin un muñeco Turbo Man para su hijo Jamie, Janine y yo ya habíamos echado un par de casquetes.

Estaba en el vestíbulo de mi edificio de apartamentos, tirando una bolsa de basura, cuando se me acercó un cachorrito. Nos miramos durante unos instantes y después me di la vuelta. Entonces él me dio un golpe con la patita. Me giré para ver qué quería. El cachorrito habló con una voz áspera que parecía más propia de un anciano, y con un acento sureño parecido al que utiliza Kevin Spacey en *House of Cards*, y me dijo: «Katherine... Katherine, escúchame... Debes partir en busca de Daniel Reese. Él será tu marido.» Jamás volví a ver a ese cachorrito y no llegué a cruzarme con el tal Daniel Reese, pero esa noche conocí a Dave en un bar del centro.

Había asistido a un combate de boxeo en Atlantic City cuando, de repente, se oyeron unos disparos y el secretario de defensa, al que me habían encargado proteger, fue asesinado. Por supuesto, di orden de que cerrasen el estadio y entonces, sirviéndome de mi pericia detectivesca, determiné que la mente maestra que había perpetrado todo ese plan no era otro que mi propio compañero, Kevin Dunne. Menudo cabronazo. Tras batirme en duelo con uno de los boxeadores, tuve ocasión de escapar justo cuando el huracán Jezabel llegaba hasta la pasarela. Y sí, ya sabéis lo que significa eso: un *tsunami* de los gordos. Finalmente, Dunne se pegó un tiro delante de las cámaras de televisión en cuanto comprendió que su plan había fracasado, y fue entonces cuando conocí a Cindy.

NOTA: Utiliza esta historia solo si tus oyentes no han visto la peli de Nicolas Cage *Ojos de serpiente*.

Es fácil comprender por qué las cibercitas se han extendido tanto. Te proporcionan un suministro casi infinito de personas solteras que buscan una cita. Te dan las herramientas necesarias para filtrar y encontrar exactamente lo que estás buscando. No necesitas la ayuda de una tercera persona, como un amigo o un compañero de trabajo, para que os presente. Además, las webs están activas en todo momento y te puedes conectar cuando y donde quieras.

Pongamos que eres una chica que busca a un hombre de veintiocho años que mida un metro setenta y siete, tenga el pelo castaño, viva en Brooklyn, practique el bahaísmo y le encante la música de Naughty by Nature. Antes de las cibercitas, habría sido una búsqueda imposible, pero ahora, en cualquier momento del día, sin importar dónde estés, te encuentras apenas a unos pocos clics de distancia de enviarle un mensaje al concretísimo y extravagante hombre de tus sueños.

Pero, por supuesto, las cibercitas también tienen su parte negativa.

LOS INCONVENIENTES DE LAS CIBERCITAS

Hasta el momento he ofrecido una imagen bastante idílica en la que millones de personas encuentran el amor con unos pocos clics. En teoría, las webs de contactos deberían suponer un gran avance a la hora de conocer gente con respecto a los métodos tradicionales. Tienen un alcance muchísimo mayor, son más eficaces, más precisas, y puedes utilizarlas a cualquier hora. De las relaciones estables recogidas en el estudio de Rosenfeld, el 74 % de los miembros de la pareja no compartían vínculos de ningún tipo, lo que significa que de no haber sido por las webs de contactos, jamás se habrían conocido.

Sin embargo, a pesar del incuestionable éxito que representan esas cifras, la investigación que he realizado deja claro que las nuevas tecnologías aplicadas a la búsqueda de pareja han traído sus propios problemas. Para hacernos una idea más exacta del mundo de las cibercitas tuvimos que ir más allá de las cifras. Así que nos dispusimos a analizar de primera mano las experiencias reales de la gente en el mundo de las citas por Internet.

Uno de los métodos más esclarecedores que encontramos para aprender más sobre las cibercitas consistió, y aún me cuesta creer que nos saliera bien la jugada, en conectar un ordenador a un proyector y pedirles a los jóvenes solteros que abrieran sus cuentas para mostrarnos cómo era de verdad participar en el mundo de las cibercitas. Nos enseñaron sus bandejas de entrada y lo que solían hacer cada vez que se conectaban.

La primera vez que lo hicimos, durante un monólogo en Los Ángeles, una chica muy guapa abrió su cuenta de OkCupid y me permitió proyectarla en una pantalla grande para que el resto del público pudiera verla. Esa chica recibía cincuenta mensajes nuevos a diario, y su bandeja de entrada estaba abarrotada con cientos de peticiones pendientes de lectura. A medida que pasaba de un mensaje a otro, los hombres del público contemplaban la escena horrorizados. Les costaba creer que pudiera tener tantísimos mensajes. La chica dijo que se sentía mal porque seguramente tendría que borrar muchos de ellos, ya que jamás le daría tiempo a responderlos todos. Todos los hombres del público suspiraron al unísono, apenados. En todas nuestras entrevistas se repetía la misma escena: en el mundo de las cibercitas, las mujeres reciben infinitas veces más atención que los hombres.

En su libro *Dataclysm*, Christian Rudder, el fundador de OkCupid, ilustra esta notable diferencia de atención con la siguiente gráfica basada en información proporcionada por los usuarios de OkCupid. La gráfica contrasta el número de mensajes recibidos al día con el atractivo de la persona en cuestión, dato, este último, basado en las puntuaciones otorgadas por otros usuarios.

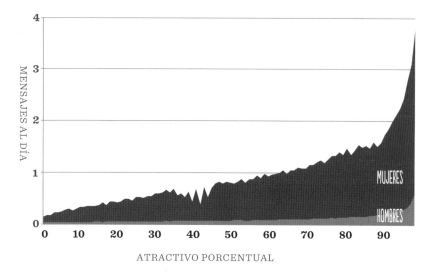

ATRACTIVO PORCENTUAL

Incluso un chico situado en el nivel más alto de atractivo recibe el mismo número de mensajes que cualquier chica corriente.

Pero eso no significa que los hombres tengan que resignarse al equivalente virtual de quedarse solos en un rincón de algún bar. En la red no existen los rincones solitarios. En todas partes hay gente deseando conocer a alguien.

Un tipo que no ligaría ni a tiros en un bar puede tener una bandeja de entrada repleta de mensajes. Quizás el número de mensajes no sea tan elevado en comparación con el que reciben la mayoría de las chicas que utilizan estas webs, pero en comparación con la atención que recibirían en entornos sociales más convencionales, es impresionante.

En resumidas cuentas: ahora hasta el más panoli puede ser un donjuán.

Tomemos el ejemplo de Derek, un usuario habitual de OkCupid que vive en Nueva York. Lo que estoy a punto de decir va a sonar muy cruel, pero Derek es el típico joven caucásico aburrido. De estatura media, con el pelo ralo y castaño, amable y bien vestido, pero sin ningún magnetismo ni encanto perceptible. No es que sea un orco, pero tampoco es de los que giran cabezas cuando entra en un bar o en una fiesta.

En el grupo de estudio sobre cibercitas que organizamos en Manhattan, Derek se conectó a OkCupid y nos dejó observarle mientras repasaba las opciones que tenía. Eran mujeres que OkCupid había seleccionado como posibles candidatas para él en función de su perfil y el algoritmo de la web. La primera mujer en la que hizo clic era muy guapa, se había esmerado a la hora de preparar su perfil, tenía un buen trabajo y compartía muchos intereses con Derek, incluida la pasión por los deportes. Después de examinarla durante un minuto o así, Derek dijo:

—Bueno, no está mal del todo, pero prefiero seguir buscando.

Cuándo le pregunté qué era lo que no le había gustado, me respondió:

—Es que le gustan los Red Sox.[41]

Me quedé patidifuso. No me podía creer que la hubiera descartado de esa manera. Me imaginé a Derek hace veinte años, descubriendo que esa mujer tan guapa y encantadora quiere salir con él. Si esa chica estuviera en un bar y le sonriera, el Derek de 1993 se habría derretido. No se habría acercado para decirle, «Un momento, ¡¿te gustan los Red Sox?! ¡Por ahí no paso, señorita!», para después largarse sin más. Pero el Derek de 2013 pulsó una X en el buscador de una web y la borró de su vida sin pensárselo dos veces, como si fuera una sudadera del H&M que no hubiera cumplido sus expectativas tras verla en una foto a pantalla completa.

Derek también pasó de la siguiente, a pesar de que la chica en cuestión también era muy guapa. Durante diez o quince minutos se dedicó a navegar por la web sin mostrar siquiera un atisbo de entusiasmo por ninguna de las numerosas y cautivadoras mujeres que estaban allí buscando el amor, hasta que finalmente se decantó por una y le escribió un breve mensaje, dejando que las demás desaparecieran en su historial de búsqueda.

A ver, debo decir que Derek me cayó bien. Era una persona agradable y me siento fatal por haber dicho que era el típico joven caucásico aburrido. Lo que quiero decir es que no me pareció ningún capullo. Pero, jo, cuando lo veías revisar todos esos perfiles, lo hacía con la men-

---

41   Los Red Sox son un equipo de béisbol profesional de la ciudad de Boston (*N. del T.*).

talidad propia de un capullo. No pude evitar pensar que a él, y quién sabe a cuántos más como él, les va mucho mejor en las cibercitas que en cualquier otro contexto. Derek y los demás usuarios de las webs de contactos, tanto hombres como mujeres, tienen a su disposición más posibilidades románticas que nunca, y eso está cambiando de manera notable su forma de buscar pareja.

Encontramos otro asombroso ejemplo de este fenómeno en nuestro foro. Un joven nos explicó lo mucho que le asombraba ver el interés que despertaba una amiga suya, que era bastante guapa, en Tinder. «Tenía un índice de emparejamiento del 95 %», escribió. «Tuvo casi 150 contactos en 20 minutos. Es una chica guapísima, pero no me esperaba que pudiera llegar a esos extremos. Ella recibía en una hora los mismos contactos que yo a lo largo de cuatro meses.» En parte, este chico se quejaba de los inconvenientes de ser hombre en el mundo de las cibercitas: hay mucha competencia alrededor de las chicas guapas, que además reciben puntuaciones mucho más altas que los hombres. De eso no hay duda. Pero además de eso, este chico también dijo algo increíble: «Yo recibo aproximadamente trescientos cincuenta contactos en cinco meses.» Eso supone setenta personas al mes. Hace veinte años, si un tipo te aseguraba que durante el último mes setenta mujeres se habían mostrado interesadas por él, pensarías que era un loco. Sin embargo, hoy en día puede ser cualquiera con un *smartphone* y un pulgar funcional que le permita navegar por una web.

HASTÍO:

ARPAN *VS.* DINESH

Derek, y más personas como él, han incrementado de forma notable sus opciones a la hora de encontrar pareja, pero ¿a qué precio? Descubrí lo que necesitaba saber sobre el coste que pueden tener las cibercitas cuando conocí a dos hombres muy distintos e interesantes en un grupo de estudio en Los Ángeles.

Era sábado por la mañana, y estábamos realizando nuestras entrevistas en un edificio de oficinas en el extremo oeste de la ciudad. Cuando salí del aparcamiento y me monté en el ascensor, vi a dos jóvenes indios. Uno era Arpan. El otro era Dinesh. Al principio me asusté: ¿y si uno de ellos era mi acosador hindú? Pero no, parecían buena gente.

Si hubiera tenido que adivinar cuál de los dos tenía más citas basándome en ese primer encuentro, me habría decantado sin duda por Arpan. Iba vestido un poco más a la moda, desprendía encanto y seguridad, y parecía cómodo entre tanto desconocido. Dinesh parecía un poco tímido, con un vestuario algo menos actual, y no era tan dicharachero. Sin embargo, cuando comenzó el grupo de estudio, la imagen que daba cada uno cambió por completo.

Iniciamos la conversación preguntando a la gente qué estaban buscando. Arpan se encorvó en su asiento y nos contó su historia.

—Me llamo Arpan. Tengo veintinueve años y vivo en el centro de Los Ángeles —comenzó a decir—. Estoy buscando algo serio. Llevo unos años soltero. Y, en fin, al principio, sobre todo cuando era un poco más joven, con veintiséis o así, todo era estupendo. ¡Tenía un montón de opciones!

Durante un tiempo, tener fácil acceso a un mundo repleto de solteras que viven cerca de ti resulta emocionante, y Arpan dedicó horas a examinar perfiles virtuales y a ligar sin mayores pretensiones. Salió con muchas chicas, y poco a poco fue puliendo su técnica.

Arpan nos describió entonces su descenso a los infiernos. Dijo que al principio dedicaba mucho tiempo a elaborar mensajes seductores y personalizados para las chicas, siguiendo la lógica de que como las chicas reciben tantos mensajes, tenía que hacer algo para destacar entre la multitud que abarrotaba sus bandejas de entrada. Al final, sin embargo, la recompensa era demasiado pequeña como para justificar tal derroche de tiempo y energía. Él dedicaba un montón de tiempo a ser amable, pero tenía la sensación de que las chicas lo descartaban basándose en su aspecto o alguna otra variable.

Incluso si alguna chica le respondía, las cosas no siempre salían como esperaba.

—Cuando al fin te responde una, te pones como loco. Es un momento de euforia —nos contó.

Entonces empezaba a hablar con la chica en cuestión, una conversación que en algunos casos podía alargarse bastante, hasta que, tal y como él mismo nos explicó:

—O bien la cosa no llegaba a cuajar, o bien quedabas con la chica en cuestión y la cita era un desastre, de modo que todo ese tiempo invertido no había servido para nada.

Todo esto comenzó a hacer mella en Arpan, que empezó a modificar su carácter. Decidió que iba a dejar de escribir mensajes tan elaborados porque no le valía la pena. Comenzó a enviar mensajes masivos como si fuera, en sus propias palabras, un «cansino».

—Estoy tan aburrido y tan harto de todo eso que ya ni siquiera me tomo la molestia. Envío un mensaje estúpido en plan «Hola, qué guapa eres. ¿Te apetece ir a tomar una copa?». Mensajes en masa, literalmente, en plan a veinte o treinta chicas a la vez, porque estoy harto. Al fin y al cabo, basarán su respuesta en mi aspecto físico.

La falta de elaboración de sus mensajes hizo que el proceso resultara más sencillo y efectivo.

—No cuesta trabajo —dijo—. Y, por raro que parezca, ahora recibo más respuestas que antes.

Raro, sí, pero también cierto. En *Dataclysm*, Christian Rudder utilizó datos reales de usuarios de OkCupid para demostrar que escribir un mensaje anodino y después copiarlo y pegarlo para iniciar conversaciones tiene un 75 % más de posibilidades de tener éxito que un mensaje más original. Dado que exige mucha menos dedicación, Rudder dice que en «términos de esfuerzo-resultado, siempre sale a cuenta.»[42]

Así que Arpan le dio la vuelta al sistema en su propio beneficio, pero no se limitó a copiar y pegar sus mensajes iniciales: también desarrolló una estrategia para las citas. Cuando comenzó con las cibercitas solía llevar a las chicas a cenar, pero en cierto momento llegó a la conclusión

---

42   Rudder, *Dataclysm (Citaclismo)*, 70.

de que era un «error de principiante». Si no conectaba con la chica en cuestión, la cita se hacía muy larga y se sentía atrapado en una actividad que no parecía tener fin, así que decidió cambiar el plan original e ir a tomar una copa en su lugar. También tuvo la sensación de que dedicar tiempo a elegir un sitio divertido al que ir suponía demasiado esfuerzo, teniendo en cuenta que la mayoría de las citas terminaban siendo un fiasco, así que estrechó el cerco de tal forma que solo quedaba en locales que estuvieran a un paseo de distancia de su apartamento.

Resultado: unas copas y nada más, mínimo esfuerzo por su parte, y si querías quedar con él, te tocaba desplazarte. ¿Alguna mujer se ha excitado al leer esto?

Le preguntamos adónde había ido con sus dos últimas cibercitas.

—Al Volcano, a cinco manzanas de mi casa.

¿Y con la anterior?

—A la bolera Lucky Strike, a seis manzanas de distancia de mi casa.

Sin embargo, si a alguna chica le entusiasmaba la idea de tener una cita con un chico en una bolera, lamento tener que echarle un jarro de agua fría, ya que en palabras del propio Arpan:

—Es una bolera, pero yo me quedo en la zona del bar, porque no me gusta jugar a los bolos.

Uy. Eso es lo que yo llamo dar gato por liebre. «¡Oye! ¿Quedamos para jugar a los bolos? Era broma, nos tomamos una copa en el bar y punto.»

Al hilo de este asunto, todo el mundo sabe que nada consigue subirle más la libido a una mujer que el bar de una bolera. La visión de una panda de gordos jugando a los bolos sumada a la melodiosa tonada de la máquina recreativa de *Los Simpson* no puede desembocar en otra cosa que no sea una maratón de sexo salvaje.

—Las citas son agotadoras, de eso no hay duda —nos contó Arpan—. Requieren mucho esfuerzo. Y, como ya he dicho, estoy tan harto y tan aburrido que ya apenas les dedico tiempo. He llegado a un punto en el que digo: «¡Si alguien me quiere, que me busque!».

Por desgracia, me temo que esa técnica no le está dando demasiados resultados.

Arpan, que a primera vista parecía un tipo animado y seguro de sí mismo, se había llevado tantos palos con las cibercitas que solo nombrar el asunto hacía que se encorvase y se pusiera a mascullar historias en plan veterano de guerra atormentado. Los rigores del mundo de las cibercitas habían transformado a este joven soltero, antaño tan vitalista, en un despojo melancólico cuya idea de tener una cita era ir a una bolera para no jugar a los bolos y volver a casa lo más rápido posible.

Otros participantes en nuestro grupo de estudio se lamentaban del hecho de que navegar por el océano de opciones disponibles que proporcionan las webs de contactos se estaba convirtiendo casi en un segundo empleo. La palabra «agotador» apareció en todas las charlas que mantuvimos, y tras conocer las experiencias de la gente, entendí por qué.

El esfuerzo que requiere conseguir siquiera una sola cita se estaba cobrando su precio: leer los mensajes, encontrar uno que te guste, entrar en el perfil de la persona en cuestión, revisarlo... Y después de todo eso aún te queda dedicarte a intercambiar mensajes para ver hasta qué punto conectáis, y finalmente planear un encuentro en el mundo real.

Algunos habían llegado a un callejón sin salida. Priya, de veintisiete años, dijo que poco antes de nuestro encuentro había borrado sus cuentas de Tinder y OkCupid.

—Se tarda mucho tiempo ya solo en conseguir la primera cita. Tengo la sensación de que es mucho más efectivo recurrir a tu círculo de amigos —dijo—. Prefiero pasar por esa clase de situaciones sociales que acabar mandándolo todo a la porra.

Para Priya, como para muchos otros usuarios de webs de contactos, el proceso había pasado de ser algo divertido y emocionante a convertirse en una nueva fuente de estrés y malestar.

Bueno, ¿y qué pasa con Dinesh, el otro joven indio?

Dinesh tenía un concepto totalmente distinto de las citas.

—No estoy apuntado a ninguna web para buscar pareja —anunció al grupo aquella mañana, tras observar con perplejidad el rumbo que estaba tomando la conversación.

—¿Cuándo saliste con alguien por última vez? —le pregunté.

—Conocí a una chica en la iglesia y no hace mucho fuimos al cine —respondió.

Lo dijo con la confianza propia de un campeón. Comparado con lo que acababa de contar Arpan, el plan de Dinesh de «iglesia y cine» sonaba como una «carrera de motocicletas y campeonato de sexo olímpico».

—¿Y qué hay de la chica que conociste antes de esa? —proseguí.

—La conocí en un voluntariado —respondió Dinesh.

A los demás tipos que había en la habitación pareció fascinarles la posibilidad de salir con una chica guapa que además participara en entrañables actividades benéficas.

Antes de eso, según nos contó, conoció a otra chica en una fiesta.

—Tengo un montón de grupos de amigos repartidos por Los Ángeles, así que conozco a muchísima gente.

La clave, nos dijo Dinesh, es tener amigos de todo tipo que salgan por lugares diferentes, y alternar entre unos grupos y otros. Ya sea en la iglesia, en grupos de voluntariado, en fiestas de trabajo o practicando algún deporte, siempre hay un lugar donde la gente se puede conocer en persona.

—Siempre están pasando cosas chulas en Los Ángeles —explicó—. Creo que es divertido e interesante conocer gente nueva, y si conozco a la gente en persona es más probable que saquen un rato para quedar conmigo. A mí también me pasa. Me entran muchas más ganas de, por ejemplo, ir a trabajar muy temprano para así poder estar en casa sobre las cinco o las seis y tener tiempo para salir.

Se quedó mirando a Arpan con gesto pensativo y después volvió a darse la vuelta hacia nosotros.

—Y no, no estoy harto de las citas.

Por suerte, llegados a este punto, Arpan estaba tan encorvado en su asiento que los hombros le tapaban los oídos y no oyó ni una palabra de todo esto.

Dinesh desprendía unas vibraciones zen que ninguno de los presentes podía igualar. Mientras que a los demás solteros reunidos aquella mañana se les veía hastiados y frustrados, Dinesh parecía mucho más a gusto con la idea de salir con gente. ¿Sería porque había pasado de las cibercitas? ¿O es que los usuarios de las cibercitas no sabían utilizarlas bien?

Tras mantener largas conversaciones con expertos en estos asuntos, pienso más bien que el segundo factor es el más determinante.

CÓMO SACAR PROVECHO DE LAS CIBERCITAS

Las cibercitas son como un segundo empleo que requiere unos conocimientos y habilidades que muy pocos tenemos. De hecho, la mayoría no hacemos otra cosa que dar palos de ciego. Una explicación es que la gente no siempre sabe lo que está buscando en un alma gemela; no es como cuando eligen algo más sencillo, como un detergente para la ropa (un aplauso para Mimosín: ¿quién no quiere que su ropa quede suave y esponjosa?).

Solemos creer que sabemos lo que queremos, pero a menudo nos equivocamos. De acuerdo con la historia de las cibercitas de Dan Slater, recogida en un libro titulado *Love in the Time of Algorithms*, los primeros servicios de cibercitas intentaban buscar pareja para sus clientes basándose casi por entero en lo que los clientes decían querer. El cliente solía rellenar un cuestionario donde señalaba lo que buscaba en una pareja. Por ejemplo, si un hombre decía que buscaba a una mujer alta, rubia, sin hijos y con un título universitario, la empresa le mostraba todas las personas que encajaban con esa descripción. Pero las empresas de cibercitas no tardaron en comprender que ese método no funcionaba. En 2008, Match.com contrató a Amarnath Thombre como nuevo «encargado de algoritmos». Thombre se propuso descubrir por qué muchas de las parejas que el algoritmo de Match.com consideraba perfectas a menudo no pasaban de la primera cita. Cuando comenzó a indagar en los datos descubrió algo sorprendente: la clase de pareja que la gente decía estar buscando no coincidía con la clase de pareja que le interesaba en realidad.

Thombre hizo este descubrimiento tras analizar la discrepancia entre las características que la gente decía buscar en una pareja sentimental (edad, religión, color de pelo y cosas así) y las características de la gente con la que finalmente contactaban en la web.

—Empezamos a ver que la gente rompía sus propias reglas con mucha frecuencia —le explicó a Slater—. Al observar sus hábitos de búsqueda, su comportamiento real en la web, te dabas cuenta de que se alejaban mucho de lo que decían querer en un principio.[43]

Cuando estaba preparando un monólogo sobre cibercitas rellené los formularios de unas cuentas creadas para la ocasión en varias webs de contactos para hacerme una idea del proceso y de las preguntas. La persona que describí como mi pareja ideal era un poco más joven que yo, menudita y con el pelo oscuro. La persona con la que estoy saliendo actualmente, a la que conocí a través de unos amigos, es dos años mayor que yo, más o menos de mi estatura —ESTÁ BIEN, UN POQUITO MÁS ALTA— y rubia. Jamás habría pasado la criba de los filtros que puse en mi perfil.

Gran parte del tiempo que se dedica a las cibercitas lo consume el proceso de establecer tus filtros, revisar un montón de perfiles y cumplimentar una «lista de verificación» obligatoria sobre lo que crees estar buscando. La gente se toma esos parámetros muy en serio. Dicen que a su pareja «tienen que gustarle los perros» o que a su pareja «le tiene que gustar la película *Y que le gusten los perros*», en la que Diane Lane interpreta a una recién divorciada a la que una amiga convence para que cree un perfil en una web de contactos en la que pone que a sus candidatos «tienen que gustarles los perros» (un aplauso para la página de *Y que le gusten los perros* de la Wikipedia por refrescarme la memoria).

Pero ¿sirve de algo todo ese esfuerzo dedicado a clasificar los perfiles?

Pese a toda la información tan minuciosa que los usuarios incluyen en sus perfiles, el factor en el que más se fija la gente a la hora de decidir salir con alguien es el aspecto físico. Basándose en la información que

43   Dan Slater, *Love in the Time of Algorithms: What Technology Does to Meeting and Mating* («*El amor en la era de los algoritmos: la influencia de la tecnología en las parejas*»), Nueva York, Current Books, 2013.

revisó, Rudder nos contó que, según su estimación, las fotos concentran el 90 % del interés de un posible pretendiente.

FOTOS DE PERFIL:

PONTE A HACER ESPELEOLOGÍA CON UN PERRITO CUANTO ANTES

Si el 90 % de tu éxito con las cibercitas depende de las fotos que elijas, es obvio que se trata de una decisión importante. Así pues, ¿qué factores debemos tener en cuenta? Rudder examinó qué clase de imágenes habían demostrado ser más y menos eficaces en el portal de citas OkCupid, e hizo algunos descubrimientos sorprendentes.[44]

Veamos primero qué funciona en el caso de las mujeres. La mayoría de ellas (el 56 %) elige una foto de frente en la que salen sonriendo. Pero el 9 % que opta por un estilo algo más «seductor» ante la cámara obtiene un porcentaje de éxito ligeramente superior. Echemos un vistazo a los siguientes ejemplos.

LA FOTO SONRIENTE

---

44   Christian Rudder, "The 4 Big Myths of Profile Pictures" («Los cuatro grandes mitos de las fotos de perfil»), *OkTrends* (blog), 20 de enero de 2010, http://blog. okcupid.com/index.php/the-4-big-myths-of-profi le-pictures/.

No son resultados demasiado sorprendentes, pero lo curioso es que a los hombres les va mucho mejor cuando no salen sonriendo ni mirando directamente a la cámara. Mientras que las mujeres obtenían peores resultados cuando evitaban contacto visual, para los hombres apartar la mirada resultaba mucho más eficaz. Esto parece contradictorio. ¿De verdad estas fotos son buenas? ¿Se puede saber qué están mirando?

LA FOTO SIN MIRAR NI SONREÍR

¡Mierda! ¿hay un mapache en la cocina?

La verdad es que debería cambiar la bombilla de la lámpara del techo... Lleva así tres meses.

Madre mía... ¡Espero que no me pique esa avispa!

Lo segundo que descubrió Rudder es que, para las mujeres, el ángulo que mejores resultados da es un *selfie* sacado desde arriba y poniendo cara de tímida.

Al examinar diversos perfiles descubrimos que hay una tendencia a elegir un tipo concreto de fotos: de fiesta con unos amigos, al aire libre cerca de una montaña, etc. Los datos de Rudder muestran que, en el caso de las mujeres, el *selfie* desde arriba es el que mejores resultados da con diferencia. El segundo es en la cama, seguido de las fotos de viajes y al aire libre. En el otro extremo, las que peores resultados dan son aquellas en las que las chicas aparecen bebiendo alcohol o posando con un animal.

Curiosamente, en el caso de los hombres, las fotos con más gancho son aquellas en las que salen con animales, seguidas por aquellas en las que exhiben sus músculos (ya sabéis, la tableta de chocolate y esas cosas), y después las fotos en las que aparecen haciendo algo interesante. Las fotos al aire libre, bebiendo y las de viajes resultaron ser las fotos menos efectivas.

Pero cuando Rudder examinó los datos que indicaban qué fotos generaban las mejores conversaciones salió lo que me pareció más interesante. Mientras que las instantáneas de escotes femeninos obtenían de media un 49 % más de contactos al mes, las imágenes que provocaban más conversaciones eran aquellas en las que la gente salía haciendo cosas que llamaran la atención. A veces no hacía falta ni que se les viera la cara. Un tipo que levanta el pulgar mientras bucea. Una mujer en mitad del desierto. Una chica tocando la guitarra. Estas fotos mostraban algo más sobre sus gustos o sus vidas, y conducían a interacciones más significativas.

Basándonos en estos datos, la cosa está clara: si eres una chica, sácate un *selfie* desde arriba, enseñando escote, sumergida en el agua cerca de un tesoro enterrado.

Si eres un hombre, sácate una foto con un cachorro en brazos durante una sesión de espeleología.

MENSAJES ESTRATÉGICOS

Supongamos entonces que has llamado la atención de una persona con tus fotos. ¿Y ahora qué? Pues que comienza el intercambio de mensajes.

Como pasa con los mensajes de texto, la gente recurre a toda clase de estrategias a la hora de comunicarse a través de una web de contactos. Pero, al contrario que ocurre con los SMS, con estos sí tenemos datos sobre qué funciona y qué no.

Según Rudder, los mensajes que obtienen mayor índice de respuestas tienen entre cuarenta y sesenta caracteres. También descubrió algo a base de analizar cuánto tiempo dedicaba la gente a los mensajes. Los que recibían más respuestas se escribían en apenas dos minutos. Si te lo piensas mucho y consumes demasiado tiempo escribiendo, el índice de respuesta disminuye.

¿Y qué hay de la estrategia de Arpan de copiar y pegar? El problema del mensaje de Arpan es que resulta evidente que se trata de un copia-pega poco elaborado y sin toque personal. Lo que de verdad parece ser efectivo es dedicar tiempo a componer un mensaje que parezca auténtico y mandarlo en masa. Aquí os dejo un mensaje que un tipo mandó a cuarenta y dos personas:

> Yo también soy fumador. Me enganché cuando estuve de mochilero en mayo. Antes le pegaba a la bebida, pero ahora me despierto y, joder, me muero por un cigarro. A veces desearía trabajar en la oficina de *Mad Men*. ¿Has visto la exposición de Le Corbusier en el MoMA? Tiene muy buena pinta. La semana pasada vi una muestra de Frank Gehry (¿se escribe así?) en Montreal, donde se explica cómo utilizó el modelado por ordenador para diseñar una casa rarísima en Ohio.

A primera vista parece un poco disperso, porque incluye muchas referencias a multitud de intereses distintos. Pero cuando asimilas el conjunto, queda claro que el tipo estaba buscando a una chica fumadora e interesada por el arte, y que ese mensaje genérico era lo suficientemente concreto como para encajar con al menos cinco de las mujeres que lo leyeron, porque ese es el número de personas que respondieron.

ALGORITMOS

¿Y qué hay de los algoritmos que se supone que te ayudan a encontrar a tu alma gemela? No hay duda de que pueden ser útiles para ayudar a orientarse en este océano de parejas potencialmente compatibles. Pero incluso los diseñadores de los cálculos matemáticos que los rigen reconocen que están lejos de ser infalibles.

En 2012, un equipo de cinco profesores de psicología de la Universidad del Noroeste, liderados por Eli Finkel, publicaron un artículo en *Psychological Science in the Public Interest* en el que argumentaban que ningún algoritmo puede predecir si dos personas harán buena pareja. «Ninguna prueba convincente respalda las afirmaciones de las webs de contactos que aseguran que los algoritmos matemáticos funcionan», escribieron. La tarea que se impusieron estas webs —identificar personas que sean inequívocamente compatibles— es, según concluyeron, «prácticamente imposible».[45]

Gran parte de las cibercitas, argumentaron Finkel y compañía, se basa en la noción equivocada de que la clase de información que encontramos en un perfil es realmente útil para determinar si esa persona sería una pareja adecuada. Pero como la clase de información que aparece en un perfil —ocupación, ingresos, religión, orientación política, programas favoritos de la tele, etc.— es la única que conocemos de esa persona, le damos más importancia de la que tiene en realidad. Y eso

---

45   Eli J. Finkel, Paul W. Eastwick, Benjamin R. Karney, Harry T. Reis y Susan Sprecher, "Online Dating: A Critical Analysis from the Perspective of Psychological Science" («Cibercitas: Análisis crítico desde una perspectiva psicológica»), *Psychological Science in the Public Interest* 13, # 1 (2012): 3–66.

puede hacer que elijamos muy mal a la hora de decidir con quién quedamos para una cita.

«Conocer a potenciales parejas a través de los perfiles de las webs de citas reduce a una persona tridimensional a muestras bidimensionales de información», escribieron los autores, que añadieron: «También puede provocar que la gente tome decisiones apresuradas y poco aconsejables a la hora de elegir entre en enorme abanico de posibles pretendientes». Sheena Iyengar, una profesora de la Universidad de Columbia especializada en la toma de decisiones, me lo explicó de otra manera:

—Las personas no son mercancía —afirmó con rotundidad—. Pero, en el fondo, cuando dices «Quiero a un tipo que mida un metro ochenta y que tenga tales características», estás tratando a un ser humano como si lo fuera.

No le falta razón, pero al mismo tiempo, los usuarios de las cibercitas no tienen otra opción que filtrar a sus candidatos de alguna manera, y si consideramos aceptable seleccionar a alguien según, por ejemplo, la localización y el trabajo, ¿quién puede decir que sea una frivolidad elegir a un médico que viva en tu zona? Incluso si coincides con la opinión de Iyengar de que a veces las webs de contactos incitan a la gente a tratarse como si fuera mercancía, ¿qué otra opción te queda?

Helen Fisher, una antropóloga y bióloga que ejerce como consejera de Match.com, dice que la respuesta es evitar leer demasiado los perfiles y evitar iniciar largas conversaciones virtuales antes de quedar para una primera cita. Desde su punto de vista, solo hay una manera de darse cuenta de si tienes futuro con alguien: conociéndolo en persona. Es la única forma de hacerse una idea exacta del otro y de descubrir si hay química entre vosotros.

—El cerebro es el mejor algoritmo —alega Fisher—. No hay ningún portal de citas en este planeta capaz de igualar al cerebro humano a la hora de encontrar a la persona adecuada.

Este fue posiblemente el consejo que más me marcó. No sabría cómo buscar las cosas que me encantan de mi novia actual. No son cosas que se puedan catalogar.

Cuando de verdad me he enamorado de alguien no ha sido porque tuviera un aspecto determinado ni porque le gustara un programa concreto de la tele o un tipo de cocina específico. Es más bien porque cuando veía un programa concreto de la tele o comía un tipo de cocina específico con esa persona me lo pasaba estupendamente.

¿Por qué? No sabría decirlo.

Eso no significa que sea un escéptico de las cibercitas; al contrario, la investigación que hemos realizado me ha convencido de que millones de personas han conseguido encontrar lo que buscaban gracias a ellas, desde un rollo de una noche hasta una pareja con la que casarse y formar una familia. Pero nuestra investigación también me convenció de que mucha gente dedica demasiado tiempo a la parte virtual de las cibercitas, y no a la parte de quedar con alguien cara a cara. Tras años de observar el comportamiento de la gente y de trabajar como consultora de Match.com, Fisher llegó a una conclusión similar, razón por la cual aconseja a los usuarios de las webs de contactos que reduzcan los mensajes al mínimo y que conozcan a la persona en la vida real lo antes posible.

—Esta es una de las razones por las que llamar a esto «cibercitas» no es un nombre apropiado —dice Fisher—. Deberían llamarse «servicios de presentación». Servicios que te permiten salir y conocer a la gente en persona.

Laurie Davis, autora de *Love at First Click* y asesora de cibercitas, aconseja a sus clientes que intercambien un máximo de seis mensajes antes de conocerse fuera de Internet. Esto debería proporcionarles información suficiente como para saber si les vale la pena quedar con la persona en cuestión. Todo lo que vaya más allá de eso no suele servir más que para retrasar lo inevitable.

—Las cibercitas no son más que un medio para conocer a más gente —dice—. No son el contexto adecuado para tener una cita.

Pero hay personas, sobre todo mujeres, que no están de acuerdo. Desde su punto de vista, los contactos se producen demasiado rápido en Internet, y la preocupación por la propia seguridad las hace reticentes a quedar con otra persona cara a cara hasta no tener la impresión de conocerla de verdad. Muchos participantes en nuestros grupos de estudio expusieron casos en los que se escribían con un posible pretendiente durante semanas sin llegar a quedar para una cita. Una mujer de Nueva York llamada Kim nos mostró una conversación que había mantenido con un hombre en OkCupid, a la que ella había puesto fin porque el tipo la invitó a ir a tomar un café cuando apenas llevaban escribiéndose unos veinte minutos.

Kim comentó lo incómodo que puede resultar conocer a la gente por Internet, y aquel tipo le respondió: «Preferiría mil veces conocerte en persona que a través de esto de Internet, porque, como tú, yo también pienso que es "incómodo".»

Este mensaje le provocó a Kim mucha ansiedad.

«Me temo que no bebo café», escribió. Pero después añadió su verdadera preocupación: «En realidad no sé si serás un asesino en serie o no.»

El tipo se apresuró a responder: «Yo tampoco sé si tú lo eres o no, pero ¿no resulta más emocionante así? Estoy dispuesto a correr el riesgo si tú también lo estás. ¿Qué te parece un chocolate caliente?».

No parece una propuesta fuera de tono, ¿verdad? Al fin y al cabo, Kim se había apuntado a una web de citas para conocer hombres y quedar con ellos. La idea era quedar en un sitio público para tomar chocolate caliente. No es que el tipo le hubiera dicho: «¿Y si quedamos en el vertedero que hay detrás del Media Markt que está al otro lado de la autopista?».

Pero Kim no estaba dispuesta a ceder. Así que decidió no seguir con la conversación.

—No sé. Cuantos más mensajes recibes, mejores vibraciones sientes hacia esa persona. A nadie le gusta acudir a una cita y que no salga bien. Así que si te escribes esos mensajes y vas conectando, la otra persona te va gustando más y las probabilidades de que la cosa salga bien aumentan.

No hay duda de que muchas mujeres comparten el punto de vista de Kim, y con todos esos tipos siniestros que van por ahí acosando a las mujeres, lo cierto es que lo entiendo. Sin embargo, tal y como lo ve Helen Fisher, por muchos mensajes que te escribas no lograrás quitarte la preocupación. Al final, quedar con una persona es la única manera de saber si la cosa va a funcionar.

DESLIZA EL DEDO:

TINDER Y OTRAS APLICACIONES

Uno de los inconvenientes de escribir un libro como este es que no tienes ni idea de cómo habrá cambiado el panorama cuando lo hayas terminado, pero mientras escribo esto nada parece estar más en auge que las aplicaciones para móviles tipo Tinder para buscar pareja.

Al contrario de lo que ocurre con la ardua experiencia de las cibercitas convencionales, las aplicaciones para móviles suelen basarse en un sistema mucho más rápido y sencillo. En estos momentos, Tinder es con diferencia el líder de la industria, y le han salido imitadores por todas partes. Para nuestro propósito, describir el fenómeno en general, nos serviremos de esta aplicación como ejemplo.

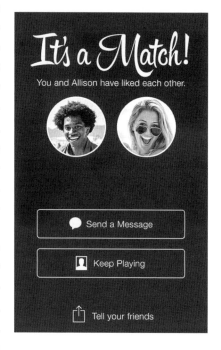

Registrarse en Tinder es sencillísimo. Te descargas la aplicación y no tienes más que conectarte a través de tu cuenta de Facebook. Nada de cuestionarios ni algoritmos. Una vez que estás registrado, Tinder utiliza tu localización por GPS para encontrar usuarios en las proximidades y empieza a mostrarte una lista casi infinita de fotos de candidatos.

Después de revisar cada foto, debes deslizar el dedo sobre la imagen: hacia la derecha si te gusta la persona en cuestión, o hacia la izquierda si no te gusta. Puedes explorar un poco más los perfiles y ver alguna información muy básica, pero el mecanismo se basa fundamentalmente en ver la foto de alguien y deslizar el dedo rápidamente hacia la izquierda o hacia la derecha dependiendo de si te gustan o no. Si un usuario y tú mostráis interés el uno por el otro —lo cual significa que ambos habéis deslizado el dedo hacia la derecha sobre la cara del otro—, la aplicación te informa de que has encontrado una coincidencia y entonces podéis empezar a enviaros mensajes en privado a través de la aplicación para planear una cita, daros un revolcón o lo que sea. En octubre de 2014, la aplicación tenía más de cincuenta millones de usuarios y el valor de la empresa rondaba entre los setecientos cincuenta y los mil millones de dólares.

Tinder fue creada en 2011 por Sean Rad y Justin Mateen, dos estudiantes de la Universidad del Sur de California que decidieron crear un sitio de citas virtuales distintas a las cibercitas corrientes. Basándose en una baraja de cartas para la interfaz, Rad y Mateen querían que Tinder pareciera un juego al que el usuario pudiera jugar solo o con amigos. No requería demasiado esfuerzo y era fácil de utilizar; además, si jugabas bien, podías acabar quedando con alguien en pocas horas. El extremo opuesto a la tensa y agotadora búsqueda del alma gemela. «Nadie se mete en Tinder porque esté buscando algo serio», explicó Rad en declaraciones a la revista *Time*.[46] «Se meten porque quieren divertirse». Y como se trataba de Sean Rad, seguro que después de dejarle este titular a la gente de *Time* se puso unas gafas de sol molonas, se montó en un monopatín y se largó rodando de allí.

Al igual que Facebook, el lugar de nacimiento de Tinder fue la universidad. Pero mientras que Facebook comenzó su andadura en la Ivy League,[47] Tinder remitía a otros campus famosos por sus fiestas, como el de la Universidad del Sur de California (USC) y el de la Universidad de California en Los Ángeles (UCLA).

---

46   Laura Stampler, "Inside Tinder: Meet the Guys Who Turned Dating into an Addiction" («Tinder desde dentro: Conoce a los tipos que convirtieron las cibercitas en una adicción»), *Time*, 6 de febrero de 2014.

47   Nombre empleado para referirse a un grupo de ocho universidades privadas estadounidenses, conocidas por su elitismo, entre las que se encuentra la Universidad de Harvard, donde Mark Zuckerberg creó Facebook en el año 2004 (*N. del T.*).

Un detalle curioso: en numerosas entrevistas se refieren a Mateen como una persona con experiencia organizando fiestas, algo que suena un poco tonto para incluirlo en un currículo, ¿no?

—¿Se considera apto para el puesto?

—Sí, tengo un montón de experiencia organizando fiestas. Le aseguro que conmigo la fiesta no ha hecho más que empezar.

Mateen no quería generar expectativas a través de los métodos de promoción tradicionales, sino dejando la aplicación en manos de *influencers* que pudieran promover Tinder de boca en boca. Se encargó personalmente de localizar y contratar a personas que no necesitan hacer uso de los servicios de citas digitales: modelos, chicas de una fraternidad femenina, presidentes de hermandades y gente así. Mateen, y la que entonces era vicepresidenta de *marketing* de Tinder, Whitney Wolfe, fueron de puerta en puerta por las fraternidades del campus, predicando el advenimiento de las citas por *smartphone*. Tras el lanzamiento de Tinder en septiembre de 2012 —que se celebró con un fiestón en la USC—, la aplicación despegó y se extendió como la pólvora por las universidades. En cuestión de semanas se habían registrado miles de usuarios, y el 90 % de ellos tenían edades comprendidas entre los dieciocho y los veinticuatro años.

Durante un tiempo, Tinder se consideró como una solución al viejo dilema al que se enfrentaba la industria de las cibercitas: ¿Cómo crear una versión hetero de Grindr?

Grindr fue una aplicación revolucionaria que arrasó entre la comunidad gay masculina tras su lanzamiento en 2009, atrayendo a más de un millón de usuarios al día en el plazo de unos pocos años. Precursora de Tinder, fue la primera gran web de contactos que se basaba principalmente en una aplicación para móviles que utilizaba el GPS y un perfil básico con una foto para emparejar gente.

En una ocasión, años antes de que oyera hablar de Tinder, estaba con un amigo gay en un restaurante de *sushi* y me quedé pasmado cuando abrió su aplicación de Grindr y me mostró el perfil de un tipo bastante guapo.

—Según esto, está a menos de cinco metros de distancia. Oh, mierda. Mira, está justo allí —dijo, señalando hacia un tipo que estaba en el restaurante.

Era una aplicación increíble, pero a las empresas les costó trasladarla al universo hetero. La creencia popular dictaba que las mujeres heterosexuales jamás utilizarían una aplicación como Grindr, por razones que iban desde la preocupación por su seguridad hasta la falta de interés en el sexo esporádico con desconocidos. El equipo de Grindr lo intentó con una aplicación llamada Blendr, pero la cosa no cuajó.

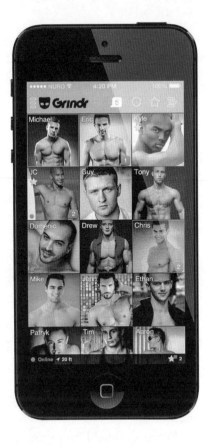

Pero Tinder añadió una característica esencial que ni Grindr ni Blendr tenían: el requisito del interés mutuo. Tal y como expliqué antes, en Tinder no puedes ponerte en contacto con otro usuario salvo que los dos hayan deslizado el dedo hacia la derecha, mostrando así interés por la otra persona.

Tras nuestras disquisiciones sobre las cibercitas, el atractivo parece evidente. Tomemos el ejemplo de Arpan. Ya no tiene que molestarse en escribir un mensaje largo para que después lo descarten por su aspecto. Las únicas personas con las que puede escribirse son las que ya han mostrado interés por él. En el otro extremo, el de las mujeres, ningún tipo puede incordiarte salvo que hayas deslizado el dedo hacia la derecha sobre su foto. Las mujeres ya no son acosadas por una banda infinita de babosos, ahora solo contactan con los tipos que ellas mismas quieren. Este cambio por sí solo fue una mejora suficiente como para que, en octubre de 2013, la revista *New York* afirmara que Tinder había resuelto el problema de las cibercitas para las mujeres.[48]

Además, el estrés de navegar por los perfiles, al estilo de nuestro amigo Derek, también desapareció. Ahora basta con deslizar el dedo encima de unas fotos. Es como un juego. Esta característica de la experiencia de usuario de Tinder es fundamental.

Incluso el hecho de que registrarse sea tan sencillo supone un cambio radical. Recuerdo cuando me creé una cuenta falsa en OkCupid para ver cómo funcionaba la web. Me llevó una eternidad. Había tantas preguntas que al final le encargué a un ayudante que se ocupara de responderlas. Era un coñazo. En cambio, cuando estuve investigando sobre Tinder, estaba montado en un taxi y enseguida me registré a través de una cuenta de Facebook. En cuestión de segundos, estaba deslizando el dedo sobre un montón de fotos y divirtiéndome con la aplicación con un amigo. En cada foto, mi amigo y yo compartíamos nuestras opiniones sobre la persona en cuestión, y echábamos un vistazo a ver si tenía más imágenes. A veces aparecía un usuario con el que teníamos amigos en común, y eso nos daba para hablar un buen rato.

Es innegable: Tinder tenía algo que resultaba extrañamente divertido, como si se tratara de un juego. Cuando salía el asunto de la aplicación, los participantes en nuestros grupos de estudio nos contaban que se registraban para divertirse o en plan de broma, y que navegaban por los perfiles cuando quedaban con sus amigos. Afirmaban que la aplicación tenía un uso muy divertido y social, adjetivos que jamás oímos utilizar en nuestras conversaciones sobre otras webs de contactos.

Al mismo tiempo, sin embargo, la actitud de la gente hacia Tinder era extraña. Cuando empezamos a preguntarles por ella a nuestros

---

48 Ann Friedman, "How Tinder Solved Online Dating for Women" («Así resolvió Tinder los quebraderos de cabeza de las mujeres con las cibercitas»), *New York*, 10 de octubre de 2013.

entrevistados a finales de 2013, ninguno decía utilizarla para buscar pareja o siquiera sexo. Según ellos, se habían registrado para echarse unas risas. Lo consideraban un juego en grupo. Y aquellos que se la tomaban en serio la veían más que nada como una aplicación para buscar un revolcón de una noche.

Aquí os dejo algunos comentarios que recogimos en un grupo de estudio que organizamos en diciembre de 2013:

> Hola, soy Rena. Tengo veintitrés años y me registré en Tinder hará unos tres meses porque estaba de borrachera con una amiga.

> Hola, soy Jane. Tengo veinticuatro años, y mi experiencia con Tinder fue similar. Estaba en una fiesta con unos amigos que dijeron: «Es el juego más divertido del mundo. Vamos a jugar.» Y la descargaron. Entonces empecé a ver a un montón de gente a la que conocía, así que la borré.

Aquellos que reconocieron que utilizaban Tinder a menudo se mostraron un poco cohibidos al respecto.

—No pienso casarme con un tipo salido de Tinder —dijo una chica.

—Sí, Tinder es más bien para buscar un rollete —añadió otra.

¿Y qué haríais, les preguntamos, si conocierais en Tinder a alguien que os gustara de verdad? Una mujer dijo que le daría vergüenza contarle a la gente que había conocido a su pareja en Tinder, mientras que si se tratara de cualquier otra web, como JDate, no le daría tanto reparo.

Pero a finales de 2014, la actitud de la gente hacia Tinder había cambiado de forma radical, sobre todo en las grandes ciudades, que fue donde empezó a ponerse de moda. La gente con la que hablamos en Nueva York y Los Ángeles consideraba Tinder como la aplicación de contactos por excelencia. No era una simple aplicación para buscar sexo. No era un simple juego. La gente la usaba para conocer a otras personas con las que iniciar una relación y salir por ahí, porque era sencilla de usar, rápida y divertida. Ese cambio en la percepción de la gente nos pareció asombroso.

En octubre de 2014 pedimos a los usuarios de nuestro foro que nos contaran sus experiencias con Tinder y otras aplicaciones similares. Por supuesto, nos contaron algunas historias de gente que la utilizaba para buscar rollos ocasionales y poco más, pero también nos contaron cosas como esta:

> Vivo en Atlanta, y cuando se celebró la Dragon Con[49] pensé que sería la ocasión perfecta para echarnos unas risas. Empecé a usar la aplicación con mi mejor amiga e intercambiamos pantallazos de los mensajes y perfiles más raros que vimos. Después empecé a ponerte en contacto con algunos tipos que de verdad estaban bien, con los que compartía intereses comunes, y a medida que hablaba con ellos empecé a tomarme la aplicación mucho más en serio...
>
> En estos momentos estoy saliendo con un chico al que conocí en Tinder, hace más o menos un mes. La cosa va bien, el chico me gusta un montón y somos muy felices. Borré la aplicación en cuanto decidimos ir en serio.

Basándonos en las respuestas que recibimos, parece que muchas personas se metieron en Tinder en plan de broma y acabaron encontrando algo más significativo de lo que esperaban. Un chico escribió lo siguiente:

> La primera vez que utilicé Tinder en serio acabé conociendo a mi actual novia. Yo no estaba buscando un compromiso serio ni nada de eso, pero simplemente me dejé llevar. Es curioso, pero siempre pensé que no le estaba sacando partido a Tinder porque la cosa no acabó en un simple rollete, y resulta que ahora esa chica se ha convertido en mi novia. No he vuelto a usar la aplicación desde que empezamos a salir en serio, a principios de verano.

---

49 Convención anual dedicada a los amantes de la ciencia-ficción, los cómics y el género fantástico que se celebra desde 1987 (*N. del T.*).

Está claro que Tinder está calando entre la gente. Apenas dos años después de su lanzamiento, Tinder informó que había registrado dos mil millones de visitas a perfiles y generado doce millones de emparejamientos al día. Y no solo en los campus universitarios. En la actualidad, la edad media de un usuario de Tinder es de veintisiete años, y el uso de la aplicación está empezando a popularizarse rápidamente por todo el mundo.[50]

A finales de 2014, Tinder afirmaba que el usuario medio se conectaba once veces al día en sesiones de aproximadamente siete minutos cada una, lo que significaba que estaban metidos en la aplicación durante más de 1,25 horas al día. Dedicarle todo ese tiempo a cualquier tipo de actividad ya tiene su miga, pero más aún si se trata de algo que consiste en deslizar los dedos sobre una pantalla diminuta.

También existen imitadores. OkCupid desarrolló una aplicación con una mecánica similar para sus usuarios. También hay una nueva aplicación llamada Hinge que empareja a la gente al estilo de Tinder, pero los usuarios deben tener amigos comunes en Facebook. Sin duda, no tardarán en surgir más aplicaciones parecidas.

Parece indudable que las aplicaciones como Tinder están marcando el camino a seguir en el mundo de las cibercitas. Curiosamente, estas aplicaciones también han llegado a cambiar de un modo extraordinario el concepto que tenemos hoy en día de ser soltero. En nuestras entrevistas, la gente de treinta y tantos o cuarenta y tantos años que mantenía una relación estable lamentaba no haber podido probar la vida de soltero en «la era de Tinder». Esta aplicación simboliza la oportunidad de conocer/quedar/acostarte con gente atractiva en cualquier momento.

¿Esa es la realidad? En cierto sentido, sí. El funcionamiento de esta aplicación resulta casi mágico, al exponerte en cuestión de segundos a

---

50   Nick Bilton, "Tinder, the Fast-Growing Dating App, Taps an Age-Old Truth" («Tinder, la floreciente aplicación de citas, hace tambalearse las viejas creencias»), *New York Times*, 29 de octubre de 2014.

un montón de excitantes opciones amorosas. ¡Y pensar que hace apenas veinte años nos dedicábamos a pagar anuncios en un maldito periódico!

Un tipo al que entrevistamos nos contó que no podía despegarse de la aplicación de lo abrumado que se sentía por el inmenso número de solteras a las que de repente podía optar.

—Era como una adicción —nos dijo—. Tuve que borrarla.

Otra mujer nos contó que estaba tan enganchada a Tinder que cuando iba de camino a una cita se metía en la aplicación para comprobar si había algún otro chico interesante por la zona y quedar con él en caso de que la primera cita fuera un fiasco.

Pero, igual que cualquier otro método para buscar pareja, esta clase de aplicaciones tiene sus puntos flacos. La base de usuarios no está compuesta exclusivamente por solteros atractivos que buscan pasar un buen rato. También hay un montón de gentuza. Pese al factor del interés mutuo, se pueden encontrar multitud de conversaciones de Tinder en la web de Straight White Boys Texting protagonizadas por gente que suelta de todo por la boca. También hay un gran número de chicos que han picado en el cebo para ponerse en contacto con mujeres que o bien les han traído problemas o, peor aún, son prostitutas o mujeres que intentan sacarles dinero.

La mayor crítica que recibe esta clase de aplicaciones es que, por basarse en la mera atracción física, Tinder y compañía son un ejemplo de la superficialidad que se propaga cada vez más entre los usuarios de las cibercitas. «Tinder: ¿La aplicación de contactos más frívola del mundo?», se preguntaba *The Guardian*.[51]

Pero, en mi opinión, esa postura es bastante hipócrita. Cuando vas a un bar o a una fiesta, normalmente no puedes fijarte más que en las caras de la gente, y eso es lo que utilizas para decidir si vas a reunir el

---

51   Holly Baxter y Pete Cashmore, "Tinder: The Shallowest Dating App Ever?" («Tinder: ¿La aplicación de contactos más frívola del mundo?»), *The Guardian*, 22 de noviembre de 2013.

valor necesario para hablar con una persona. ¿Y acaso estas aplicaciones no son una fiesta ENORME llena de caras sobre las que puedes deslizar el dedo hacia la derecha para iniciar una conversación?

En el caso de la chica con la que estoy saliendo actualmente, la vi un día en alguna parte y me acerqué a ella. No disponía de antemano de ningún perfil exhaustivo ni de ningún complejo algoritmo. Lo único que conocía era su cara, pero entonces empezamos a hablar y la cosa funcionó. ¿Habría cambiado mucho la cosa si la hubiera conocido por Tinder?

—Creo que Tinder está muy bien —dice Helen Fisher, la antropóloga que estudia las citas—. Lo único que hace es mostrarte a alguien que está en las proximidades. Después, llega el momento de que tu cerebro ponga en funcionamiento su pequeño y genial algoritmo para determinar si es lo que estás buscando o no.

En ese sentido, Tinder no difiere tanto de lo que hacían nuestros abuelos, y tampoco se aleja demasiado del método que utilizó mi amigo para encontrar a una chica judía que viviera cerca de él. En un mundo de posibilidades infinitas, hemos reducido nuestras opciones a la gente por la que nos sentimos atraídos en nuestro vecindario.

TECNOLOGÍA Y LIBERTAD AMOROSA

Para los que no viven en un mundo de posibilidades infinitas, la tecnología digital aporta otro beneficio, algo de lo que no me había dado cuenta hasta que entrevistamos a gente de una de las culturas del mundo más peculiares en lo que a buscar pareja se refiere: Catar.

La ventaja es la privacidad. Los mundos secretos del teléfono móvil e Internet proporcionan a los solteros cierta libertad y posibilidad de elección en las sociedades más restrictivas.

Huelga decir que el mundillo de los solteros en Catar no tiene nada que ver con lo que nos encontramos en ninguna otra parte del mundo.

Los que provienen de familias religiosas y tradicionales tienen prohibidas, literalmente, las citas informales. Si una persona intenta ligar con alguien en un lugar público puede meterse en serios problemas, y es un asunto especialmente delicado para las mujeres jóvenes, de las que se espera castidad hasta el matrimonio, pues corren el riesgo de traer una deshonra terrible a sí mismas y a sus padres si las descubren saliendo con un hombre.

Una guía en Internet advierte: «Nada de muestras de afecto en público: ni besarse, ni abrazarse, ni, en algunos sitios, darse siquiera la mano... Está penado con cárcel.»[52]

No daría para una gran historia carcelaria que digamos.

—Ey, amigo, ¿y a ti por qué te han encerrado?

—Estoy cumpliendo cinco años por darle la mano a una chica en el parque.

—¿Y tú?

—Cadena perpetua... por besuquearme.

Como las citas informales están prohibidas, son las familias —sobre todo las madres— las que se encargan de formar las parejas en Catar. Los matrimonios son concertados y, curiosamente, para las mujeres a las que entrevistamos, los incentivos para contraer ese compromiso recuerdan a los de las mujeres mayores con las que hablamos en las residencias de ancianos de Estados Unidos.

Un joven de veintisiete años llamado Kelly nos contó lo siguiente:

—Lo más importante que debes comprender sobre los matrimonios aquí es que las partes que conforman el contrato rara vez son el hombre y la mujer. Son las familias, el colectivo.

—Existe una especie de temporada de emparejamiento —prosiguió Kelly—, y son las madres las que realizan el sondeo inicial. Las madres de los chicos van de una casa a otra. Buscan mujeres apropiadas en

52   Velvet Garvey, "9 Rules for Expats in Qatar" («9 reglas para extranjeros en Catar»), *Matador Network,* 28 de julio de 2012.

función de su bagaje familiar y su educación. Buscan el *nasib*, el destino de su familia en el matrimonio.

—Otra cosa que hay que saber sobre el matrimonio —añadió Kelly—, es que es una opción atractiva para las chicas jóvenes, porque quieren salir de sus casas y conseguir más libertad.

Su amiga Leila, una abogada de veintiséis años que también participó en la videoconferencia, asintió con la cabeza para mostrar su acuerdo.

—Cuando regresé a Doha al acabar la universidad, me fui a casa de Kelly a hacerle una visita —nos contó—. Mi madre me llamó y me dijo: «Son casi las nueve, deberías volver a casa». Mis padres siempre me llamaban para saber dónde estaba y preguntarme cuándo iba a volver a casa. Si salía de compras, me decían: «No vayas. ¡Tenemos una criada que puede encargarse de eso!». Si estaba con una amiga, me decían: «¡Ven a casa de una vez!». No querían que saliera por ahí.

Después de la universidad, Leila fue incapaz de soportar esa vigilancia parental tan estricta.

—No quería pasarme el día encerrada en casa con mi familia —nos contó—. Quería recuperar mi libertad. Pero las mujeres que proceden de familias tradicionales no pueden vivir solas en Catar. Solo puedes abandonar la casa familiar si te casas o te mueres.

Le dije a Leila que eso me había hecho pensar en algo muy importante: que *Cásate o muere en el intento* sería un título estupendo para un disco de rap.

Finalmente, Leila decidió casarse. Le dijo a su madre que estaba preparada para buscar marido, y su familia no tardó en encontrar a un hombre apropiado. Hablaron por teléfono y se reunieron unas cuantas veces con la familia del otro, aunque no pasaron ningún momento a solas. Leila estaba nerviosa. Pero tuvo la impresión de que el chico la amaba «de verdad». Y lo que era más importante: «Me ofrecía la oportunidad de empezar mi propia vida.»

Por desgracia, esa nueva vida que le ofreció no supuso demasiada mejora. Su marido resultó ser tan controlador como sus padres. Se enfadaba cuando iba a algún sitio sin avisarle. Leila estaba preparada para ser una esposa moderna e independiente, pero su marido quería algo más tradicional. Ni Leila ni su marido estaban a gusto con la situación, y un día el tipo llegó a casa y le dijo que quería divorciarse.

—No fue decisión mía —dijo Leila—. Y no fue fácil. Mis padres pararon el proceso: me impidieron firmar los papeles del divorcio, porque estaban convencidos de que acabaríamos reconciliándonos. Tuve que volver a mudarme con ellos. Volvieron a imponerme una hora para volver a casa, en torno a las once de la noche, dependiendo del estado de ánimo de mi padre. Tenía que avisarles de todos los lugares a los que iba. Me llamaban a todas horas.

Leila se quedó atrapada en un limbo. Su marido no quería estar con ella, y sus padres no la ayudaban a encontrar otro hombre porque no querían que se divorciara.

—Así que esperé, hasta que un día salieron de la ciudad y me fui al juzgado para divorciarme sin que se enterasen —me contó—. Se enfadaron y me castigaron, tal y como suena. Me quedé sin salir de casa durante meses. Ahora el hombre del que me divorcié va a volver a casarse, y mis padres están dispuestos a pasar página.

¿Castigada? A mí mis padres no han vuelto a castigarme desde que dormía en una cama con forma de coche rojo de carreras. No puedo imaginarme vivir bajo una supervisión tan estricta. Haría cualquier cosa por escapar de ella... igual que las cataríes.

Las historias de mujeres cataríes que se sentían prisioneras en sus propias casas y que carecían de las libertades básicas de un adulto se parecían muchísimo a las historias que nos contaron las mujeres a las que entrevistamos en la residencia de ancianos de Nueva York. Y, como esas ancianas estadounidenses, el matrimonio ofrece una vía de escape a las cataríes. Pero en la actualidad, los jóvenes cataríes también cuentan con otra alternativa para poder paladear el sabor de la libertad: la tecnología digital.

Con el auge de los *smartphones*, las redes sociales e Internet, los jóvenes cataríes utilizan la tecnología para saltarse esas normas tan represivas. Por ejemplo, relacionarse con alguien del sexo opuesto en público no está permitido, así que los cataríes utilizan Internet para organizar pequeñas fiestas privadas en habitaciones de hotel. Una joven a la que conocimos nos contó que los hoteles son una parte importante de la cultura catarí, porque allí se pueden encontrar bares y restaurantes, y hoy en día no es extraño recibir un mensaje de un grupo de amigos para reunirse en una habitación concreta. Cuando llegan a la recepción del hotel, el anonimato que proporciona el burka permite a las mujeres moverse de un lado a otro con libertad. A base de fusionar algo antiguo, el burka, con algo nuevo, Internet, la juventud catarí ha desarrollado su propia forma de relacionarse.

Los cataríes no disfrutan de todos los beneficios de Internet. Las webs de contactos aún no han despegado. Instagram está empezando a extenderse, pero su cultura no ve con buenos ojos que se saquen fotos de pertenencias personales, así que en su lugar la gente fotografía y comparte cosas que les llamen la atención en su vida diaria.

—Siempre hemos sido una sociedad alérgica a las fotos —nos contó uno de los cataríes a los que entrevistamos—. La gente no quiere dejar ningún registro público de sí misma. Sobre todo si están en una discoteca o un centro comercial. Si lo hicieran sus familias podrían enfadarse muchísimo.

Ese tipo de fotos podían llegar a ser motivo de un escándalo tremendo.

Entonces llegó SnapChat. La aplicación se basa en la idea de que la imagen que mandas desaparecerá del móvil del destinatario al cabo de unos segundos. Esta aplicación ha permitido que los jóvenes solteros de Catar corran unos riesgos en la privacidad de sus móviles que serían impensables en otras circunstancias.

—La gente envía toda clase de fotos, desde las más explícitas a las más inofensivas —explicó una joven—. Esta tecnología está consiguiendo que la gente se vuelva más atrevida. Les permite conectar de una forma diferente.

Como cabría esperar, hay veces en que ese atrevimiento acaba mal. Según nos contaron, «hay individuos que consiguen fotos de chicas (a través de capturas de pantalla) que podrían deshonrarlas y las utilizan para chantajearlas.». Pero, en general, tal y como argumentaban los jóvenes a los que conocimos, las redes sociales están proporcionando a la gente de Catar y de los Emiratos Árabes Unidos nuevas formas de conocerse y expresarse.

En los Emiratos, al igual que en casi todas partes, las redes sociales e Internet están introduciendo toda clase de novedades en la vida social y amorosa. Pero aunque tener más opciones resulta emocionante, y a veces incluso excitante, eso no significa necesariamente que las cosas resulten ahora más fáciles.

CAPÍTULO 4

OPCIONES Y DECISIONES

Mis padres tuvieron un matrimonio concertado. Es algo que siempre me ha asombrado. Soy una persona que padece de indecisión crónica a la hora de tomar hasta las decisiones más mundanas, así que me resulta impensable dejar un juicio tan importante como ese en manos de terceras personas. Le pedí a mi padre que me contara su experiencia.

El proceso fue así: les dijo a sus padres que estaba preparado para casarse, así que su familia organizó varios encuentros con tres familias del vecindario. La primera chica, según mi padre, era «un poco alta», y la segunda «un poco baja». Entonces conoció a mi madre. Tras comprobar que tenía la altura adecuada (¡al fin!), estuvieron charlando durante media hora más o menos. Llegaron a la conclusión de que la cosa podía funcionar y, al cabo de una semana, se casaron.

Y aún lo están, treinta y cinco años después. Y son felices, posiblemente más que la mayoría de las personas mayores a las que conozco y que no tuvieron matrimonios concertados.

Bien, pues así fue como mi padre eligió a la persona con la que iba a pasar el resto de su vida: conoció a unas cuantas chicas, examinó sus estaturas y se decidió por una después de hablar con ella treinta minutos.

Fue como si hubiera ido a ese programa de la tele, *¿Quién quiere casarse con mi hijo?*, para contraer matrimonio con mi madre.

Observemos ahora cómo hago yo las cosas, tomando como ejemplo una decisión un poquito menos trascendente. ¿Qué tal aquella vez que tuve que elegir un sitio donde cenar en Seattle durante la gira que hice en la primavera de 2014?

Primero escribí un mensaje a cuatro amigos que viajan a menudo y comen mucho fuera, ya que me fío por completo de sus criterios culinarios. Mientras esperaba sus recomendaciones, me metí en la página Eater.com, que incluye un montón de recomendaciones sobre restaurantes. También consulté la lista Eater 38, redactada por el propio equipo de la web con los treinta y ocho mejores restaurantes de Seattle. Después leí reseñas de algunos de ellos en Yelp para ver qué opinaba la gente. También le eché un vistazo a una guía digital de Seattle de la revista *GQ*. Acoté la búsqueda después de consultar todas estas recomendaciones y después me metí en las webs de los restaurantes para consultar los menús.

Llegados a este punto, había filtrado todas las opciones de acuerdo con el sabor, la distancia y las apetencias de mi barriga.

Finalmente, tras mucha deliberación, elegí uno: Il Corvo. Un delicioso restaurante italiano que tenía una pinta estupenda. Pasta artesana. Solo preparaban tres clases de pasta al día. Estaba emocionado.

Por desgracia, estaba cerrado. Solo abrían a la hora de comer.

Para entonces me había quedado sin tiempo, porque tenía que ir a hacer un monólogo, así que acabé zampándome un emparedado de mantequilla de cacahuete y plátano en el autobús.[53]

Ese rigor casi obsesivo tiene un peso tremendo sobre mí a la hora de tomar decisiones. Cada vez que se trata de decidir dónde comer, adónde viajar o, que Dios me asista, algo que comprar, no puedo

---

53 **NOTA:** Al día siguiente fui a comer a Il Corvo y la comida estaba deliciosa.

evitar hacer una búsqueda exhaustiva para asegurarme de que me quedo con «lo mejor».

En ciertos momentos, sin embargo, esa idea de «quedarse con lo mejor» puede resultar agotadora. Me gustaría poder comer sencillamente en un sitio que tuviera buena pinta sin necesidad de cuestionarme mi decisión una y otra vez. Pero soy incapaz. El problema es que sé que en alguna parte me está esperando la comida perfecta y por ese motivo me veo obligado a realizar cuantas búsquedas sean necesarias para encontrarla.

Ese es el intríngulis de Internet: no se limita a ayudarnos a encontrar lo mejor, sino que nos ha hecho creer que existe ese «algo mejor», y que si lo buscamos bien podemos encontrarlo. En cambio, hay un montón de cosas de menor calidad que solo un tonto elegiría.

Os dejo una breve lista de cosas a las que recuerdo haber dedicado al menos entre cinco y diez minutos de búsqueda:

- Exprimidor eléctrico (estoy esperando a que me llegue por correo. Espero no haber metido la pata. ¡No quiero demasiada pulpa en mi zumo!).
- Taxidermia (empecé buscando un ciervo o un oso, pero acabé encontrando un pingüino precioso en París. Se llama Winston).
- Una famosa serie de televisión a la que debería engancharme (*The Americans, Orphan Black* o *House of Cards*? Respuesta: me las vi todas mientras le decía a mi editor que estaba escribiendo este libro).
- Una funda para el portátil.
- Una carcasa protectora para el portátil.
- Un programa que limite el uso de Internet para poder despegarme un poco del portátil.
- Museos (echo un vistazo a las exposiciones por Internet para ver si vale la pena hacer el trayecto hasta allí).

- Posavasos (si buscas bien, puedes encontrar posavasos chulísimos con dibujos de dinosaurios).
- Helado de vainilla (fue mi primera experiencia en Breyers,[54] y descubrí que la comunidad de amantes de los helados genera un montón de debates. Los foros estaban repletos de acaloradas discusiones).

Y no es solo cosa mía. Puede que a veces lleve las cosas al extremo, pero vivimos en una cultura que nos dice que debemos exigir lo mejor, que nos merecemos lo mejor, y ahora disponemos de la tecnología necesaria para conseguirlo. Pensad en el tremendo éxito de las webs dedicadas a facilitarnos la búsqueda de las mejores cosas a nuestra disposición. Yelp para los restaurantes. TripAdvisor para los viajes, Rotten Tomatoes y Metacritic para las películas...

Hace pocos años, si hubiera querido buscar un helado de vainilla, ¿qué habría podido hacer? ¿Acercarme disimuladamente a unos tipos gordos con pinta de alimentarse bien y desviar sutilmente la conversación hacia los helados para conocer su opinión? Mejor no.

Hoy en día, Internet es mi amigo gordo. Es el amigo gordo de todo el mundo.

¿LA «MEJOR» PAREJA SENTIMENTAL?

Si esta mentalidad ha marcado tanto nuestra toma de decisiones, parece lógico que también esté afectando a nuestra búsqueda de pareja sentimental, sobre todo si nos la planteamos a largo plazo. En cierto sentido, ya lo ha hecho. No lo olvidéis: ya no formamos parte de la generación del matrimonio «lo suficientemente bueno». Ahora buscamos a nuestra alma gemela. E incluso después de encontrar a nuestra alma gemela, si no somos felices, nos divorciamos.

---

54 Página web de la marca de helados homónima (*N. del T.*).

Si estás buscando a tu alma gemela, ahora es el momento de hacerlo. Piensa en el rico entramado social de los bares, discotecas y restaurantes de las ciudades. Súmale la inmensa industria de las cibercitas. Añade también el hecho de que ahora la gente se casa más tarde y experimenta durante la veintena lo que ha venido a llamarse «madurez emergente», que en esencia se refiere a explorar las distintas alternativas sentimentales y a probar cosas que las generaciones anteriores ni siquiera habrían llegado a imaginar.

La universidad, buscar trabajo, mudarte a otras ciudades o partes del mundo... Durante la madurez emergente, estamos expuestos constantemente a nuevas y emocionantes posibilidades amorosas.

Los avances de los últimos años han cambiado el juego. Puedes estar haciendo cola en el supermercado y examinar las caras de sesenta personas en Tinder mientras aguardas tu turno para comprar unos panecillos de hamburguesa. Eso supone veinte veces más personas de las que conoció mi padre para su matrimonio concertado. (Por si alguien se lo estaba preguntando, los mejores panecillos de hamburguesa son los Martin's Potato Rolls. ¡Hacedme caso!).

Cuando piensas en todo esto, caes en la cuenta de algo muy significativo sobre la situación que nos ha tocado vivir: en la historia de nuestra especie, ningún colectivo ha tenido, nunca, tantas opciones sentimentales como nosotros ahora.

Y eso, en teoría, debería ser estupendo. Cuantas más opciones, mejor, ¿no?

Pues no, resulta que la cosa no es tan sencilla.

Barry Schwartz es un profesor de psicología en la Universidad de Swarthmore que ha dedicado buena parte de su carrera a estudiar los problemas derivados del exceso de opciones.

Las investigaciones de Schwartz, junto con numerosos estudios de otros investigadores sociales, revelan que cuando tenemos más opciones nos sentimos menos satisfechos, y a veces incluso lo pasamos peor a la hora de tomar una decisión.

Cuando me puse a pensar en ese triste emparedado de mantequilla de cacahuete y plátano que me comí en Seattle, esos estudios acudieron a mi mente.

El punto de vista de Schwartz en relación con la toma de decisiones se popularizó tras la publicación de su libro *The Paradox of Choice*. Pero, durante años, la mayoría de la gente pensaba justo lo contrario: cuantas más opciones tuviéramos, más probabilidades habría de maximizar nuestra felicidad.

En la década de los cincuenta, el académico pionero Herbert Simon allanó el terreno para los estudiosos como Schwartz al demostrar que la mayoría de las veces la gente no tiene interés en conseguir la mejor opción posible. Por lo general, argumentó Simon, la gente y las empresas carecen del tiempo, el conocimiento y la disposición necesarios para encontrar «lo mejor» y, aunque resulte sorprendente, se contentan con un resultado inferior. Maximizar resulta demasiado complicado, así que acabamos por convertirnos en «satisfactores» (nos sentimos satisfechos y nos conformamos). Puede que fantaseemos con la idea de tener lo mejor, pero normalmente nos basta con tener algo que sea «lo suficientemente bueno».

Según Simon, las personas pueden ser maximizadoras o satisfactoras en diferentes contextos. En mi caso, si se trata de tacos, soy un maximizador. Realizo una búsqueda exhaustiva para asegurarme de que voy a comerme el mejor taco que pueda encontrar, porque para mí existe una diferencia abismal entre unos tacos y otros. En cambio, un satisfactor se limitará a comprarse unos tacos en el primer puesto de tacos decente que vea y punto. Aborrezco salir a comer con esa clase de gente. Quedaos con vuestros horribles tacos, panolis.

Sin embargo, si quiero repostar en una gasolinera, mi comportamiento es más propio de un satisfactor. Me acerco a la primera estación de servicio que encuentre, lleno el depósito con el mejunje más barato que tenga y me largo pitando de allí. Puede parecer una absoluta falta de consideración hacia mi vehículo, pero en realidad me importa un pimiento y no noto que el rendimiento sea distinto según la calidad de la gasolina. Lo siento, Prius.

Ahora bien, entiendo que existe un tipo de personas, los «fanáticos del automóvil», para los que la gasolina que elijo resulta tan horripilante como para mí un taco que no sea perfecto. Esto es lo que les diría: ¡dejad de preocuparos tanto por la gasolina, so bobos! Gastaos el dinero en unos buenos tacos, como hace la gente como Dios manda.

Lo que Schwartz sugiere, sin embargo, es que los cambios culturales, económicos y tecnológicos que se han producido desde la época en que Simon escribió eso han cambiado el contexto en el que tomar decisiones. A raíz de Internet y los *smartphones*, nuestras opciones ya no están limitadas a la mercancía que está físicamente en la tienda en la que nos encontramos. Podemos elegir entre lo que hay en todas las tiendas de todo el mundo. Tenemos muchas más oportunidades de convertirnos en maximizadores de las que habríamos tenido hace apenas unas décadas. Y ese nuevo contexto está cambiando nuestra identidad y nuestra forma de vivir.

Yo mismo me di cuenta de esto con los adornos de Navidad. ¿Por qué debería adoptar un enfoque que no fuera satisfactor respecto a eso? Quedarme con lo habitual: unas cuantas bolitas, unos cordeles con lucecitas, y punto. Pues no, basta con buscar un poco en Internet para encontrar algunos adornos increíbles: un DeLorean de *Regreso al futuro*, dinosaurios en miniatura (!), un muñequito gracioso en una moto... ¡Los encargué todos!

Esa clase de adornos no se me habrían pasado siquiera por la cabeza antes de que Internet me pusiera delante tantas opciones. Aquello me llevó a subir el listón respecto a los adornos de Navidad. Ahora quería lo mejor. Por desgracia, debido a los retrasos en la entrega, la mayoría de los adornos que encargué me llegaron a finales de enero, aunque me quedó un árbol precioso en febrero.

Aparte de la gasolina, creo que no existe casi nada a lo que no le dedicaría tiempo para encontrar lo mejor. Soy un maximizador con casi todo. ¿Agua embotellada? Pues sí. Si compras una marca cutre, te llevas a casa unas botellas que han llenado con agua del grifo. ¿Patatas fritas? ¿*Ruffles*? No, gracias. Prefiero las patatas con sabor a cebolla caramelizada. ¿Velas? Ay, si supierais el aroma que dejan en mi casa unas buenas velitas.

Es muy fácil buscar y conseguir lo mejor, así que, ¿por qué no?

¿Y qué le ocurre a la gente que busca siempre lo mejor? Me temo que vuelve a haber malas noticias. Schwartz, junto con dos profesores de la escuela de negocios, hicieron un estudio de los alumnos de último curso de la universidad que se estaban preparando para acceder al mercado laboral.[55] Durante seis meses, los investigadores acompañaron a los estudiantes mientras estos buscaban empleo o empezaban a trabajar en un sitio nuevo. Después los clasificaron en maximizadores (los estudiantes que buscaban el mejor trabajo) y satisfactores (estudiantes que buscaban un empleo que cumpliera unos mínimos y que fuera «lo suficientemente bueno»).

Esto es lo que descubrieron: de media, los maximizadores dedicaban mucho más tiempo y esfuerzo a la búsqueda de empleo. Investigaban más, pedían más consejos de amigos y acudían a más entrevistas. Por esa razón, los maximizadores de aquel estudio consiguieron mejores empleos. Recibieron, de media, un salario inicial un 20 % más alto que el de los satisfactores.

Sin embargo, una vez que empezaron a trabajar, Schwartz y sus compañeros preguntaron a los participantes por su grado de satisfacción. Lo que descubrieron resultó asombroso. Incluso a pesar de que los maximizadores tenían mejores empleos que los satisfactores, en todos los aspectos psicológicos se sentían peor. Los maximizadores sentían menor satisfacción laboral y no estaban seguros de haber elegido el empleo adecuado. Los satisfactores, en cambio, solían tener una visión más positiva de sus trabajos, de la búsqueda en sí y de sus vidas en general.

Los satisfactores tenían trabajos en los que cobraban menos, pero se sentían más a gusto con ellos.

Buscar trabajo cuando estás en la universidad puede resultar un poco agobiante, así que le pregunté a Schwartz si quizás ese estudio no habría registrado una situación excepcional. Pero no fue así.

---

55   Sheena S. Iyengar, Rachael E. Wells y Barry Schwartz, "Doing Better but Feeling Worse: Looking for the 'Best' Job Undermines Satisfaction" («Hacerlo mejor pero sentirse peor: buscar el "mejor" trabajo merma la satisfacción»), *Psychological Science* 17, # 2 (2006): 143–50.

Schwartz es una enciclopedia viviente de investigaciones psicológicas referidas a problemas en la toma de decisiones. Si me pidieran que escribiera una cita sobre él en la contraportada de un libro, diría: «Si se trata de decisiones, este señor sabe de lo que habla.»

Tal y como él expuso, los maximizadores del experimento de la búsqueda de empleo hicieron lo que suelen hacer los maximizadores: en lugar de comparar los empleos disponibles, con sus pros y sus contras, seleccionaron mentalmente las características de cada empleo concreto para crear su «sueño de trabajo», un ideal que ni ellos, ni seguramente nadie, podría aspirar a conseguir.

Por su parte, Fulanito el Satisfactor se encuentra en su anodino puesto de trabajo, comiéndose su repugnante taco de mala calidad y pensando que por la tarde colgará los adornos de Navidad. Pero con todo, es más feliz que una perdiz.

Mientras tanto, yo acabo de descubrir que el puesto de tacos que estuve buscando durante horas cierra los domingos, y aunque este año me he comprado unos adornos de Navidad brutales, me preocupa que existan otros mejores que todavía no conozco, así que me voy a pasar las vacaciones metido en Internet sin ver a mi familia.

LA PARADOJA DE LA ELECCIÓN EN LAS RELACIONES

Cuando se aplican al amor en la era digital, las consecuencias de estas conclusiones sobre la toma de decisiones resultan un poco aterradoras.

Si somos la generación con el mayor número de opciones a nuestro alcance, ¿cómo afecta eso a nuestra toma de decisiones? Si seguimos la lógica de Schwartz, lo más probable es que estemos decididos a encontrar «lo mejor» y que, de hecho, estemos buscando a nuestra alma gemela. Pero ¿es posible encontrarla?

—¿Cuántas personas necesitas conocer antes de saber que has encontrado a la mejor? —preguntó Schwartz—. La respuesta es: a todas las personas del mundo. ¿Cómo sabrás, si no, que es la mejor? Buscar lo mejor es la receta para llegar al desastre total.

¡El desastre total! (Lee esta frase con la voz susurrante que pone Aziz para dar miedo.)[56]

Si estás en una gran ciudad o en una web de contactos te encuentras con un alud de opciones. Al examinarlas todas, igual que hicieron los sujetos del estudio sobre los empleos, ¿puede que comparemos a nuestros posibles pretendientes, no con otros pretendientes en potencia, sino más bien con una persona idealizada con la que nadie puede compararse?

¿Y qué ocurre si no estás buscando a tu alma gemela, sino que simplemente te apetece salir de vez en cuando con alguien? ¿Cómo afecta ese mayor número de opciones a nuestra capacidad para comprometernos? A decir verdad, el simple hecho de elegir un sitio para comer en Seattle ya me resultó bastante complicado.

Si como los sujetos del estudio sobre los empleos nos imaginamos una persona «irreal» con todas las cualidades que deseamos, ¿acaso el vasto potencial de Internet y del resto de lugares donde buscar pareja no nos creará la ilusión de que esa persona irreal existe de verdad? Entonces, ¿por qué conformarnos con menos?

Cuando expusimos estas ideas en nuestros grupos de estudio, la gente se vio reflejada en ellas. En la ciudad que posiblemente ofrece el mayor número de opciones, Nueva York, la gente comentó lo difícil que resultaba sentar la cabeza, porque en cada esquina se presentaban nuevas oportunidades y nuevos candidatos.

A mí mismo me ha pasado. Durante buena parte de los últimos años he vivido a caballo entre Nueva York y Los Ángeles. Cuando empecé a salir con mi actual novia, cuando estaba en Nueva York, veía gente por todas partes y me sentía en plan: «Mierda, ¿debería dejar de ser soltero? ¿Con toda la gente que hay?». Entonces regresé a Los Ángeles, donde en lugar de caminar por calles y estaciones de metro repletas de

---

56 **NOTA:** Si escuchas el audiolibro (en inglés) de esta obra, no diré: «Lee esta frase con la voz susurrante que pone Aziz para dar miedo». De hecho, tampoco leeré esta nota; me limitaré a poner esa voz y creo que dará bastante miedo.

posibles pretendientes, iba solo, a bordo de mi Prius alimentado con gasolina barata, escuchando algún *podcast* absurdo. En esos momentos me moría de ganas por volver a casa para abrazar a mi novia.

Pero la saturación de opciones no es exclusiva de los neoyorquinos. Tal y como me contó Schwartz:

—¿Dónde encontraba la gente otras opciones hace treinta años? En su puesto de trabajo. ¿Y cuántas opciones tenía? Pues igual dos o tres personas que les parecían atractivas y tenían la edad adecuada, o quizá conocían a alguien que trabajaba con un amigo suyo, y ese amigo les conseguía una cita. El caso es que el abanico de posibilidades amorosas del que disponían entonces era bastante reducido. Y eso, en mi opinión, es como alimentarse en un entorno donde la comida es relativamente escasa. Cuando conoces a alguien que te cae bien, haces todo lo posible por cultivar esa relación, porque es posible que después de esa persona llegue una larga sequía. Así eran las cosas antes. Pero ahora —añadió—, en cierto modo tienes el mundo entero a tu disposición.

Sí, tenemos el mundo entero a nuestra disposición, pero puede que ese sea precisamente el problema.

Sheena Iyengar, la profesora de Columbia que ya hemos mencionado, participó en el estudio de Barry Schwartz sobre la búsqueda de empleo y también sabe un montón de cosas sobre la toma de decisiones. A través de una serie de experimentos, Iyengar ha demostrado que un exceso de opciones puede conducir a la indecisión y la parálisis. En uno de sus estudios más influyentes, realizado en colaboración con otro investigador, dispuso una mesa en una tienda de comida *gourmet* y ofreció a los clientes muestras de mermeladas.[57] A veces los investigadores ofrecían seis clases de mermelada distintas, pero otras ofrecían veinticuatro. Cuando ofrecían veinticuatro, la gente era más propensa a pararse y a probarlas.

---

57   Sheena S. Iyengar y Mark R. Lepper, "When Choice Is Demotivating: Can One Desire Too Much of a Good Thing?" («Cuando la toma de decisiones merma la motivación: ¿se puede desear demasiado algo bueno?»), *Journal of Personality and Social Psychology* 79, # 6 (2000): 995.

Pero, curiosamente, tenían menos probabilidades de llegar a comprar alguna. La gente que se paraba a probar un número reducido de mermeladas tenía diez veces más probabilidades de comprar alguna que la gente que se paraba a probarlas cuando había más.

¿No veis lo que nos está ocurriendo? Hay demasiada mermelada ahí fuera. Si tienes una cita con una determinada mermelada, no puedes concentrarte en lo que estás haciendo, porque en cuanto te vas al baño, tres mermeladas más te han escrito un mensaje. Entonces te metes en Internet y encuentras más mermelada. Aplicas filtros para encontrar la mermelada perfecta. ¡Incluso tienes aplicaciones en el iPhone que te dicen si hay alguna mermelada cerca en ese momento esperando a que la pruebes!

OPCIONES LIMITADAS:
DE VIAJE POR WICHITA Y MONROE

¿Vernos obligados a elegir entre menos opciones, como hacían las generaciones de antaño, de verdad nos hace más felices? ¿Deberíamos seguir todos el ejemplo de mi padre y comprometernos con la primera persona que encontremos porque tenga la estatura ideal? Decidí salir de Nueva York para investigar en algunos sitios con opciones limitadas. Mis dos destinos fueron: Monroe, en el estado de Nueva York, y Wichita, en Kansas.

Monroe está a noventa y cinco kilómetros de Nueva York. Allí viven unas ocho mil personas. Es una pequeña comunidad donde casi todo el mundo se conoce. No hay más que centros comerciales y cadenas de supermercados que no se ven en ninguna otra parte. Si entras en la página de Monroe en TripAdvisor y pinchas en la pestaña «Lugares de interés», aparece un mensaje que dice: «Lo siento, has debido de pinchar en esta pestaña por error. Es imposible que nadie pueda estar planeando un viaje a Monroe para ver sus lugares de interés. Sospecho por qué quieres ir a Monroe. Espera, permíteme redirigirte a una web para la prevención del suicidio.»

En resumen: en Monroe no hay gran cosa.

Wichita es mucho, mucho más grande que Monroe. Tiene una población de aproximadamente 385 000 personas. Pero una búsqueda rápida en Google te mostrará un montón de artículos donde se afirma que Wichita es una de las peores ciudades del país a la hora de buscar pareja. Claro está, estos sondeos no tienen ninguna base científica, pero los factores que le han valido ese puesto en el *ranking* tienen su lógica. La proporción de solteros es bastante baja, y hay poquísimos lugares donde la gente pueda reunirse, tales como bares y cafeterías. Es una ciudad bastante aislada y no recibe mucho tráfico de las ciudades vecinas.

Una cosa a tener en cuenta sobre la gente que vive en lugares con pocas opciones es que se casan pronto. Si hablamos de ciudades como Nueva York y Los Ángeles, la edad media para el primer matrimonio ronda los treinta años; en ciudades más pequeñas y estados menos poblados, la edad habitual para el primer matrimonio en el caso de las mujeres desciende hasta los veintitrés (Utah), los veinticuatro (Idaho y Wyoming) o los veinticinco (en un montón de estados, incluyendo Arkansas, Oklahoma, Alaska y Kansas). Los hombres que viven en esos lugares suelen casarse apenas uno o dos años más tarde que las mujeres.

¿Puede que esa falta de opciones esté obligando a la gente a comprometerse antes y a embarcarse en relaciones serias? Es posible, pero no siempre es así. En las últimas décadas, el índice de divorcios en ciudades pequeñas y zonas rurales ha subido como la espuma, alcanzando niveles que solían ser exclusivos de las grandes ciudades.[58] Muchas de las personas a las que conocí en Wichita me hablaron de amigos suyos que se habían casado antes de los veinticinco y se habían divorciado poco después. Heather, por ejemplo, apenas tenía veinticuatro años,

---

58 En relación con la edad para casarse en función del estado, ver Population Reference Bureau, "Median Age at First Marriage for Women (5-Year ACS)," http://www.prb.org/DataFinder/Topic/Rankings.aspx?ind=133. Sobre el incremento de la tasa de divorcios en ciudades pequeñas y zonas rurales, ver Sabrina Tavernise y Robert Gebeloff, "Once Rare in Rural America, Divorce Is Changing the Face of Its Families" («Antaño inusual en la América rural, el divorcio está cambiando el destino de sus familias»), *New York Times*, 23 de marzo de 2011.

pero ya nos contaba cómo «muchas de las chicas de mi hermandad universitaria se casaron y se divorciaron en menos de un año». ¡En menos de un año! *Mamma mía.*

Espero que mi relación con ese exprimidor eléctrico que tanto me costó encontrar dure un poquito más.

Antes de hacer estas entrevistas tenía un concepto idealizado de las ciudades con menos opciones a la hora de buscar pareja. Me las imaginaba como una comunidad más recogida y feliz donde la gente llegaba a conocerse de verdad; un sitio donde, en lugar de ir dando tumbos de un lado a otro para encontrar la mejor fiesta, la gente acudiría al único local abierto y se lo pasaría bien.

Me imaginaba que todo chico tenía su «chica de al lado». Que crecieron juntos. Que se conocían de toda la vida y llegaron a formar un vínculo profundo. Entonces un día empezaron a hacer el amor y se casaron. No me basé en ningún caso en concreto, aunque parece algo muy idílico, ¿no?

Pero después de hablar con numerosos solteros de Monroe y Wichita, mi fantasía sobre lo bonitas y sencillas que eran las cosas en las ciudades pequeñas se terminó. En general, los solteros se lamentaban de su escasez de opciones y de los problemas derivados de ella.

Pese a la diferencia de tamaño entre ambas, los problemas para encontrar pareja en Wichita y Monroe eran extrapolables en muchos sentidos. Todos los solteros de ambas ciudades se sentían presionados a comprometerse y tenían la sensación de que si seguían solteros al filo de los treinta se les habría pasado el arroz. Esa preocupación nunca salió a relucir en los grupos de estudio que organizamos en ciudades más grandes.

Uno de los principales problemas es que todo el mundo conoce perfectamente de antemano todas sus opciones. Josh, de veintidós años, dijo que su principal abanico de opciones para buscar pareja se reducía a un grupo de gente que sus amigos y él conocían desde el instituto.

—Si veo a una chica a la que no conozco en un bar, en un plazo de entre treinta segundos y un minuto me entero de quién es simplemente a fuerza de preguntar por ahí —explicó—. La historia de su vida, con quién ha salido antes... Lo averiguas prácticamente todo sobre esa persona.

Y por cómo lo dijo parece que cuando no conoces a alguien de antemano ese «todo» que averiguas no es algo en plan: «Pues es un chico/chica estupendo. Inteligente, divertido y sin ningún pasado complicado que valga la pena destacar. ¡Qué raro que no os conozcáis aún!». No, seguramente sea algo más próximo a: «¿Quién, ese? Se dedica a robar neumáticos y a venderlos en eBay para comprar bolsitas de aperitivos de maíz.»

En Wichita conocí a Miguel, que se había mudado desde Chicago. Se lamentaba de que ya nunca conocía a gente nueva. En Chicago conocía a gente de todo tipo: amigos de amigos, compañeros de trabajo, amigos de compañeros de trabajo, y desconocidos con los que trababa conversación en bares, cafeterías e incluso en el transporte público. En Wichita, sin embargo, Miguel dijo que a quienes más veía era a las pocas personas con las que trabajaba, y que las tardes las pasaba siempre con el mismo grupo de amigos.

Esa mentalidad grupal salió a relucir tanto en Monroe como en Wichita. Un tipo de Wichita dijo que se parecía a las bandas callejeras de *Los amos de la noche*. La gente tiene sus grupitos y rara vez salen de ellos para conocer gente nueva. Eso hace que mucha gente busque pareja dentro de los mismos círculos reducidos, y una vez que han salido con todas las personas disponibles llegan a un punto muerto. Conocer gente nueva no es fácil cuando nadie viene a tu ciudad.

A veces la gente cree haber conocido a alguien nuevo, pero luego descubren que tienen más vínculos en común de lo que pensaban. Tanto en Monroe como en Wichita nos contaron historias de gente que creía haber conocido a alguien nuevo, pero entonces se metían en Facebook y descubrían que tenían cuarenta y ocho amigos en común.

Una chica llamada Heather me contó que una vez conoció a un tipo estupendo al que no había visto nunca y se ilusionó con la posibilidad, pero entonces descubrió que el tipo se había acostado una vez con una chica a la que Heather odiaba. Eso lo mandó todo al garete.

¿Y sabéis quién era esa chica? ¡La actriz Gwyneth Paltrow!

De acuerdo, es mentira, pero ¿os imagináis que hubiera sido así?

En esa misma sesión, un chico llamado Greg rememoró una vez que salió con una chica. Durante la cita se contaron cómo habían perdido la virginidad. Greg no tardó en sospechar que el tipo con el que ella la había perdido era un amigo íntimo y compañero de trabajo suyo.

¿Y sabéis quién era ese compañero de trabajo? ¡La estrella del fútbol americano O. J. Simpson!

De acuerdo, eso también es mentira, pero ¿y si hubiera sido así? ¿No habría sido una locura? ¡Acostarse con alguien que perdió la virginidad con O. J. Simpson! ¡MADRE MÍA!

—Esto es como Sodoma y Gomorra —dijo Michelle, una chica de veintiséis años de Monroe—. Todos se han acostado con todos.

Además, cuando sales con gente de un espectro tan limitado de opciones, surgen inconvenientes que nunca se me habían pasado por la cabeza.

Uno: cuando quedas con alguien, es fácil encontrarse con algún conocido, así que a veces los solteros salen de la ciudad para buscar un poco de intimidad.

—Ayer acudí a una cita, pero fue en otra ciudad —nos contó una habitante de Monroe de veintiún años llamada Emily—. Jamás se me ocurriría ir en una primera cita a algún garito de mi ciudad, porque conozco a todos los camareros, a todos los que sirven copas... Conozco a todo el mundo.

Dos: te pierdes ese periodo de descubrimiento inicial en el que empiezas a conocer a alguien, porque ya compartes un montón de vínculos con ellos. Esto puede ser un arma de doble filo. La ventaja es que puedes averiguar cómo es alguien a través de lo que te cuenten tus conocidos, pero lo malo es que te pierdes lo divertido que resulta llegar a conocer a alguien. En Monroe, Emily nos los explicó con estas palabras:

—Te sabes su vida de antemano, sin que haga falta quedar siquiera para una primera cita. Ya te has formado una opinión sobre la persona en cuestión antes de salir con ella.

Y por último, si sales con alguien y la cosa acaba mal, te guste o no vas a tener que seguir viendo a esa persona. Comparad esta situación con la de un lugar como Los Ángeles, donde Ryan, de veintitrés años, dijo que podía salir con una chica y, si la cosa iba mal, tener la seguridad de que no volvería a verla nunca.

—Es casi como si hubieran muerto. Como si, en cierto modo, las hubieras asesinado en tu mente —dijo.

Hombre, Ryan, ya se te podría haber ocurrido una metáfora mejor. Pero bueno, entiendo lo que quieres decir.

¿Y qué hay de la posibilidad de ampliar el número de opciones con Internet y otros medios digitales? ¿Alguno de esos solteros utilizaba webs de contactos? ¿O aplicaciones para *smartphones*?

En Wichita, la gente se mostraba más reacia a las cibercitas. Todavía no estaban muy bien vistas, y en un radio de acción tan pequeño como ese a la gente le preocupaba que alguien pudiera ver su perfil y pensar mal de ellos.

Josh, de Monroe, decidió darle una oportunidad a Tinder.

—Al principio configuré un radio de unos quince kilómetros porque no quería dedicarle demasiado tiempo. Aparecieron dos personas, la primera no me gustó (hizo el gesto de deslizar el dedo hacia la izquierda), la segunda tampoco (repitió el gesto con el dedo), y entonces... se acabó. Me quedé en plan: «Mierda, pensaba que habría más gente. ¿Puedo volver a las de antes?».

Otros tuvieron más suerte. Margaret, una de las pocas solteras de Wichita que había probado suerte con las cibercitas, dijo:

—La impresión que me han dejado las cibercitas es que hay demasiadas opciones, así que me pongo a pensar: «Ay, Dios. Todos estos chicos podrían ser maravillosos».

Otro soltero lo intentó con Tinder.

—Empecé con Wichita, pero se me acabó la gente al cabo de una semana, más o menos. Entonces me fui unos días a Pensilvania, cerca de la universidad estatal, y decidí probar la aplicación allí. Tuve la sensación de que podría seguir deslizando el dedo sobre la gente durante años. Eso me demostró lo limitadas que son las opciones en Kansas.

Por supuesto, no todo el mundo se sentía decepcionado por la falta de oportunidades en esas ciudades pequeñas.

Un joven del grupo de Monroe, Jimmy, de veinticuatro años, tenía una actitud más positiva. Cada vez que alguien expresaba su frustración por la falta de opciones a la hora de buscar pareja, Jimmy insistía en que simplemente hacía falta invertir tiempo en la gente para llegar a conocerla de verdad.

—Si eres paciente y sabes lo que quieres, encontrarás lo que buscas en la otra persona. Habrá cosas de ellos que no te gusten: que no se cortan las uñas de los pies, que no se lavan los calcetines...

En ese punto, le dije a Jimmy que tampoco es tan difícil encontrar a alguien con los calcetines limpios y las uñas cuidadas, y que quizás estaba poniendo el listón un poco bajo.

—La cuestión es que siempre habrá algo que te moleste, ¿sabes? Pero eso depende de ti —alegó.

Esa actitud positiva también tuvo su contrapartida en Wichita.

—Tengo esperanza en Wichita —dijo Greg, de veintiséis años—. Sé que hay gente por aquí que me sorprendería. Sencillamente te toca esforzarte un poco más para encontrarla. Pero sé que esa gente está ahí.

—Estoy de acuerdo —coincidió James, de veinticuatro años—. Todavía hay un filón aquí. Solo hace falta buscar bien.

Me encantó oír eso. Esos dos chicos opinaban que había que darle una oportunidad a la gente. En lugar de probar un montón de mermeladas, habían aprendido a concentrarse en una sola mermelada para asegurarse de haberla catado bien antes de decidir pasar a la siguiente.

Cuanto más pienso en esa forma de concebir la búsqueda de pareja, más atractiva me resulta. Da igual cuántas opciones tengas, lo importante es saber aprovecharlas bien.

Después de mis entrevistas en Monroe y Wichita, me puse a pensar en la popularidad que tienen las cibercitas en Nueva York y Los Ángeles, en que casi todos los participantes en nuestros grupos de estudio usaban esas webs, y en historias como la de esa chica que se metía en Tinder de camino a una cita para intentar encontrar un candidato mejor para después.

Puede que nos estemos convirtiendo en la gente del estudio sobre los empleos, los que intentaban encontrar un trabajo irreal e inalcanzable.

Puede que estemos intentando conocer a todos los solteros del mundo para asegurarnos tener el mejor.

Puede que estemos equivocados.

Puede que debamos tener un poco más de fe en la humanidad, como nuestros optimistas amigos de Wichita y Monroe.

Mirad a mi padre: tuvo un matrimonio concertado y parece completamente feliz. Me puse a indagar y no se trata de un caso aislado. La gente que se casó por un matrimonio concertado tiene unos comienzos algo desapasionados, pero con el tiempo se dedican tiempo el uno al otro, y por lo general llegan a tener relaciones más satisfactorias. Muestran un compromiso profundo hacia la relación, en lugar de embarcarse en la gesta individual de encontrar un alma gemela, que puede acabar derivando en la mentalidad del «¿Habrá algo mejor para mí ahí fuera?».

EVALUAR NUESTRAS OPCIONES

Antes incluso de decidirnos a acudir a una cita, nuestra manera de evaluar las opciones que tenemos se está volviendo bastante extremista. Esto fue lo que me contó una chica de Los Ángeles acerca de la enorme cantidad de opciones que le proporcionaban las webs de contactos:

—Es divertido, pero también te incita a ser cada vez más quisquillosa y analítica. Estuve escribiéndome con un chico y me comentó que escuchaba a *Kevin & Bean*[59] por las mañanas, así que pasé de él.

---

59 Programa matinal de radio que se emite en la emisora KROQ-FM de Los Ángeles desde 1990. Sus emisiones mezclan música, noticias, humor, entrevistas con famosos y llamadas de oyentes (*N. del T.*).

La elección de un programa de radio acabó con cualquier posibilidad de que esta relación prosperase. En algún lugar, ese tipo estará solo en su coche escuchando a *Kevin & Bean*, revisando la última conversación que mantuvo con esta chica y preguntándose dónde se torció la cosa.

Por supuesto, esta clase de desencuentros acaba saliendo a la luz incluso aunque el individuo en cuestión haya conseguido llegar hasta la primera cita.

—Uno de los problemas de la primera cita es que sabes muy pocas cosas sobre la otra persona, así que le das demasiada importancia a los pocos datos que conoces —me contó la antropóloga y gurú de las relaciones de pareja Helen Fisher—. Entonces ves que lleva unos zapatos marrones, y como a ti no te gustan los zapatos marrones, lo descartas. O no te gusta su corte de pelo, así que lo descartas. Pero si llegarais a conoceros mejor, es probable que esos detalles concretos dejaran de tener tanta importancia, cuando también descubres que tienen un estupendo sentido del humor o que les encantaría ir a pescar al Caribe contigo.

CITAS COÑAZO

¿Y qué hacemos para evaluar nuestras opciones? Quedar para una cita. Y la mayoría de las veces, resultan ser citas coñazo. Tomas un café, una copa, almuerzas, vas al cine... Todos queremos conocer a alguien que nos entusiasme, alguien que nos haga sentir una conexión profunda, pero ¿acaso puede estar a la altura de las expectativas en una de esas citas monótonas y aburridas que todos hemos tenido?

Uno de los investigadores sociales a los que consulté para este libro es Robb Willer, sociólogo de Stanford. Willer me contó que varios amigos suyos habían llevado a sus citas a una carrera de «camionosaurios». Si no estáis familiarizados con el término, digamos que se trata de unos cacharros tremebundos con nombres en plan «Revientacráneos» y «El Sionizador»[60] que se dedican a subir por pendientes de arena empinadas y ejecutar saltos increíbles. A veces saltan sobre un puñado de coches más pequeños o incluso de autobuses escolares. Y por si fuera poco, a veces esos camiones se ensamblan entre sí para formar un camión robótico gigantesco que devora coches, literalmente. No es broma. Se llama Truckzilla y es la pera limonera. Ya estoy buscando entradas para su próxima carrera.

Este es un camionosaurio llamado Grave Digger (El Enterrador).
Por favor, si eres un matón o un gánster, ten en cuenta que las tumbas
que cava este enterrador son exclusivamente para los demás vehículos
de la competición, y que no cava tumbas para ocultar cuerpos de las autoridades.

El caso es que para los amigos de Willer empezó en plan de broma porque les permitía hacer algo nuevo, ya que tampoco eran unos fanáticos de estas carreras. Más que nada, sentían curiosidad por esta subcultura tan extravagante. Pero resultó ser una alternativa estupenda para una cita: divertida, emocionante y diferente. En lugar de la típica perorata aburrida en la que cada uno le cuenta su vida al otro, las pare-

---

60   Vale, me he inventado lo del Sionizador, pero anda que no molaría que existiera un camionosaurio judío con ese nombre.

jas se encontraban en un entorno interesante que les permitía alcanzar un nivel alto de compenetración. Dos de las parejas que mencionó siguen todavía juntas y felices. Por desgracia, los miembros de otra de las parejas se estaban dando el lote en un coche que fue arrollado y destrozado por un camionosaurio llamado King Krush. Qué mala pata.

En uno de los apartados de nuestro foro le pedimos a la gente que nos hablara de sus mejores primeras citas, y fue asombroso comprobar cómo muchas de ellas implicaban hacer cosas que en general estaban al alcance de todo el mundo, pero que requerían un poco más de inventiva que la típica cena con película.

Un chico escribió:

> La llevé a una granja de alpacas porque una vez dijo que le parecían unos animalillos muy simpáticos. Después de convencer al granjero, nos dejó entrar en el establo donde estaban las alpacas, que, tras superar sus recelos iniciales, se pusieron a nuestro alrededor de una forma encantadora. Después de acariciarlas durante una hora, nos fuimos al Taco Bell. Me quemé la lengua con una empanada de manzana, pero ella se rio tanto que lo apunto en la lista de las cosas que salieron bien. Yo tenía 18 años, la cita entera me salió por unos siete dólares, y conseguí hacerla sonreír un montón, así que sí, fue estupendo.

Aquí os dejo otra historia de animales:

> Sus padres trabajan en un medio de comunicación, así que todos los años iba al espectáculo canino de terriers en el Madison Square Garden y conseguía colarse en los camerinos a base de echarle un poco de morro y de enseñar unas acreditaciones de prensa que le ayudaban a diseñar sus padres. ¡Esa sí que fue una primera cita impresionante! Después pedimos vino, que nos sirvieron en unos vasitos diminutos, y jugamos a un juego durante la exhibición que consistía en pegar un trago cada vez que un perro se equivocaba al recibir una orden.

¡Citas aparte, pienso jugar a ese juego de beber durante un espectáculo de terriers en cuanto se me presente la ocasión. ¡Parece divertido!

Y aquí os dejo otra anécdota que implica la actividad más típica del mundo, pero que con un simple cambio de vestuario se transformó en otra cosa:

> Quedamos simplemente para cenar y tomar algo. Entonces resulta que llegué al restaurante y me lo encontré vestido con un traje de apicultor, sentado tranquilamente a la mesa, esperándome.
>
> Fue la forma perfecta de romper el hielo. Me reí muchísimo (en el buen sentido). Los camareros no sabían muy bien qué hacer y varias personas de las mesas vecinas se echaron a reír. Un chico, más o menos de mi edad, me preguntó si estábamos participando en un *reality show*. Hablamos sobre sus abejas y sobre el pequeño negocio de venta de miel que estaba montando. ¡Incluso me trajo algunas muestras de miel para que las probase! ¡JA, JA! (Las probé, y estaban deliciosas). La cena y la conversación fueron estupendas. Él me dijo que se lo estaba pasando estupendamente y me preguntó si me apetecería ir a tomar una copa algún día, y yo le dije que sí, por supuesto. Entonces sacó el móvil y me escribió desde la misma mesa: «Oye, ¿estás libre para ir a tomar una copa esta noche?». Me pareció tan lindo y tan absurdo que le respondí que sí con otro mensaje y nos fuimos a tomar esas copas.

Claro está, no quiero decir con esto que todos debamos presentarnos en una cita con un traje de apicultor. Las citas que no resultan aburridas no tienen por qué ser tan extravagantes. Lo que tienen en común es que no se limitan al tópico de contarle tu vida al otro ante una copa o una cena. Se trata de situaciones en las que la gente pudo experimentar cosas nuevas con la otra persona y descubrir lo que se siente al estar con alguien nuevo.

LOS EFECTOS DE LAS CITAS EXITOSAS

Hay estudios sociales que demuestran que las citas que, como estas, se salen de lo normal, pueden desembocar en mayores éxitos amorosos. En su famoso estudio de 1974 titulado «Evidencia sobre el incremento de la atracción sexual bajo condiciones de extrema ansiedad», Arthur Aron y Donald Dutton enviaron a una chica guapa al río Capilano en Vancouver, Canadá.[61] El río fluye a lo largo de un profundo cañón atravesado por dos puentes. Uno de ellos —el puente de control— era muy resistente. Estaba construido con madera de cedro, tenía una barandilla alta y estaba a apenas tres metros por encima del agua. El segundo puente —el experimental— daba mucho, mucho más miedo. Estaba construido con tablones de madera unidos a unos cables de alambre y tendía a balancearse un montón. La barandilla era bajita, y si te caías, te esperaba un desnivel de sesenta metros sobre unas rocas y unas fuertes corrientes de agua.

De los dos puentes, solo el segundo resultaba estimulante desde el punto de vista neurológico. Los investigadores hicieron que la chica guapa se acercara a los hombres que cruzaban alguno de estos dos puentes. Entonces les decía que estaba haciendo un estudio psicológico y les pedía que respondieran a una breve encuesta. Finalmente, les daba su número de teléfono y les decía que la llamaran si les surgía alguna duda relativa al experimento. Los investigadores pronosticaron que los hombres del puente más peligroso tendrían más probabilidades de llamarla, ya que podrían confundir su estado de turbación, causado en realidad por el miedo, con una agitación causada por una posible atracción hacia esa mujer. Dicho y hecho, los hombres del puente peligroso fueron los que más llamaron.

Me imagino el chasco que debieron de llevarse:

---

61   Donald G. Dutton y Arthur P. Aron, "Some Evidence for Heightened Sexual Attraction Under Conditions of High Anxiety" («Evidencia sobre el incremento de la atracción sexual bajo condiciones de extrema ansiedad»). *Journal of Personality and Social Psychology* 30, # 4 (1974): 510.

—Hola, ¿Sharon? Soy Dave, el del estudio en el puente. Me preguntaba si... en fin, ¿te apetecería quedar algún día a tomar café?

—No, David. Lo siento, no soy Sharon. Soy Martin. Soy un ayudante de laboratorio. En realidad esto también formaba parte del estudio. Queríamos comprobar si tendrías mayores probabilidades de llamar a Sharon si fuiste de los que cruzaron el puente más peligroso, ¡y así ha sido! Es estupendo.

—Ah, de acuerdo... ¿Sabes cómo puedo ponerme en contacto con Sharon?

—No, no lo sé. Este es el número que os dimos a todos a modo de cebo. Aunque esa chica tiene algo, ¿eh? (Pausa larga.) En fin. Gracias otra vez. Adiós, David.

—Adiós (desolado).

Aron publicó otro estudio, titulado «Participación de las parejas en actividades novedosas y estimulantes, y efectos experimentados en la naturaleza de su relación» (¡venga, hombre, acorta los nombres de tus estudios!), en el que seleccionó a sesenta parejas que se llevaban bien y les hizo: a) participar en actividades que resultaban novedosas y estimulantes (p. ej., esquiar, hacer senderismo), b) participar en actividades apacibles y cotidianas (p. ej., una cena, ir al cine), o c) no participar en ninguna actividad (este era el grupo de control).[62]

Las parejas que realizaron las actividades novedosas y estimulantes mostraron una notable mejora en la naturaleza de su relación.

Llegados a este punto, es probable que muchos de vosotros penséis que esto contradice directamente un estudio citado por el personaje de Keanu Reeves al final de la película *Speed*.

—He oído que las relaciones que se fundamentan en experiencias intensas no funcionan —dice él.

---

62 Arthur Aron, Christina C. Norman, Elaine N. Aron, Colin McKenna y Richard E. Heyman, "Couples' Shared Participation in Novel and Arousing Activities and Experienced Relationship Quality" («Participación de las parejas en actividades novedosas y estimulantes y efectos experimentados en la naturaleza de su relación»), *Journal of Personality and Social Psychology* 78, # 2 (2000): 273.

—De acuerdo —responde el personaje de Sandra Bullock—, en ese caso tendremos que fundamentarla en el sexo.

No sé de dónde sacaría su información Jack Traven, el personaje de Keanu, pero si confiáis en la palabra de Aron y sus colaboradores, todo apunta a que participar en actividades novedosas y estimulantes aumenta nuestra atracción por la otra persona. ¿Las personas con las que soléis salir suelen adscribirse al grupo de los mundanos/aburridos o al de los estimulantes/novedosos? Si repaso mi propia experiencia, me pregunto hasta qué punto habría mejorado la conexión con otra persona si hubiera hecho algo emocionante en lugar de salir a tomar una estúpida copa a algún bar de la zona.

Así que quizá para vuestra próxima cita deberíais pensároslo mejor y planearla a la perfección.

En lugar de limitarte a cenar en un buen restaurante, ve a cenar a un buen restaurante, sí, pero contrata a unos actores que sepan poner un acento alemán convincente para que se presenten y finjan un ataque terrorista al estilo *La jungla de cristal*, para así crear una sensación de peligro similar a la del estudio de los puentes. Entonces, después de escapar por los pelos, sal a la calle y, al ver que la carretera que debéis tomar es muy empinada y peligrosa, proclama en voz alta:

—Tal vez deberíamos ir en mi automóvil.

Entonces señalas hacia tu vehículo y… sí, es el camionosaurio conocido como El Enterrador. Después de eso, lleva a tu acompañante a casa saltando sobre docenas de coches y disparando por los laterales de las llantas.

Subidón de libido garantizado.

¿MÁS CITAS COÑAZO?

La calidad de las citas es una cosa, pero ¿qué pasa con la cantidad? Al reflexionar sobre esa cuestión me acordé de un cambio que introduje en cierto momento en mi propia política respecto a las citas. Cuando estaba soltero en Nueva York, la ciudad de las oportunidades, muchos de mis amigos y yo nos dedicábamos a probar tantas opciones como podíamos. Teníamos muchísimas primeras citas, pero rara vez llegábamos a la tercera. Estábamos concentrados en conocer a tanta gente como fuera posible en lugar de implicarnos en una relación. El objetivo parecía ser conocer a una persona que al instante nos produjera mariposas en el estómago, pero eso no terminaba de pasar. Tenía la sensación de que nunca conocía a nadie que me gustara de verdad. ¿Es que nadie valía la pena? ¿Era yo el que no la valía? A lo mejor el problema no era yo, sino que mis estrategias amorosas eran lo peor. ¿O quizá tanto mis estrategias como yo mismo éramos lo peor?

En cierto momento decidí cambiar mi estrategia a modo de experimento personal. Decidí implicarme más con la gente y dedicar más tiempo a las personas. En lugar de tener cuatro citas con cuatro personas diferentes, ¿por qué no tener cuatro citas con la misma persona?

Si después de salir con una chica me quedaba la sensación de que la cita en cuestión se merecía un seis, rara vez la volvía a llamar para quedar de nuevo. En vez de eso, echaba mano del teléfono móvil y me ponía a mandar mensajes en busca de otras opciones, intentando encontrar esa escurridiza primera cita que valiera un nueve o un diez. Pero a raíz de ese cambio de mentalidad, empecé a tener más segundas citas. Lo que descubrí fue que una primera cita que valía un seis, solía subir hasta un ocho en la segunda. Ya conocía mejor a la chica en cuestión y empezábamos a forjar un entendimiento mutuo. Descubría cosas sobre ella que al principio no resultaban evidentes. Compartíamos más bromas personales y en general nos lo pasábamos mejor, porque teníamos más confianza.

Salir esporádicamente con muchas personas distintas no suele desembocar en un descubrimiento como este. Es probable que en el pasado haya descartado a personas con las que podría haber mantenido una relación fructífera, a corto o largo plazo, si les hubiera dado la oportunidad. A diferencia de mi iluminado amigo de Monroe, no mostré la fe suficiente en las personas.

Entonces empecé a sentirme mucho mejor. En vez de intentar quedar con un montón de gente distinta y de agobiarme con el juego de los mensajitos, entre otras cosas, estaba empezando a conocer de verdad a unas cuantas personas y a pasármelo mejor.

Después de investigar para este libro y de pasar tiempo leyendo estudios con títulos interminables como «Participación de las parejas en actividades novedosas y estimulantes, y efectos experimentados en la naturaleza de su relación», comprendí que los resultados de mi experimento personal eran bastante previsibles.

En un principio, nos sentimos atraídos hacia la gente por su aspecto físico y por atributos que podemos identificar a simple vista. Pero las cosas que de verdad hacen que nos colemos por alguien son características menos evidentes y más propias de la persona, y lo normal es que solo aparezcan después de una interacción prolongada.

En un fascinante estudio publicado en el *Journal of Personality and Social Psychology*, dos psicólogos de la Universidad de Texas, Paul Eastwick y Lucy Hunt, demostraron que en la mayoría de las citas, el «valor como pareja» de una persona no es tan importante como su «valor singular».[63]

Los autores explicaron que el término «valor como pareja» hace referencia a la primera impresión que se lleva una persona sobre el atractivo de otra fundamentada mayoritariamente en factores como el aspecto físico, el carisma y el éxito profesional. Por su parte, el «valor singular» es el valor por encima o por debajo del valor de esa primera impresión con el que una persona califica a otra. Por ejemplo, los autores describían el valor único de un chico llamado Neil de esta manera: «Incluso si Neil tiene un seis de media, ciertas mujeres pueden diferir en la impresión que cada una tiene sobre él. Amanda no se siente atraída por sus enrevesadas referencias literarias, así que le pone un tres. Pero Eileen considera que merece un nueve, pues sus alusiones le resultan deslumbrantes.» En la mayoría de los casos, los valores y los rasgos singulares de una persona son difíciles de reconocer, y, más aún, apreciar,

---

63 Paul W. Eastwick y Lucy L. Hunt, "Relational Mate Value: Consensus and Uniqueness in Romantic Evaluations" («El valor de pareja en una relación: consenso y singularidad en las valoraciones amorosas»), *Journal of Personality and Social Psychology* 106, # 5 (2014): 728–51.

durante un encuentro inicial. Se nos pasan demasiadas cosas por la cabeza como para poder asimilar qué hace que esa persona resulte interesante y especial. Los rasgos más profundos y distintivos de la gente emergen gradualmente a base de relacionarse y de compartir experiencias, desarrollando esa clase de intimidad que a veces se produce cuando damos tiempo a que una relación se desarrolle, pero que nunca se da si nos limitamos a encadenar una primera cita tras otra.

No es de extrañar que, tal y como exponen Eastwick y Hunt, «La mayoría de la gente no inicia una relación afectiva inmediatamente después de formarse una primera impresión sobre la otra persona», sino que lo hacen de forma gradual, cuando una inesperada —o tal vez ansiada— chispa transforma una amistad o una simpatía en algo serio y sexual. Según un estudio reciente, solo el 6 % de los adolescentes que mantienen una relación sentimental afirma haberla iniciado al poco tiempo de conocerse.[64] La cifra seguramente será mucho más elevada entre los adultos, sobre todo ahora que las cibercitas están en auge, pero incluso la gente que se conoce a través de Tinder u OkCupid tiene muchas más probabilidades de convertir una primera cita en una relación más trascendente si siguen el consejo de Jimmy, nuestro amigo de Monroe: todo el mundo tiene algo único y valioso, así que seremos mucho más felices y nos irá mucho mejor si invertimos tiempo y energía para encontrarlo.

Pero, en serio, si la persona en cuestión no se corta las uñas ni lleva calcetines limpios, seguid buscando.

Hay un montón de opciones ahí fuera.

---

64   Paul W. Eastwick y Lucy L. Hunt, "So You're Not Desirable" («Así que no eres atractivo»), *The New York Times*, 16 de mayo de 2014.

CAPÍTULO 5

INVESTIGACIONES AMOROSAS INTERNACIONALES

Cuando decidí escribir este libro, una de las cosas que más me apetecía investigar era cómo se manifiestan en otros países los conflictos propios del amor en la era digital. Mi interés se despertó una noche, cuando estaba haciendo un monólogo en un pequeño club de Nueva York. Estaba hablando sobre los mensajes y pedí un voluntario que acabara de conocer a una persona y que hubiera estado escribiéndose con ella. Leí la conversación por mensaje de un chico y conté unos cuantos chistes acerca de cómo afrontábamos todos situaciones parecidas a la suya.

No tardé en comprobar que una chica parecía muy desconcerta-da. Le pregunté por qué parecía tan perpleja, y me explicó que eso que estaba contando no ocurría en Francia, su país de origen. Afirmó que esa clase de conversaciones por mensaje no existía allí.

Yo le pregunté:

—De acuerdo, entonces, ¿qué mensaje te escribiría un tipo en Francia, si lo conocieras en un bar?

Y ella respondió:

—Me escribiría… «¿Te apetece darte un revolcón?».

Y yo le dije:

—Vaya. ¿Y tú qué le responderías?

Y ella contestó:

—Le diría que sí o que no dependiendo de si me apeteciera o no.

Me quedé patidifuso… Aunque la verdad es que eso resulta mucho más lógico, ¿no?

Por todo el mundo existe una inmensa variedad de culturas amorosas, cada una con sus propios dilemas y peculiaridades. Las entrevistas que realizamos en Doha resultaron interesantes y me entraron muchas ganas de ver las posibilidades de investigar las relaciones de pareja en otras culturas. Obviamente, no podíamos estudiarlas todas, así que Eric y yo tuvimos que ser muy selectivos a la hora de ver adónde ir. Tras un extenso debate, los lugares por los que nos decidimos fueron París, Tokio y Buenos Aires.

La razón para elegir París era obvia. Es la ciudad del amor y bla, bla, bla. Además, las relaciones de pareja en París son similares a lo que hemos leído sobre otros países europeos, donde la forma de buscar pareja tal y como la conocemos en Estados Unidos no se corresponde con su cultura. La gente sale por ahí en grupos de amigos, y si quieren iniciar una relación con alguien, la inician y punto. También son algo más abiertos con respecto al sexo y muestran una actitud diferente en lo que se refiere a la infidelidad, tal y como veremos en el próximo capítulo.

Tokio fue el siguiente lugar que propuse. No fue tanto en interés del libro como por degustar un delicioso *ramen*. Sin embargo, tras debatir la idea con Eric, comprendimos que Tokio era una opción estupenda porque Japón está atravesando una especie de crisis. El número de matrimonios y los índices de natalidad están cayendo en picado, muchos jóvenes muestran falta de interés por las relaciones de pareja, y además, no lo olvidemos, me encanta el *ramen*. Quedó claro que Tokio era una elección ideal, tanto para el libro como para nuestras barrigas.[65]

Mientras que en Japón está descendiendo el interés sexual, también quisimos examinar el otro extremo, así que nos fuimos a investigar la beligerante cultura amorosa de Buenos Aires. Buenos Aires se suele considerar como la mejor ciudad del mundo para buscar pareja.[66] Las muestras públicas de afecto están a la orden del día. La gente baila en clubes sudorosos hasta las ocho o las nueve de la mañana. La tensión sexual se percibe en todas partes.

Así que ese fue nuestro itinerario. Ya que no podíamos ir a todos los rincones del mundo, cada uno de estos lugares nos proporcionaría una visión interesante y singular sobre el amor en la actualidad a lo largo y ancho del mundo. Así pues, hora de embarcar. ¡Primera parada, Tokio!

TOKIO:

LA TIERRA DE LOS HERBÍVOROS Y LOS *TENGA*

Mi impresión inicial fue que Tokio tendría una activa vida amorosa. Es una megalópolis floreciente, vitalista y enérgica, puede que incluso más que Nueva York. Allí tienes de todo: los mejores restaurantes, las tiendas más bonitas y cosas rarísimas que no podrías encontrar en ninguna otra parte del mundo. ¿Un salón recreativo repleto solamente de fotomatones? Sí. ¿Una máquina expendedora donde se cultivan y venden cogollos de lechuga frescos? También. ¿Un restaurante con cena-espectáculo donde unas bailarinas en bikini van a bordo de robots y tanques inmensos? ¿Es que acaso esperabas otra cosa del Restaurante Robot de Shinjuku?

---

65   Para más información, leer el libro de Aziz Ansari, todavía inédito, *Me puse hasta arriba de comer exquisiteces en Tokio.*

66   Lindsey Galloway, "Living In: The World's Best Cities for Dating" («Vivir en: Las mejores ciudades para buscar pareja del mundo»), BBC.com, 16 de junio de 2014.

EL RESTAURANTE ROBOT DE TOKIO. *Existe. En serio. ¿Se puede saber qué pasa en esta foto? Parecen tres mujeres asiáticas bailando sobre tres gigantescos robots asiáticos. En fin, al menos los tipos de la foto parecen estar pasándoselo bien.*

Además, había oído rumores sobre los *love hotels*, que son justo lo que su nombre indica: hoteles pensados específicamente para hacer el amor. Pero estamos hablando de Japón, así que además a veces tienen una decoración increíble. Hay incluso uno inspirado en *Jurassic Park*. En serio, existe de verdad. No estoy de broma.

Nota. *No había fotos disponibles en Internet, así que esto es una recreación que encargué para este libro. Espero que la habitación original mole tanto como esta y que vayan a recogerte al aeropuerto en un JP Ford Explorer de los noventa trucado.*

De noche, los letreros de neón convierten la ciudad en la tierra de las aventuras para adultos. Las calles, los bares y las discotecas están abarrotados y repletos de ruido. Una nueva y divertida experiencia te aguarda en cada rincón, en cada recoveco. Puedes subir al tercer piso de un edificio de oficinas y encontrar tras una puerta una lujosa barra donde sirven cócteles, una tienda de discos tras otra, y al fondo del pasillo un inquietante club nocturno repleto de japoneses ataviados con máscaras de Bill Clinton masajeándole el lomo a unos perros.

Si te das un paseo por muchos de los barrios principales no tardarás en toparte con pequeños rincones ocultos plagados de *sex-shops* y los mencionados hoteles del amor, que en realidad son hoteles limpios y decentes donde las parejas alquilan una habitación por horas para subir a hacer sus cosas. A primera vista, la ciudad más parecida a Tokio en lo que respecta a su infraestructura amorosa podría ser Nueva York.

También di por hecho que los japoneses, tan obsesionados como están por la tecnología, estarían en el siguiente nivel en lo que a aplicaciones y webs de contactos se refiere. ¡Estamos hablando de la nación que inventó los emoticonos, por el amor de Dios! Personas que se dedicaban a escribirse mensajes y que un buen día pensaron: «Sí, de acuerdo, esto está bien, pero lo que molaría de verdad sería poder enviar una imagen pequeñita de un koala.»[67] ¿Cómo serían los mensajes que se escribiría esta gente? Estaba deseando empezar nuestras entrevistas para averiguarlo.

Todo parecía apuntar a que se trataba de la ciudad perfecta para buscar pareja, pero nada más lejos de la realidad. Todas mis suposiciones eran erróneas. Con que indagues solo un poco en la relación entre Japón y el amor, ya te topas con un montón de artículos que describen una crisis en toda regla. Según los demógrafos, los periodistas e incluso el gobierno japonés, se trata de una patata caliente.

---

67 Si el japonés que seleccionó los emoticonos que aparecen en el iPhone está leyendo esto, ¿me podría hacer el favor de incluir un emoticono de un tipo moreno sin turbante? Me resultaría muy útil. Sin ánimo de ofender al emoticono del tipo con turbante ni tampoco a los tipos que llevan turbantes en la vida real, que seguramente agradecerán que exista ese emoticono.

Lo siento, necesitaba otra palabra para decir «crisis», y cuando introduje la palabra «crisis» en Thesaurus.com, me propuso «patata caliente» como sinónimo. No podía escribir este libro sin haceros saber que Thesaurus.com incluye «patata caliente» como sinónimo de «crisis».[68]

—Ey, ¿te has enterado de lo que está pasando entre Israel y Palestina? ¡Es una patata caliente en toda regla!

En fin, sigamos con Japón. Cuando lees esos artículos ves que están repletos de frases alarmistas: «¡Aquí no folla ni Dios!». «¡La gente pasa de casarse y tener hijos!». «¡¡A los jóvenes no les apetece darse el lote!!».

No son citas literales, pero más o menos vienen a decir eso.

Me pareció muy alarmista. ¿Los jóvenes pasan del sexo? ¿Cómo es eso posible? Echemos un vistazo a algunas estadísticas escalofriantes.

- En 2013, un apabullante 45 % de las mujeres entre los dieciséis y los veinticuatro años «no sentían interés o despreciaban el contacto sexual», y más de un cuarto de los hombres se sentían igual.[69] Siempre había querido decir que una estadística es «apabullante», y creo que todos estaréis de acuerdo en que esta estadística lo es. En serio, revisad esas cifras una vez más. ¡Desprecian el contacto sexual!
- El número de hombres y mujeres entre dieciocho y treinta y cuatro años que no mantienen ninguna relación sentimental con un miembro del sexo opuesto se ha incrementado, desde 1987, de un 49 a un 61 % en el

---

68 Aunque el término «patata caliente» también se utiliza en castellano, no suele emplearse como sinónimo de «crisis». Una traducción más certera sería «problema candente», si bien se ha optado por una traducción literal en este caso para conservar la intención humorística del autor (*N. del T.*).

69 Abigail Haworth, "Why Have Young People in Japan Stopped Having Sex?" («¿Por qué los jóvenes japoneses han dejado de tener relaciones sexuales?»), *Guardian*, 20 de octubre de 2013.

caso de los hombres, y de un 39 a un 49 % en el de las mujeres.[70]

· Un apabullante tercio de los japoneses menores de treinta años no ha tenido pareja nunca,[71] y en una encuesta realizada entre individuos con edades comprendidas entre los treinta y cinco y los treinta y nueve años más de la cuarta parte afirmaron no haber tenido nunca relaciones sexuales.[72] (Venga, de acuerdo, esta es la última vez que utilizo la palabra «apabullante».)

· Casi la mitad de los japoneses y un tercio de las japonesas de treinta y pocos años seguían solteros en 2005.[73]

· En 2012, el 41,3 % de las parejas casadas no había mantenido relaciones sexuales en el último mes, el porcentaje más elevado desde que empezaron a hacerse públicas las cifras en 2004. Se ha producido un incremento constante durante los últimos diez años, desde el 31,9 % de 2004.[74]

· La tasa de natalidad en Japón ocupa el puesto 222 en un *ranking* de 224 países.[75] Un informe realizado en colaboración con el gobierno hace dos años alertaba de que en 2060 el número de japoneses habrá descendido de los

70 Instituto Nacional del Censo y la Seguridad Social, *14.º sondeo nacional sobre la fertilidad en Japón*, 2010.

71 Se puede encontrar un resumen en inglés acerca de estos descubrimientos en "30 % of Single Japanese Men Have Never Dated a Woman" («El 30 % de los solteros japoneses jamás han salido con una mujer»), *Japan Crush* (blog), 3 de abril de 2013.

72 Roland Buerk, "Japan Singletons Hit Record High" («Los solteros japoneses baten un récord»), *BBC.com,* 28 de noviembre de 2011.

73 Si sabéis japonés, podéis consultar http://www.stat.go.jp/data/kokusei/2005/sokuhou/01.htm.

74 "Survey Finds Growing Number of Couples Turned Off by Sex" («Una encuesta muestra que un número creciente de parejas no tienen relaciones sexuales»), *Asahi Shimbun,* 21 de diciembre de 2012.

75 Agencia Central de Inteligencia, "The World Factbook" («Almanaque mundial»), 2014. Disponible en https://www.cia.gov/library/publications/the-world-factbook/rankorder/2054rank.html.

127 millones a unos 87 millones, de los cuales, casi el 40 % serán mayores de sesenta y cinco años.[76]

Esta última estadística resulta especialmente alarmante. Japón hace bien en preocuparse ante la posibilidad de quedarse sin japoneses. ¿Será el fin del *ramen*? ¿Y del *sushi*? ¿Y de los *whiskies* japoneses de lujo? ¿Comprendéis ahora por qué es una patata caliente?

La situación ha llegado a un punto en el que incluso el gobierno del país se ha visto en la necesidad de intervenir. Desde 2010 el estado japonés paga a los padres un subsidio mensual de entre 100 y 150 dólares por hijo para cubrir parte de la carga económica que supone la crianza de un niño. Pero antes de poder tener un hijo, tienes que encontrar a alguien a quien amar y con quien casarte, ¿no? En 2014, el primer ministro japonés Shinzo Abe destinó 25 millones de dólares del presupuesto fiscal a programas diseñados para hacer que la gente se empareje y tenga hijos, incluyendo servicios de contactos financiados por el gobierno. Una encuesta oficial realizada en 2010 mostraba que el 66 % de los gobiernos prefecturales, y el 33 % de los gobiernos de ciudades, pueblos, aldeas y distritos electorales, estaban implantando algún programa de fomento del matrimonio. La cifra es aún mayor hoy en día.[77]

Le pedimos a la socióloga japonesa-estadounidense Kumiko Endo, que estudia esos nuevos programas de «fomento del matrimonio» establecidos por el gobierno japonés, que nos diera algunos ejemplos. En la prefectura de Niigata, según nos contó, «las actividades para el fomento del matrimonio incluyen excursiones (p. ej., una excursión en bus a algún santuario cercano), eventos culturales (p..ej., clases de cocina), veladas deportivas y seminarios (sesiones de asesoramiento para

---

76 Linda Sieg, "Population Woes Crowd Japan" («La inquietud por la población asola Japón»), *Japan Times*, 21 de junio de 2014.

77 Podéis encontrar un resumen de las iniciativas para fomentar el matrimonio tomadas por el gobierno japonés en: Keiko Ujikane y Kyoko Shimodo, "Abe Funds Japan's Last-Chance Saloon to Arrest Drop in Births" («Abe financia el último intento de frenar la caída de la natalidad»), Bloomberg, 19 de marzo de 2014.

hombres que están pescando)». La prefectura de Saga ha creado un Departamento de Contacto que ayuda a los solteros a conocer gente nueva, y las prefecturas de Shizuoka y Akita proporcionan servicios en red con los que informarles sobre fiestas y eventos para solteros, algunos de ellos financiados por el gobierno. Por último, la prefectura de Fukui ha puesto en marcha recientemente una web de contactos llamada El Café de Fukui para buscar matrimonio, y las parejas que se conocen en la web y se casan reciben dinero y regalos.

¿El gobierno está enviando regalos de boda a las parejas japonesas? Pero ¿qué está pasando aquí?

Al enterarme de esta crisis —y al recordar las ganas que tenía de probar un *ramen* auténtico y todos los demás placeres de Tokio—, quedó claro que debía viajar allí para descubrir de primera mano lo que estaba pasando.

En Kioto, reflexionando sobre la crisis sexual
japonesa con un kimono *puesto.*

HISTORIA Y ESTADO ACTUAL DEL MATRIMONIO EN TOKIO

Antes de abordar la situación actual de Japón, es importante comprender que se trata de un país que ha vivido un cambio tremendo respecto a cómo los adultos conciben y afrontan la institución del matrimonio. Mi amiga Kumiko, la socióloga, me explicó que hasta la Segunda Guerra Mundial los matrimonios concertados eran más comunes que cualquier otra forma de enlace. Incluso en los años sesenta, las familias organizaban aproximadamente el 70 % de los matrimonios. En los setenta, el lugar de trabajo se convirtió en el principal sitio para encontrar pareja. Las grandes empresas organizaban reuniones sociales, y las normas culturales dictaban que la mayoría de las mujeres abandonaran sus puestos de trabajo después de casarse e iniciar una familia.[78]

Sin embargo, ese sistema ya es cosa del pasado. Ahora los matrimonios concertados son poco comunes (bajaron hasta el 6,2 % en 2005).[79] Como ocurre en Estados Unidos, Japón ha adoptado una cultura más individualista basada en la elección y la felicidad personales. La economía japonesa ha evolucionado despacio desde 1990, y en la actualidad, el puesto de trabajo se ha convertido en un lugar competitivo y estresante. Ya no ejerce la función de bar de solteros para oficinistas.

Así pues, si el viejo sistema ha desaparecido, ¿cuál es el que lo ha reemplazado?

---

78 Kalman Applbaum, "Marriage with the Proper Stranger: Arranged Marriage in Metropolitan Japan" («Casarse con el desconocido adecuado: el matrimonio concertado en el Japón urbanita»), *Ethnology* 34, # 1 (1995): 37–51. Ver también David Millward, "Arranged Marriages Make Comeback in Japan" («Los matrimonios concertados regresan a Japón»), *Telegraph*, 16 de abril de 2012.

79 Masami Ito, "Marriage Ever-Changing Institution" («La mutable institución del matrimonio»), *Japan Times*, 3 de noviembre de 2009.

LOS HOMBRES HERBÍVOROS

Después de llegar a Tokio supe que contaba con un tiempo limitado para cumplir con lo que había venido a hacer: visitar los mejores restaurantes de *ramen* de la ciudad. Después de cubrir mi cupo de *ramen* llegó el momento de pasar a cosas más serias, como visitar ese restaurante robótico. Oye, ¿quién es el guapo que deja pasar una oportunidad como esa? Entonces recibí la llamada del deber, así que tuve que visitar también el garito de las máscaras de Bill Clinton y los masajes a perros. Fue increíble. Luego me eché una siesta rápida y finalmente me puse a investigar un poco para este libro.

Primero organizamos varios grupos de estudio para hablar sobre las citas en Tokio. Docenas de jóvenes de veintitantos y treintaipocos años hablaron con nosotros (bueno, en la mayoría de los casos hablaron con Kumiko, que hizo de intérprete).

Al meternos en faena, uno de los conceptos que más despertó mi curiosidad fue el del «hombre herbívoro». Se trata de un término que se ha extendido bastante en Japón durante los últimos años para describir a los hombres japoneses que son muy tímidos y pasivos, y que no muestran interés por el sexo ni las relaciones afectivas. Hay encuestas que aventuran que alrededor del 60 % de los hombres solteros japoneses en la veintena y la treintena se identifican como herbívoros.[80]

En el primer grupo que organizamos, uno de los primeros en llegar fue Akira. Un chico atractivo y elegante, de treinta años, al que parecían irle bien las cosas. Tenía pinta de ser un joven con éxito y seguro de sí mismo. Ese tipo no podía ser un herbívoro, ¿verdad?

Hemos hecho entrevistas y grupos de estudio con solteros de los cuatro continentes, y en la mayoría de los casos rompíamos el hielo pidiéndoles que nos contaran a cuánta gente le habían pedido salir, o con cuántas personas habían ligado a través de sus *smartphones* durante las últimas semanas. Cuando le hicimos esa pregunta a Akira, se

---

80   Alexandra Harney, "The Herbivore's Dilemma" («El dilema del herbívoro»), *Slate*, 15 de junio de 2009.

encogió de hombros. Más aún, la mayoría de los tipos que estaban presentes hicieron lo mismo.

Akira dijo que estaba trabajando y que no tenía tiempo para echarse novia. Es lo mismo que nos dijeron varios entrevistados más.

—Acabo de empezar a trabajar en la construcción y no hay muchas chicas de mi edad, así que no tengo ocasión de conocerlas —nos contó Daisaku, de veintiún años.

Su amigo Hiro asintió con la cabeza.

—Estoy ocupado con el trabajo y tampoco es algo muy urgente. Lo primero es trabajar, y con eso ya cubro los días laborales. Cuando llego a casa me pongo con los videojuegos. Los fines de semana quedo con Daisaku y salimos de copas.

—¿Y no conocéis chicas cuando salís de copas? —preguntamos.

—No. —Hiro se ruborizó—. Acercarte a una chica a la que no conoces es *charai* (significa algo así como «obsceno»). No me gustan las chicas que querrían estar con un hombre que las aborda de esa manera. De esas que te miran, sonríen, te guiñan un ojo... Yo quiero una chica que sea *seiso* (pura).

—¿Pura? —preguntó Eric—. ¿Te refieres a que sea virgen?

Los dos chicos soltaron una risita incómoda.

—No exactamente —respondió Daisaku—. Pero debe ser alguien con el bagaje adecuado, con la familia adecuada. Si se tratara de una persona a quien acabara de conocer, me daría mucha vergüenza contárselo a mis padres. Se sentirían decepcionados.

—¿Cómo se conocieron tus padres?

—En el trabajo —respondió Daisaku.

—Por un matrimonio concertado —nos contó Hiro.

—La situación parece muy complicada —dijo Eric—. Queréis tener novia, y las mujeres a las que entrevistamos quieren tener novio, pero nadie parece saber cómo hacerlo. ¿Os parece que es un problema?

—La verdad es que no me lo planteo —respondió Hiro con rotundidad—. Lo es y al mismo tiempo no lo es. Las cosas son como son. Aquí todo el mundo es así. Ni siquiera me lo planteo demasiado, porque es lo normal.

Akira dijo que solo le pediría salir a una mujer si tuviera claro, sin lugar a dudas, que la chica sentía interés por él. Al preguntarle por qué, respondió: «Porque podría rechazarme», y los demás chicos que había en la habitación soltaron un gruñido para mostrar su acuerdo. Estaba claro que el miedo al rechazo era enorme, mucho mayor del que había percibido entre los jóvenes estadounidenses.

Pregunté a las mujeres por los hombres herbívoros y si deseaban que los chicos tuvieran más iniciativa. La respuesta fue un sí rotundo. Esas mujeres anhelaban que los hombres japoneses dieran un paso al frente y les pidieran salir. Desde su punto de vista, esa necesidad extrema de seguridad y confort que los hombres requerían de ellas resultaba molesta.

Su frustración era palpable. Se veía claramente que se estaban convirtiendo en lo que la prensa describía como «la mujer carnívora». Algunas de esas mujeres nos contaron que ahora debían adoptar el papel que normalmente ejercen los hombres en Occidente, y acercarse a los japoneses para pedirles el número de teléfono. «Vaya, vaya, menuda panda de *charai*», pensé, recordando la palabra que había aprendido tres minutos antes.

Sin embargo, decían que no siempre era fácil. Nos contaron que incluso cuando conocían a un chico y empezaban a escribirse con él, la situación se convertía en una versión todavía más horripilante de la del tipo estadounidense que no para de mandar mensajes sin llegar a pedirle salir a la chica.

—Son muy tímidos y necesitan sentirse muuuuy relajados contigo —dijo una mujer.

—Salvo que estén seguros de que la chica les corresponde, son incapaces de dar el paso —se lamentó otra.

Tal y como nos describió un chico, esperan a que la mujer esté totalmente prendada de ellos antes de hacer ningún movimiento. El miedo al rechazo se manifiesta incluso en el mundo virtual.

Pedí que me mostraran un ejemplo de una conversación por mensajes. Una mujer me habló de un chico que le había escrito. Según nos dijo, el chico no mostró en ningún momento intención alguna de ligar con ella. Le escribía cosas muy imprecisas e impersonales sobre películas que había visto o sobre sus mascotas. Una noche, el chico le mandó un mensaje que decía: «He comprado una col enorme. ¿Cómo debería cocinarla?».

Le pregunté a la chica si no se trataría de una indirecta lamentable para invitarla a cenar a su casa.

—No, realmente me estaba preguntando cómo cocinar una col —se lamentó la chica.

El mismo tipo le mandó un correo electrónico unos días más tarde con esta perlita, y una vez más, no es broma: «Hace poco lavé mi futón y lo puse fuera para que se secara, pero empezó a llover, así que se ha vuelto a mojar.»

Guau. Menudo relato de suspense.

¿Qué provocó el auge del hombre herbívoro? Por lo visto este arquetipo surge de un guiso producto de unos ingredientes socioeconómicos determinados. Y hablando de guisos, cuando estuve en Tokio fui a un *izakaya* llamado Kanemasu donde preparaban unos costillares increíbles, uno de los guisos más deliciosos que... vaya, lo siento, ya me estoy yendo por las ramas otra vez.

Los investigadores sociales sostienen que el hombre herbívoro surgió durante el declive de la economía japonesa. En la cultura japonesa, como en muchas otras, la identidad y la seguridad del hombre van unidas a su éxito profesional. Todos aquellos con los que hablamos en Tokio parecían concebir los prósperos años ochenta como una época distinta para el amor, repleta de trabajadores a los que les sobraba el dinero, que podían acercarse con confianza a una chica guapa y pedirle su número sin ningún temor. Seguramente sea una exageración, pero no por ello deja de ser significativo. Con la desaparición de los empleos para toda la vida, a los hombres ya no solo les resulta difícil encontrar pareja, sino también mantenerse económicamente. Así que parece lógico que la inseguridad haya podido provocar que los hombres alberguen un miedo mayor al rechazo.

Ahora también hay muchos hombres solteros que viven en casa de sus padres hasta bien entrados en la veintena o la treintena. Las mujeres de nuestros grupos de estudio pensaban que esta situación no había hecho sino empeorar una dependencia de las madres que ya era patente en la cultura japonesa. Un hombre que vive en casa de sus padres puede contar con que su madre le cocine, le limpie y le haga la colada. Según su teoría, los chicos están tan acostumbrados a que se ocupen de ellos que pierden su instinto masculino.

Por encima de todo eso, es probable que los japoneses se sientan un poco incómodos al verse rodeados de mujeres porque, desde pequeños, nunca han pasado demasiado tiempo con ellas. Buena parte del sistema educativo en Japón está dividido por sexos, y también existe la segregación por género en las escuelas universitarias. Desde el punto de vista físico, social e incluso psicológico, los chicos y las chicas se educan siguiendo caminos paralelos que no se cruzan hasta al menos el instituto, y a menudo hasta la universidad. Muchas personas no empiezan a tener citas hasta los veintitantos años. Casi el 50 % de los hombres solteros en Japón ni siquiera tienen amigas del sexo opuesto.[81]

Cuando combinas el declive económico, la infantilización de los hombres a manos de sus madres, el miedo al rechazo y la falta de contacto con el sexo opuesto desde la infancia, la figura del hombre herbívoro empieza a cobrar mucho sentido.

Ahora bien, no creamos tampoco que todos los japoneses son unos tipos supertímidos que pasan del sexo. Por lo visto hay mucha gente así, pero también hay un montón de japoneses que no son herbívoros y que tienen vidas amorosas que recuerdan a las del típico omnívoro estadounidense. En nuestros grupos de estudio conocimos a Koji, un joven camarero que parecía ser el más omnívoro de la manada.

La cuestión es que Koji no era un galán, ni mucho menos. Comparado con los demás chicos, era un poco bajito. No iba vestido con un traje elegante como Akira y los demás oficinistas. Llevaba un chaleco gris

---

81   Instituto Nacional del Censo y la Seguridad Social. *14º sondeo nacional sobre la fertilidad en Japón*, octubre-noviembre de 2011.

y un sombrero de fieltro marrón. Lo que sí tenía era un aura de franqueza y espontaneidad que, pese a ser bastante común para los patrones estadounidenses, llamaba mucho la atención en Japón. Aquellos participantes en el grupo de estudio que conocían a Koji hablaban de su mítica vida amorosa entre susurros y se asombraban de la confianza que desprendía. Y lo repito, Koji no era una especie de Ryan Gosling en versión asiática; sencillamente parecía sentirse a gusto consigo mismo y no aparentaba ser especialmente tímido. Como la mayoría de la gente que lleva sombreros de fieltro, desprendía una inexplicable seguridad en sí mismo.

Un amigo suyo y él querían asegurarse de que supiéramos que había algunos japoneses que no eran herbívoros, y que los medios de comunicación estaban sacando un poco las cosas de quicio.

—¿Puedo hablar con franqueza? Si no tengo novia, puedo salir por ahí a buscar una chica con la que acostarme. Yo creo que todos esos tipos que dicen que no han tenido relaciones sexuales desde hace mucho tiempo, mienten. Lo que pasa es que no hablan de ello —afirmó.

—Si eres soltero en Nueva York, puedes echar mano del móvil y mandarle un mensaje a la gente a altas horas de la noche para intentar quedar con alguien. Existe la cultura de la *booty call*.[82] ¿Qué se hace aquí? —pregunté.

—Mis amigos y yo hacemos lo mismo. Llamo a todo el mundo, pero nadie me responde.

—Bueno, eso también ocurre a veces en Nueva York —dije.

Al mismo tiempo que los japoneses están sufriendo una transformación empieza a emerger una nueva clase de japonesas. Normalmente, las mujeres que tenían la oportunidad de estudiar empezaban a trabajar de oficinistas al terminar la universidad, allí conocían a un hombre y después dejaban su empleo para convertirse en madres y esposas.

---

82   Término, sin equivalente en castellano, con el que se conoce al hecho de llamar a alguien para tener relaciones sexuales, normalmente una persona con la que tienes el encuentro asegurado (*N. del T.*).

Ahora se están plantando, y cada vez más mujeres con estudios quieren trabajar. Aprenden cosas nuevas, como hablar inglés. Viajan por el mundo. Desarrollan sus propias carreras. Estas mujeres trabajadoras no quieren conformarse con ser la mujer sumisa que abandona sus ambiciones laborales para convertirse en ama de casa. Sin embargo, tener estudios, hablar inglés y tener un buen trabajo son cosas que parecen intimidar a algunos hombres, y algunas mujeres llegan incluso a definir su éxito como una forma de «cortarle el rollo» a sus pretendientes.

—Aquí los hombres tienen mucho orgullo —me contó una chica—. No quieren a una mujer de éxito que gane mucho dinero. En cuanto descubren que soy bilingüe, se echan a temblar...

Cuando acabamos con nuestros grupos de estudio, quedó bastante claro que los japoneses y las japonesas siguen trayectorias diferentes. Las mujeres aún están lejos de alcanzar la igualdad, pero están empezando a hacerse un hueco en la economía japonesa y a adquirir derechos y privilegios en el ámbito social y cultural.

Los hombres pelean por mantener su estado. Ya sea en el ámbito laboral o familiar, se han caído del trono de anteriores generaciones y les está costando descubrir qué papel deben desempeñar ahora.

Algunos están tan desconcertados que les ha dado incluso por llevar sombreros de fieltro.

Son tiempos difíciles.

UN HERVIDOR DE ARROZ COMO FOTO DE PERFIL: LAS CIBERCITAS EN JAPÓN

Teniendo en cuenta las tendencias afectivas que hay en Japón, cabría pensar que las cibercitas serían la solución ideal. Enviarle un mensaje a un posible pretendiente a través de una página web resulta mucho menos intimidante que pedirle el número en un bar, ¿no? ¿Qué mejor manera de contrarrestar tu miedo al rechazo? Además, los japoneses siempre suelen ser los primeros en todo. Si hoy en día un tercio de los matrimonios estadounidenses están formados por gente que se ha conocido a través de Internet, sería lógico pensar que la cifra fuera aún mayor entre los matrimonios nipones. Pero aunque el auge de las cibercitas podría ser muy provechoso en Japón, lamento decir que no se ha dado el caso. La preocupación de que te consideren un *charai* (obsceno, mujeriego) se extiende también al mundo de los medios digitales, y algunos de los aspectos básicos de las cibercitas no se ven con buenos ojos en Japón.

Pensemos en las fotos de perfil. Las cibercitas requieren que te des un poco de bombo. Rellenar un perfil en una web de contactos es como poner un anuncio, una forma de venderte entre los posibles pretendientes. Pero esa actitud no encaja bien con la cultura japonesa.

En Japón es una vulgaridad tremenda publicar fotos de uno mismo, sobre todo en plan *selfie*. Kana, una guapa soltera de veintinueve años, nos comentó esto:

—¿Veis todos esos extranjeros que ponen *selfies* como foto de perfil? Para los japoneses eso es una muestra de vanidad.

Según su experiencia, las fotos en las webs de contactos solían incluir a más de dos personas. A veces la persona que había rellenado el perfil ni siquiera aparecía en la foto.

Le pregunté qué publicaban ellos entonces.

—Muchos japoneses ponen a sus gatos —respondió.

—¿Y no salen en la foto con el gato? —pregunté.

—Pues no. Solo sale el gato. O el hervidor de arroz.

Oh, sí, nena, dámelo todo...

—Una vez vi un chico que colgó una foto de un letrero curioso que había visto por la calle —nos comentó Rinko, de treinta y tres años—. Me pareció que el hecho de que se hubiera fijado en ese letrero decía mucho sobre él.

Ese comentario tenía cierta lógica. Si publicas una foto de algo que te ha llamado la atención, es posible que muestre una parte de tu personalidad. Antes de la entrevista saqué una foto de un cuenco de *ramen* que me había comido. Le pregunté qué le parecería como foto de perfil.

Ella se limitó a negar con la cabeza.

YA, CLARO, ASÍ QUE MI CUENCO DE RAMEN NO PUEDE COMPETIR CON ESE LETRERO DE LA CALLE, ¿EH?

MACHIKON Y GOKON

Como ya hemos visto, las cibercitas no tienen mucho éxito. ¿Hay alguna otra opción? Pues sí, existe una modalidad tradicional de quedada en grupo llamada *gokon* en la que un chico invita a varios amigos, una chica invita a varias amigas, y salen todos juntos a cenar y a tomar algo. Pero incluso en esas veladas, según nos cuentan las mujeres, a la mayoría de los hombres les da demasiada vergüenza pedirles el teléfono. Para que la cosa saliera adelante, el anfitrión tendría que anunciar: «Muy bien, chicos, ahora vamos a intercambiarnos todos los números.» Yo mismo participé en un *gokon* en Tokio como parte de un artículo de viajes para la revista *GQ*. Por desgracia, las mujeres a las que seleccionaron no hablaban inglés, y yo solamente sabía decir una frase en japonés: «¿Te gusta la *pizza*?». Al final de la velada, hartos de cerveza y deliciosos *yakitori* (pinchitos de carne), la mayoría de las chicas estaban convencidas de que yo había interpretado a un «Chandler hindú» en un episodio de *Friends*, y pude confirmar que a dos de ellas les gustaba la *pizza*. Así fue la cosa.

En el caso de esos chicos que nos dijeron que el trabajo les ocupaba demasiado tiempo, el *gokon* parecía la opción más lógica para conocer mujeres. Pero el problema surge cuando el chico en cuestión no tiene ninguna amiga con la que poder organizar el *gokon*.

Una nueva moda a la hora de conocer gente es el *machikon*. En el *machikon*, hombres y mujeres pagan por participar en una enorme fiesta itinerante compuesta por cientos y cientos de solteros que se dedican a ir por los bares y restaurantes de una zona. En algunos *machikon*, la mayoría de la gente va sola; en otros, los asistentes inician la velada compartiendo un almuerzo con el amigo o amigos que les hayan acompañado y con varios desconocidos del sexo opuesto. Cuando terminan de comer, los organizadores cambian a la gente de sitio, al estilo del juego de las sillas musicales, y los participantes acaban mezclándose con un montón de solteros más. Lo sorprendente de estas veladas es que tanto el sector privado como el gobierno japonés están subvencionando los establecimientos que las realizan. Según Kumiko Endo, la socióloga que nos guio por Tokio y que estudia los *machikon* para su tesis, los propietarios de los bares y restaurantes reciben entre veinticinco y treinta y cinco dólares por cada asiento que dedican a esta clase de fiestas.

Durante todas las investigaciones que he realizado en torno al mundo de las citas, no he oído hablar de ningún otro lugar donde el estado invierta dinero en estas actividades, pagándole literalmente unas cuantas copas a todos los jóvenes que quieran participar en ellas. Hoy se trata de una inversión pequeña, pero es un indicio de la seriedad con la que el gobierno se toma la caída en el número de matrimonios y lo mucho que desea revitalizar la búsqueda y formación de parejas.

LA INDUSTRIA ALTERNATIVA A LAS RELACIONES: HUEVOS, PROSTITUTAS Y SOAPLAND

Muchos de los hombres herbívoros a los que entrevistamos consideraban que requiere mucho esfuerzo superar la timidez para participar en estas citas en grupo. También había mujeres que no querían someterse a las restricciones inherentes a los matrimonios y familias tradicionales. Como ocurre con las europeas y las estadounidenses, así como con cada vez más mujeres de otros países, también quieren disfrutar de una vida laboral gratificante. El problema es que en Tokio la gente que no tiene interés o la capacidad de embarcarse en una relación sentimental tradicional no cuenta con la alternativa del ligoteo ocasional que se puede encontrar en otras ciudades como Nueva York.

Por suerte para ellos, Japón no solo tiene una inmensa industria sexual, sino también otra que algunos consideran como un «sucedáneo de las relaciones» que les proporciona de todo, desde «cafeterías para acurrucarse» (donde los clientes pagan por cosas como recibir palmaditas en la cabeza, mirarse a los ojos y que les limpien los oídos con un bastoncillo) hasta robots sexuales y plenamente equipados que se fabrican para que duren años.[83] Jamás pensé que diría esto, pero entre esas dos opciones, tener relaciones sexuales con un robot me parece la más sensata.

La clase de establecimiento más popular en la industria sucedánea de las relaciones es el club de compañía, que viene a ser una versión moderna de la antigua tradición entre los hombres de negocios japoneses que consiste en ir a un bar con un ambiente agradable y pagar para que un puñado de mujeres les hagan un servicio personal íntimo, con tintes románticos, pero sin ser sexualmente explícito. Esas mujeres son como unas *geishas* contemporáneas: encienden los cigarros a los clientes, les sirven copas y escuchan con atención sus conversaciones, cumpliendo más o menos el papel que ejercería una esposa o una novia japonesa ideal.[84] Muchos hombres van a estos locales después del trabajo, tanto solos como en grupo. No obstante, para que quede claro, estas sesiones no implican ningún contacto sexual. La gente no se desnuda ni mantiene relaciones sexuales en los clubes de compañía. En el fondo se parece a la prostitución, pero las chicas se limitan a pasar el rato contigo. Eso me desconcertó mucho.

---

83 En *Vice* hay un vídeo fascinante sobre la industria sexual japonesa, disponible en www.vice.com/the-vice-guide-to-travel/the-japanese-love-industry.

84 Si os interesan los clubes de compañía, hay un libro de antropología dedicado a ellos. Anne Allison, *Nightwork: Sexuality, Pleasure, and Corporate Masculinity in a Tokyo Hostess Club (Trabajo nocturno: sexualidad, placer y masculinidad corporativa en un club de compañía de Tokio)*, Chicago, University of Chicago Press, 1994.

Al, un extranjero afincado en Japón, originario de Baltimore, intentó explicarme qué podía mover a alguien a contratar estos servicios.

—Es algo en plan: «Me siento solo, me da miedo la gente» —dijo—. «Necesito desahogarme o tomarme una copa con alguien que me escuche y no me juzgue». Pagan por tener esa seguridad. Pagan para que no los rechacen.

Las mujeres también acuden a los clubes de compañía masculina, que proporcionan el mismo servicio: hombres extrovertidos con los que charlar y tomarse unas copas. Como en el caso anterior, estas sesiones tampoco conducen al sexo, lo hacen simplemente por tener compañía. Básicamente, las mujeres que acuden a esos clubes pagan por pasar un rato con hombres que no sean herbívoros.

¿Y qué pasa con el sexo? La prostitución que implica penetración es ilegal en Japón, y aunque existe un mercado negro, los japoneses también han inventado algunas alternativas legales bastante ocurrentes. Una que es bastante popular y que salió a relucir en varios grupos de estudio es Soapland, donde el chico se tumba en un colchón impermeable y una mujer lo cubre con agua jabonosa y se desliza por encima de su cuerpo. Se puede pagar un poco más para contratar servicios adicionales, como sexo oral o masturbación. Soapland, pese a tener un nombre tan absurdo, no supone una deshonra. (Nota mental: daría lo que fuera por haber estado al lado del tipo que lo creó cuando dijo: «¡Eureka! Lo llamaremos... ¡Soapland!»).

Algunos chicos nos dijeron que, si salían con un grupo de amigos, no era extraño que alguno de ellos dijera: «Luego os veo, chicos. Me voy a hacer una visita rápida al Soapland.» Según parece, aparte del desahogo sexual, Soapland es la alternativa segura para tener un encuentro amoroso sin miedo a ser rechazados. ¿Qué necesidad tienes de ir a una discoteca para ver si puedes darte un revolcón y correr el riesgo de que pasen de ti cuando puedes ir a Soapland y tener la certeza de que una chica te tumbará en un colchón impermeable, te cubrirá de lubricante y empezará a restregarse sobre tu cuerpo resbaladizo?

Por supuesto, también existen las prostitutas ilegales de toda la vida. Cuando hablamos de eso nos sorprendió comprobar que la prostitución parecía mucho más corriente y aceptada que en Estados Unidos. En uno de nuestros grupos de estudio participó un profesor interino de una universidad local, y nos contó que sus alumnos solían contarle sus visitas a los burdeles. No parecía darles ningún reparo. Era casi como si le contaran que salían a tomarse un helado después de clase.

No existen cifras exactas sobre la frecuencia con que los hombres de diferentes países contratan los servicios de una prostituta. Pero las estadísticas más fiables que pudimos encontrar mostraban que cerca del 37 % de los hombres japoneses habían pagado por tener relaciones sexuales al menos una vez en la vida, comparado con el 16 % de los franceses, el 14 % de los estadounidenses, y entre el 7 y el 9 % de los británicos.[85]

Para los tokiotas a los que no les gusta Soapland ni los burdeles, existen *sex-shops* por todas partes donde pueden dar rienda suelta a cualquier fetichismo imaginable, desde sirvientas francesas hasta chicas con uniformes escolares, pasando por personajes de anime.

También está el floreciente mercado de los juguetes sexuales, que se venden sin que comprarlos suponga ninguna deshonra. Uno de los inventos recientes más populares es el Tenga. ¿Y qué es un Tenga? Si entráis en la web de la empresa, encontraréis el que quizá sea el mejor eslogan corporativo de la historia: «El futuro de la masturbación... HA LLEGADO.»

La empresa está especializada en artilugios para masturbarse, como un huevo de silicona de usar y tirar que los hombres rellenan con lubricante para masturbarse con ellos. Al terminar, no tienes más que cerrarlo y tirarlo a la basura.

---

85   Las cifras sobre el porcentaje de hombres que recurren a la prostitución están recogidas en "Percentage of Men (by Country) Who Paid for Sex at Least Once: The Johns Chart" («Porcentaje de hombres [por país] que pagaron por tener relaciones sexuales al menos una vez: gráfica de Johns»), *ProCon.org*, 6 de enero de 2011. Puede consultarse en http://prostitution.procon.org/view.resource. php?resourceID=004119.

Un dato curioso: uno de los ejecutivos de la empresa Tenga, Masonabu Sato, tiene el récord mundial de pasarse más tiempo masturbándose: nueve horas y cincuenta y ocho minutos. Eso significa que podría haberse visto las tres películas de *El señor de los anillos* del tirón mientras, y que cuando se acabaran los créditos de *El retorno del rey* aún le quedarían cuarenta y un minutos de masturbación por delante.

Eso también me hizo darme cuenta de que solo hay una cosa más triste que ostentar el título de la sesión masturbatoria más larga del mundo: quedar el segundo.

—Lo siento, amigo, pero el otro se lo hizo unos minutos más. Que tengas más suerte el año que viene.

Ninguno de los artículos que describían la falta de interés por el sexo en Japón profundizaba en este mundillo plagado de extraños sucedáneos sexuales, y cuando averiguas más cosas sobre él empiezas a comprender un poco ese aparente «desinterés» por el sexo. A los hombres herbívoros les gusta sentir el goce sexual, pero no les apetece obtenerlo por las vías tradicionales. Su punto de vista parece ser este: si te asusta la idea de que una mujer pueda rechazarte, ¿por qué no te masturbas dentro de un huevo y aquí paz y después gloria?

Llegados a este punto, es probable que os estéis preguntando: ¿cuál fue el mejor plato que probé en Tokio? Pues no lo sabría decir. Me encantó el Sushisho Masa, un restaurante de *sushi* de lujo. Sin embargo, también me gustó mucho la sabrosa *tempura* que probé en un modesto puesto callejero en el mercado de Tsukiji. Y por supuesto, no puedo olvidarme del *ramen*.

A decir verdad, el universo culinario tokiota me resultó mucho más fácil de comprender que el mundillo de los solteros. No es fácil saber por qué el sexo y las relaciones de pareja han cambiado de forma tan radical, tan rápida, y por qué tanta gente se ha vuelto tan introvertida y prefiere quedarse en casa con un videojuego o merodear por las cafeterías de gatos en lugar de salir a conocerse.

Mi última noche en Tokio decidí tener una mentalidad abierta y comprarme un Tenga. Todas las etapas del proceso fueron un incordio. Entré en una tienda y tuve que decir: «Hola, ¿tenéis Tengas?». La vendedora me miró con lástima y me indicó dónde estaban. Mientras pagaba, sonreí y le dije: «¡Estoy investigando para un libro!». Me parece que no logré convencerla de que mi intención era buena. En lugar de eso, probablemente pensaría que estaba preparando algún libro siniestro titulado *La masturbación alrededor del mundo: el viaje de un hombre para conocerse a sí mismo.*

Cuando volví a la habitación del hotel, abrí el cacharro y lo probé. Tenía cierta curiosidad por comprobar si de verdad llevaba la masturbación a otro nivel. La masturbación no está nada mal en su nivel actual, así que quizás esto del huevo podría estar bien, ¿no? Pues no. Utilizar un artilugio masturbatorio con forma de huevo fue extraño e incómodo. La cosita en la que metías tu cosita tenía un tacto frío y raro. Era como masturbarse con un grueso condón puesto, así que no le encontré el atractivo por ninguna parte.

Pero de forma simbólica, el Tenga parecía ser una alternativa a las citas y al sexo esporádico. Era una manera de evitar exponerte a tener una experiencia real con otra persona. Podéis decir lo que queráis sobre el sexo ocasional y sobre el trasfondo y la calidad de esa experiencia, pero todos los encuentros de ese tipo que tuve durante mis años de soltero me ayudaron a crecer como persona y me prepararon para mantener una relación seria. También me ayudaron a comprender cuál es el verdadero valor de esa clase de conexión y a entender las ventajas y desventajas de una relación seria. Las citas tienen sus inconvenientes, pero pueden resultar muy divertidas. E incluso cuando no lo son, el hecho de conocer a otra gente siempre te aporta experiencias para recordar y aprender de ellas.

Pase lo que pase, siempre sacarás más provecho de ellas que desahogándote en un frío huevo de silicona.

BUENOS AIRES:

LA TIERRA DE LOS *CHONGOS* Y LA HISTERIA

Tras nuestro viaje a Japón, sentí curiosidad por ver qué ocurre en una cultura amorosa en la que los hombres son omnívoros. Eric y yo nos pusimos a indagar, y decidimos que un buen lugar para hacerlo sería Argentina. Si Tokio es la capital del «hombre herbívoro», Buenos Aires debería ser sin duda la capital del «poseso que te devora con los ojos».

Ya sea merecida o no, los argentinos tienen fama internacional de ser muy efusivos y apasionados, lo cual a menudo se convierte en algo patológico e inquietante. En 2014, una encuesta realizada por una organización sin ánimo de lucro llamada Stop Street Harassment («Acabemos con el acoso en las calles») reveló que más del 60 % de las bonaerenses se han sentido intimidadas por hombres que las piropeaban.[86] Muchos bonaerenses se llevaron una sorpresa al enterarse. Cuando le preguntaron por la encuesta, el alcalde de Buenos Aires, Mauricio Macri[87] (que ahora es el presidente del país), despachó el asunto diciendo que era errónea, y procedió a explicar por qué era imposible que a las mujeres les molestara que unos desconocidos les gritaran cosas:

---

86   Diversos medios bonaerenses recogieron las declaraciones (N. de la editora), entre ellos, el diario *Clarín*: Macri: «A todas las mujeres les gustan los piropos, aunque les digan qué lindo culo tenés», 22 de abril de 2014. El mismo día, el diario *La Nación* publicaba que: *Hace pocos días, una encuesta realizada por la Semana contra el Acoso Callejero reveló que casi el 60% de las mujeres se sienten intimidadas por los piropos y que prefiere no recibirlos. Sin embargo, el jefe de gobierno porteño, Mauricio Macri, tiene su propia versión de los piropos. "En el fondo, a todas las mujeres les gusta que les digan piropos. Aquellas que dicen que no, que me ofende, no les creo nada. Porque no hay nada más lindo que te digan: 'Qué linda sos".* Y agregó: *"Por más que te digan alguna grosería, como 'qué lindo culo que tenés'. Pero está todo bien".* El *Daily Mail* también se hizo eco de las declaraciones: "Women Who Say They Don't Like Cat-Calls Are Lying': Buenos Aires Mayor Sparks Furios Backlash", 29 de abril de 2014.

87   El entonces alcalde de Buenos Aires es en la actualidad el presidente de la República, Mauricio Macri (N. de la editora).

—A las mujeres les gusta que las halaguen —declaró—. Las que dicen sentirse ofendidas mienten. Incluso aunque les digas algo grosero, como «qué trasero tienes», no pasa nada. No hay nada más hermoso que la belleza de una mujer, ¿no? Es prácticamente la razón por la que el hombre respira.

Para que quede claro, ¡esto lo dijo el alcalde! Después de leer esta cita me puse a investigar y puedo confirmar que, cuando se hizo esa entrevista, el tipo no llevaba puesto uno de esos sombreros con cervezas de los que salen unas pajitas que te metes en la boca.

Como os podréis imaginar, esas declaraciones no sentaron nada bien. Cientos de mujeres —incluida la hija del propio alcalde— criticaron los comentarios de Macri,[88] que se vio obligado a disculparse públicamente.

Sin embargo, me inclino a pensar que la opinión de Macri es mayoritaria entre los bonaerenses. En Argentina, donde Eric y Shelly, estudiante de posgrado en Sociología, pasaron un mes haciendo entrevistas y organizando grupos de estudio, tirarle los tejos a las mujeres sin ningún tapujo está profundamente arraigado en las tradiciones culturales de la ciudad. Se da por sentado que los hombres vayan al acecho en lo que los argentinos conocen como «la caza», y el principal terreno para tales persecuciones es la calle.

Las calles de Buenos Aires están cargadas de tensión sexual: tenemos la sensualidad del tango, por doquier se oye el «chamuyo» (conversación para intentar ligar con alguien) y toda clase de ocurrencias sexuales, y la gente se da el lote sin tapujos en lugares públicos como parques, restaurantes y autobuses.

En Japón, una mujer se sorprendería si la abordaran abiertamente, pero en Buenos Aires, las mujeres a las que entrevistamos nos contaron que allí lo normal es que, sin buscarlo, seas objeto de atención por parte de los hombres, y que muchos de ellos no aceptan un no por respuesta.

---

88 «El alcalde de Buenos Aires se disculpa por comentarios sobre piropos», recogió el diario *El mundo* el 23 de abril de 2014, un día después de que Macri hubiera hecho las declaraciones (N. de la editora).

—Aquí a los hombres les da igual que te des la vuelta o que los rechaces —nos contó una mujer—. Ellos siguen hablando contigo.

Y hablar es lo de menos. Muchas de las mujeres a las que entrevistamos nos contaron que los argentinos pueden llegar a ser muy descarados a la hora de buscar sexo. En un memorable grupo de estudio, una mujer llamada Tamara nos habló de hombres que, nada más conocerla, la habían besado, tocado las piernas o intentado meterle mano por debajo de la falda a pesar de demostrar claramente su falta de interés, y que cuando les decía que parasen, le preguntaban sorprendidos: «¿Por qué?». Cuando nos contó esta historia, todas las mujeres del grupo asintieron con la cabeza para demostrar que a ellas también les había pasado algo parecido.

—Aquí es habitual —explicó una.

—Cuando salgo por ahí y se me arrima un tipo, da igual que le diga que estoy saliendo con alguien y que no quiero nada, los hombres no dejan de insistir —dijo otra—. Te dicen: «¿Está tu novio por aquí? ¿Vives con tu novio?». Es un comportamiento totalmente aceptado. Y por mucho que les digas que no, ellos no dejan de pegarse a ti.

Rob, un joven de veintiocho años originario de Nueva York, intentó explicarnos ese comportamiento durante un grupo de estudio. Dijo que en Argentina la actitud era muy diferente a la cultura del «no significa no» que hay en Estados Unidos.

—Aquí, si (las mujeres) dicen que no, significa que les gustas. Si no les interesas lo más mínimo, simplemente no te dicen nada. Se limitan a no hacerte caso.

Así que ahora Rob solo las deja tranquilas si las mujeres le dan literalmente la espalda. Según él, en Buenos Aires un «no» suele ser la antesala de un «sí».

No es difícil imaginar los problemas que esto puede acarrear. En nuestros grupos de estudio, tanto hombres como mujeres coincidieron en que lo habitual es que la chica juegue a hacerse la dura cuando le hacen una proposición, y que solo acepta salir con el chico después de que haya insistido lo suficiente. Muchas mujeres atribuyeron esta pantomima a la necesidad de guardar las apariencias. Si cedían demasiado pronto podían dar la impresión de ser unas busconas.

—Una amiga me contó la semana pasada que le dijo que no varias veces a un chico que le gustaba antes de decirle que sí solo para hacerse la dura —nos explicó una chica—. Lo hizo para asegurarse de que el chico quería algo serio y que no la había tomado por una chica fácil.

Las mujeres del grupo de estudio también nos contaron que, respecto al sexo, no querían parecer demasiado dispuestas.

—Las mujeres sabemos que si llegamos al sexo en la primera cita, se acabó —dijo una de ellas.

Las mujeres en Argentina tienen muchas maneras de mostrar su interés por un pretendiente, pero como en Estados Unidos, son los hombres los que suelen dar el primer paso. A veces son las mujeres las que se acercan a ellos, pero casi todas las entrevistadas nos contaron que tenían la impresión de que las mujeres atrevidas echaban para atrás a los hombres.

—A mí me parece que les encanta ir detrás de las chicas —dijo Sara—. Pero si eres tú la que da el primer paso, se quedan en plan: «Anda, ¿y esta por qué anda detrás de mí?».

El uso de la tecnología en Buenos Aires es un reflejo de la cultura callejera. Existe un nivel de acoso y derribo muy superior al de los estadounidenses. Emilio, un joven estadounidense de veintiocho años, nos contó que había empezado a agregar en Facebook a las amigas buenorras de sus amigas para invitarlas a salir. Eduardo, de treinta y un años, dijo que mandaba mensajes a unas treinta chicas a la semana con la esperanza de que alguna le respondiera. Les entraba por Facebook, Instagram y dondequiera que las encontrara.

No obstante, muy pocos de nuestros entrevistados utilizaban webs de contactos como OkCupid, en parte porque allí las cibercitas siguen pareciendo propias de desesperados. Pero, por encima de todo, porque en el fondo no les hacía falta. Tal y como expuso Eduardo:

—Si eres una mujer argentina, no necesitas ninguna web para conocer gente, porque los hombres se pasan la vida detrás de ti.

El uso de los mensajes, sin embargo, era tremendo. Cuando les preguntamos a los solteros de nuestros grupos de estudio en Buenos Aires con cuánta gente se estaban escribiendo en ese momento, pocos dijeron menos de tres. Era habitual que la gente estuviera metida en múltiples relaciones con diferentes grados de compromiso. Un soltero originario de Estados Unidos, un joven de veintisiete años llamado Ajay, comparó el mundo de las citas en Buenos Aires con el «asado»[89] argentino.

—Pones un montón de trozos de carne diferentes a cocinarse a la vez —dijo—. Por un lado tienes salchichas, que se cocinan rápido. También tienes un chuletón, que es la mejor pieza y que requiere más tiempo para cocinarse, ¿sabes lo que quiero decir? Tienes que hablar con varias chicas a la vez, igual que cocinas varias carnes distintas a la vez.

Después de hacer esta analogía, regalé a Ajay un trofeo que decía: «Carnes y barbacoas: la analogía culinaria más sexista de la historia.»

Cuando se trata de embarcarse en una relación de verdad, los argentinos tienen fama de «histéricos».[90] El término histérico surgió a menudo en nuestras charlas. Es un concepto cultural muy concreto que resulta difícil de explicar a alguien ajeno a esa cultura, pero yo lo entendí como una forma de decir que alguien actúa contigo de una manera al principio y de repente cambia por completo. Una mujer que dice «no, no, no» y que al final dice que sí es un ejemplo de «histérica», igual que un hombre que se dedica a rondarte sin parar y que de repente desaparece y ya no vuelve a ponerse en contacto contigo.

—Cuando están intentando ligar se comportan como hombres —dijo Sara—. Hablan sin parar contigo… hasta que te lías con ellos. Entonces empiezan a actuar como chicas. Si pasas de ellos, se empiezan a obsesionar contigo. Si no pasas de ellos, desaparecen. Es como… como las matemáticas. Es una ecuación.

Según nos contaron, una forma habitual de iniciar el cortejo consiste en que un hombre va detrás de una chica profesando repetidamente su amor por ella y demostrándolo de la manera más argentina posible: invitándola a conocer a sus padres en una barbacoa dominical.

---

89 En castellano en el original (*N. del T.*).
90 En castellano en el original (*N. del T.*).

—El chico te dice: «Te quiero, eres el amor de mi vida, quiero casarme contigo, quiero tener hijos» —contó Sofía, una mujer de veintisiete años—. Pero luego nunca te llama. En España, cuando te dicen «te quiero», lo dicen de verdad. No es una frase hecha. Pero aquí no lo dicen de corazón.

Otra mujer nos habló de una frase popular en Argentina que dice así: «Miénteme, porque me gusta». Todo forma parte del juego de la seducción.

Incluso personas que mantienen relaciones teóricamente serias nos contaron que les gusta tener en la reserva algún antiguo amante o algún posible pretendiente listo para entrar en escena si la relación actual fracasa. Varios de nuestros entrevistados tenían un plan B en caso de que su actual relación no funcionara. Isabel, de veintiocho años, nos contó que coqueteaba con varios hombres a través de mensajes incluso cuando mantenía una relación con alguien. Lo llamó «hacerse la linda».[91]

—Que estés a dieta no significa que no puedas echar un vistazo al resto del menú —dijo—. Siempre que al final no elijas un plato que se salga de ella, claro.

¡¿Qué problema tiene esta gente con las analogías culinarias?!

—Incluso cuando tenía novio, si iba a un bar y conocía a un chico le daba mi número de teléfono por si acaso —dijo Marilyn, de veinticinco años—. Aunque nunca he sido infiel.

—Lo que pasa es que no querías cerrarte puertas —intervino otra mujer.

—Eso es —asintió Marilyn—. Porque nunca se sabe, ¿no?

El sexo esporádico era, como cabía esperar, omnipresente. En Argentina, las mujeres que están en una relación a menudo tienen un *chongo*, que literalmente significa un «hombre fuerte» o «musculoso», pero que también es un término que se utiliza para referirse a una pareja sexual esporádica, como puede ser un amigo con derecho a roce,

---

91   En castellano en el original (*N. del T.*).

un revolcón puntual o alguien con quien te ves en paralelo a una relación seria. Veamos un ejemplo en una frase: «Na, no vamos en serio. Solamente es mi *chongo*.»

En un grupo de estudio, una mujer casada nos contó que durante su anterior relación había tenido un *chongo* con el que se estuvo viendo durante varios años.

—No era más que pura atracción física —nos explicó, para asegurarse de que comprendiéramos que no estaba engañando a su pareja, sino simplemente satisfaciendo una necesidad sexual—. Ni siquiera sabía cómo se llamaban sus padres.

Espero no verme nunca inmerso en una relación esporádica con una argentina y empezar a colarme por ella. No me haría ninguna gracia que me dijera: «¿Cómo ¿Una relación? ¿Estás de guasa? Esto es pura atracción física. Andá a cagar, boludo, pero si ya te lo expliqué: vos sos mi *chongo* y se acabó.»

Por sorprendente que parezca, ese interés general en el sexo esporádico ha moldeado los barrios y edificios de Buenos Aires, así como su cultura. La ciudad está repleta de *telos*, hoteles del amor que la gente utiliza sin reparo alguno, donde se alquilan habitaciones por horas. Hay *telos* de todos los precios y se encuentran tanto en los barrios más desaconsejables como en los más lujosos, y están diseñados para proporcionar la máxima intimidad. Nuestros entrevistados nos hablaron de multitud de elementos pensados para asegurar la discreción del cliente: en unos *telos*, los huéspedes llegan al aparcamiento, piden una habitación y después aparcan en una plaza concreta de forma que pasan directamente de la puerta de su vehículo a la puerta de la habitación. En otros, entre la puerta principal y la habitación hay una pequeña sala en la que el personal del hotel puede dejar los productos del servicio de habitaciones sin ver a los huéspedes.

Dicho esto, en algunos hoteles resulta imposible tener privacidad durante las horas punta. En Buenos Aires, la mayoría de los jóvenes viven con sus padres en apartamentos relativamente pequeños en los que también suele haber niños, claro. Eso significa que casi todo el mundo que quiere echar una canita al aire de vez en cuando acaba yendo a un *telo*, y a altas horas de la noche pueden llegar a estar muy concurridos. Eduardo, el joven de treinta y un años que manda mensajes a treinta mujeres por semana, nos contó que alguna vez, cuando llega a las tres o las cuatro de la mañana, le toca quedarse en una sala de espera junto con otros recién llegados de los bares y las discotecas. Una extranjera que vivía al lado de un *telo* dijo que se había fijado en que había mucho movimiento durante la hora de comer, que es cuando, según especulaba la dueña de la pensión en la que se alojaba, «a los jefes les gusta liarse con sus secretarias».

Si, por una parte, todo el asunto este de los *telos* y el sexo esporádico parece divertido y liberal, por otra, para al menos la mitad de la población de Buenos Aires, puede resultar un incordio tremendo. En nuestros grupos de estudio, más de uno nos contó que a menudo veían chicas jóvenes llorando a moco tendido en lugares públicos, como parques y paradas de autobús. Cuando Eric les preguntó por qué era tan habitual, la respuesta fue siempre la misma: los hombres.

El circuito amoroso en Buenos Aires es extremadamente excitante y sensual, y está repleto de coqueteos, seducción y sexo esporádico. Pero también hay un lado oscuro que no se puede ignorar que implica acoso, manipulación e infidelidad. Todo el mundo padece las penas del amor en Buenos Aires, pero no pude evitar llegar a la conclusión de que la situación era mucho peor para las mujeres que para los *chongos*.

CAPÍTULO 6

VIEJOS ASUNTOS, NUEVAS FORMAS

SEXTING, INFIDELIDAD, FISGONEO Y RUPTURAS

E l advenimiento de los *smartphones* y de Internet implica que ahora nuestras vidas amorosas se desarrollan en dos mundos: el real y el virtual. El mundo virtual supone un foro sin precedentes para comunicarnos con un alto nivel de intimidad y que nos obliga a lidiar con cuestiones de toda la vida —como los celos, la infidelidad y la intimidad sexual— de formas nuevas que aún estamos intentando comprender.

EL *SEXTING*

De todos los cambios que el mundo virtual ha provocado en las relaciones sentimentales, el más radical se ha presentado bajo la

forma del *sexting*: compartir imágenes sexuales explícitas a través de medios digitales.

En su forma más básica, el *sexting* es un fenómeno atemporal. Las fotografías de desnudos, las cartas eróticas y otras cosas similares se llevan documentando desde los albores de la civilización. Aunque algo del estilo del escándalo de Anthony Weiner[92] parezca exclusivo de nuestro tiempo, existen precedentes, como las lascivas cartas de amor que el presidente estadounidense Warren G. Harding le escribía a la esposa de su vecino, en la que se refería a su pene con el sobrenombre de Jerry, y a la vagina de ella con el de Sra. Pouterson.

Me habría encantado estar presente cuando al historiador que analizó esas cartas se le encendió la bombilla: «Oye, espera un segundo. Cada vez que dice «Sra. Pouterson» me parece que se está refiriendo a... ¿¿la vagina de la esposa de su vecino??».

Pero lo que más me llama la atención es que «Sra. Pouterson» me parece un apodo espantoso para una vagina, mientras que «Warren G. Harding» es un nombre estupendo para un pene.

Los avances tecnológicos nos permiten nuevas formas de capturar nuestra propia imagen en foto y vídeo. Las cámaras de carrete eran ideales para hacer fotos en alta calidad, pero tenían sus desventajas. Salvo que tuvieras tu propio cuarto oscuro, tenías que llevar el carrete a una tienda para que lo revelasen, comprometiendo así tu privacidad.

Entre 1970 y mediados de los noventa, las Polaroids y las videocámaras económicas permitieron a la gente generar sus propias imágenes sexuales y mantenerlas en privado, aunque a veces había un niño que abría una caja con una etiqueta que ponía «NO ABRIR» y se quedaba traumatizado de por vida.

Los medios digitales, Internet y —lo más importante— el auge de los *smartphones* han cambiado la situación. Hoy en día, casi todo el

---

92   Anthony Weiner es un político estadounidense miembro del Partido Demócrata. El escándalo al que se refiere el autor se produjo en 2011, cuando salió a la luz que le había mandado una foto sexualmente explícita a una mujer a través de Twitter. Tras negarlo en un principio, Weiner acabó reconociendo que había hecho lo mismo con otras seis mujeres a lo largo de tres años (*N. del T.*).

mundo tiene una cámara de fotos o de vídeo de una calidad suficiente a mano en todo momento. Además de contar con un moderno dispositivo para capturar imágenes, también dispones de un lugar supuestamente privado donde almacenarlas para que solo podáis verlas tu pareja y tú, aunque, como ocurre con la caja en la que pone «NO ABRIR», a veces pueda caer en malas manos.

La principal diferencia, sin embargo, es su facilidad de uso y distribución. En el pasado, estoy bastante seguro de que la mayoría de los hombres no se hacían fotos del pene con una Polaroid para enviárselas por correo a las chicas que conocían en un bar. Habría resultado un tanto raro, sin olvidar las molestias que habría que tomarse para hacerlo. Sin embargo, cuando tienes a todas horas una cámara de alta resolución a escasos centímetros del pene —y encima puedes compartir al momento esa foto gloriosa—, la cosa cambia.

No disponemos de cifras sobre hasta qué punto se compartían imágenes sexuales antes de la era de los *smartphones*, pero las cifras actuales son asombrosas. El *sexting*, sobre todo entre los jóvenes, todavía no es la norma, pero va camino de serlo.

Aquí os dejo algunas de las mejores estadísticas relativas al *sexting* que hemos podido encontrar:

· La mitad de los jóvenes de entre dieciocho y veinticuatro años han recibido mensajes con fotos explícitas.
· Un tercio de los jóvenes en la última etapa de la adolescencia han enviado algún mensaje con fotos explícitas.
· El *sexting* se está extendiendo entre todos los grupos de edad, salvo entre los mayores de cincuenta y cinco años.
· Tienes más probabilidades de mandar mensajes con fotos explícitas si posees un *smartphone*.
· La gente que posee un iPhone tiene el doble de probabilidades de practicar el *sexting* que los usuarios de Android.
· El momento más popular para practicar el *sexting* es los martes entre las diez de la mañana y el mediodía. Sí, este dato lo revisamos dos veces. ¡Qué cosas!

· La gente que está casada o que mantiene una relación estable tiene las mismas probabilidades de practicar el *sexting* que aquellos que no están comprometidos.[93]

¿Por qué practica la gente el *sexting*? Las principales razones que descubrimos son: compartir la intimidad con tu pareja, generar atracción sexual, satisfacer los deseos del otro y, en algunos casos, mantener una relación íntima a distancia.

La periodista tecnológica Jenna Wortham escribió un artículo sobre el *sexting* en el que los entrevistados tenían que enseñarle una foto explícita que le hubieran enviado a alguien y después responder preguntas al respecto. «Lo que descubrí», escribió Wortham, «es que el *sexting*, como casi todo uso que le damos a los teléfonos móviles, es algo que se hace más que nada por diversión, como un juego entre adultos.»[94]

Los entrevistados dieron muchas razones para practicar el *sexting*, y sus comentarios, en conjunto, hacen que esta práctica parezca una forma saludable y estimulante de mantener una relación erótica en la actualidad.

Una editora de veintisiete años practicaba el *sexting* con su rollete porque le daba sensación de poder.

—Es una especie de forma de control —explicó—. Quería hacer que me deseara.

D, una artista de treinta años, dijo que practicaba el *sexting* con su prometido para caldear el ambiente.

—Nos hemos visto desnudos un montón de veces, y seguiremos viéndonos muchas más —dijo—. Así que a veces la tensión sexual

---

93 Estas estadísticas proceden de varias fuentes: Los datos sobre el envío y la recepción de mensajes explícitos se encuentran en: Hanna Rosin, "Why Kids Sext" («Por qué los jóvenes practican el *sexting*»). *Atlantic*, noviembre de 2014. El dato sobre los usuarios de iPhone frente a los de Android, el del *sexting* los martes por la mañana, y el de los casados que practican el *sexting*, proceden de la encuesta de Match.com que hemos citado varias veces a lo largo del libro.

94 Jenna Wortham, "Everybody Sexts," («Todo el mundo practica el *sexting*»). *Matter*, 11 de noviembre de 2014.

puede surgir a fuerza de insinuar o de mostrar algo de una forma diferente.

M, una publicista, le envió a su novio una foto de sus pechos para que se tranquilizara antes de una presentación en el trabajo.

Esa es mi anécdota favorita. Me encanta la idea de que un tipo encienda el móvil, vea unas tetas y piense: «Muy bien, ¡ya lo tienes, Phil! Ahora, a bordar esa presentación en PowerPoint.»

En nuestro foro, una mujer nos dio un buen puñado de razones por las que había enviado esa clase de mensajes en el pasado: «Porque es agradable saber que alguien te desea desde la distancia. Porque es algo que te hace pensar en el otro. Porque aumenta la confianza en ti mismo. Porque nunca lo había hecho antes. Porque me gustaba esa persona. Porque acababa de romper con alguien...»

En algunos casos, la privacidad y el distanciamiento del mundo virtual permiten a ciertas personas ser más sinceras respecto a su sexualidad. «Empecé porque soy una persona muy activa sexualmente y el *sexting* era una manera más sencilla de comentar ciertas cuestiones íntimas con mis parejas», escribió una chica en nuestro foro. «Me costaba pedirles directamente lo que quería o lo que me apetecía hacer en la cama, así que el *sexting* me supuso una forma más fácil de exponer mis deseos y fantasías. Ahora se ha convertido en algo con lo que me lo paso bien, en una especie de preliminar. Me gusta enviarle una foto picante a mi pareja antes de quedar.» Otra mujer escribió: «Un tipo con el que me lie hace unos años me pedía fotos todo el tiempo. Al final, porque tuve la sensación de que podría perderle (no era una relación muy saludable que digamos), accedí. Y ME ENCANTÓ. Me resultó muy excitante hacerme esas fotos, y aun hoy me sigue gustando verlas. Además, algún día se me caerán las tetas, así que no estará mal recordar cómo eran antes.»

Muchos de los usuarios de nuestro foro comentaron que concebían el *sexting* como una forma de establecer cierta intimidad a larga distancia.

Una mujer escribió:

Soy una chica que vive en EE. UU., y mi novio vive en Gales. Nos mandamos fotos explícitas al menos una vez a la semana. Cuando se trata de una relación a larga distancia como la nuestra y nos pasamos dos o tres meses sin vernos, se convierte casi en una necesidad. Quiero seguir gustándole y poniéndole a tono. Y como no pudimos pasar mucho tiempo juntos antes de que se fuera a Gales, no llegamos a comentar lo que nos gusta y lo que no nos gusta en la cama. Pero a través del *sexting* hemos podido expresar todo eso sin ningún tapujo. Así que la próxima vez que nos veamos ya conoceremos de antemano los deseos del otro. Si me lo hubieras preguntado hace un año, me habría sentido «sucia» por practicar *sexting*, pero ahora me parece algo esencial en una relación.

Otro usuario comentó:

Opino que, por lo general, si no existiera la tecnología resultaría mucho más difícil mantener una relación seria a distancia. La posibilidad de comunicarnos por Gchat o de escribirnos mensajes durante el día, y de vernos la cara por videoconferencia por las noches, es algo indispensable para mantener cierto grado de intimidad en nuestra relación. El *sexting* es una buena forma de caldear el ambiente sin necesidad de estar juntos físicamente.

La conclusión era evidente: sin el *sexting*, sería mucho más difícil mantener estas relaciones y posiblemente no durarían demasiado. El *sexting* resuelve de manera eficaz un viejo obstáculo, muchas veces insuperable: cómo amar a alguien a quien no tienes cerca.

La misma tecnología que nos permite el lujo de compartir en privado estos momentos íntimos es también, desgraciadamente, la que nos permite traicionar seriamente la confianza de nuestra pareja.
La principal razón por la que la gente no practica el *sexting* es por miedo a verse expuesta. Una mujer nos contó: «Nunca he practicado

el *sexting* y no creo que lo haga jamás. Me parece algo erótico y excitante, pero me aterran las posibles consecuencias. Si la relación se acaba y el chico sigue teniendo las fotos, quién sabe dónde podrían acabar. Me parece una situación innecesaria que es mejor evitar.»

Escuchamos algunas historias horribles que confirman esa opinión sobre el *sexting*. Una mujer que al principio se mostró reticente a mandar esa clase de fotos, nos contó lo que ocurrió cuando al fin accedió a hacerlo:

> Mi novio quería que le mandara fotos picantes, y eso a mí me hacía sentir incómoda, pero él insistió mucho y me soltó eso de «si me quieres, lo harás». Me dijo más cosas así. Yo no supe muy bien qué responder. Me pidió una foto en la que se me viera toqueteándome con un dedo. Al final accedí, y entonces empecé a recibir mensajes de números desconocidos llamándome «guarrilla» y cosas peores. Resulta que mi novio estaba en una fiesta, enseñándole a la gente la foto en el móvil. Fue muy humillante. Hace dos años de aquello, y jamás he vuelto a practicar el *sexting*.

Que tu foto acabe en manos de un ser tan despreciable como ese es un temor muy extendido. Y aunque en teoría cualquiera podría verse en una situación parecida, en realidad es un riesgo que no afecta del mismo modo a hombres y mujeres.

En 2014 se filtraron en Internet varias fotos privadas en las que salían famosas desnudas después de que unos piratas informáticos las publicaran en la web 4chan.[95] Obviamente, esas imágenes estaban dirigidas a las parejas de esas chicas y nunca debieron hacerse públicas. Los piratas informáticos que robaron las fotos fueron condenados, sí, pero también se les reprochó a esas famosas que hubieran sido

---

95 También salían hombres en algunas fotos, pero no fueron sus imágenes las que hicieron correr ríos de tinta. Las que más llamaron la atención fueron las fotos de las mujeres.

tan descuidadas. Era habitual oír cosas como «¿no te gusta que se publiquen fotos en las que sales desnuda? ¡Pues no te las hagas!». Un punto de vista que insinuaba que hacerse fotos desnudo con el iPhone es algo inmaduro, frívolo y autocomplaciente. Como queriendo decir que la gente normal que tiene una vida sexual sana no practica el *sexting*, pese a la multitud de pruebas que demuestran lo contrario. Por supuesto, no todo el mundo estaba de acuerdo con esa postura, pero fue una opinión muy habitual.

El miedo a esa especie de condena moral fue otra de las razones que dio la gente para no practicar el *sexting*, aunque muchas de las chicas jóvenes que nos contaron su experiencia consideraban que el auge del *sexting* está empezando a cambiar la forma de ver esos riesgos. Una chica de veinticuatro años nos contó que para ella el *sexting* era algo que le otorgaba cierto poder, y que, si sus desnudos llegaran a filtrarse, no se sentiría mal por ello.

> Las advertencias sobre el *sexting* (dirigidas sobre todo a las mujeres) se centran en el peor desenlace posible: que las fotos en las que sales desnuda se hagan públicas, por ejemplo en una página porno de esas en las que la gente se venga de sus exparejas. Te lo pintan como algo que te perseguirá el resto de tu vida y que afectará incluso a tu carrera profesional y a tus futuras relaciones. No creo que me pase nunca eso, pero si fuera así, me gusta pensar que quienes vean esas fotos llegarán a la conclusión obvia: que soy una mujer segura de mi sexualidad y que hice un vídeo para una persona que me gustaba. Si algún conocido viera las imágenes y pensara mal de mí por hacérmelas, el problema sería suyo, no mío. Cuando practico el *sexting* con mi novio, lo hacemos más que nada para ponernos a tono. Pero también es una forma de recordarme a mí misma que soy yo la que decide qué hacer con mi cuerpo y la que decide qué riesgos vale la pena correr.

Este punto de vista se está extendiendo bastante entre los jóvenes, sobre todo entre los adolescentes. Para la generación que se ha criado en la era de los *smartphones*, el *sexting* se ha convertido en un paso más en el camino hacia la madurez sexual. Además del primer beso, ahora también suele haber el primer *sexting*.

Cuando la periodista Hanna Rosin investigó un instituto en la región central de Virginia, donde la práctica incontrolada del *sexting* y el continuo intercambio de imágenes generaron incluso una investigación policial, un porcentaje sorprendente de los jóvenes a los que entrevistó dijo que la situación no era para tanto.[96]

Cuando un agente de policía preguntó a varias chicas si les preocupaba que sus fotos se estuvieran diseminando por Internet, se quedó estupefacto con la respuesta que le dio una de ellas:

—Es mi vida y es mi cuerpo, y hago con ellos lo que me da la gana.

Y otra chica le dijo:

—No sé qué problema hay. Me siento orgullosa de mi cuerpo.

Algunas de esas chicas, según descubrió el agente, se habían hecho fotos desnudas expresamente para compartirlas en Instagram. Ni se les pasó por la cabeza que aquello pudiera ser reprochable o afectarles de alguna manera en el futuro.

Independientemente de los riesgos que ese agente de policía o cualquier otra persona pueda ver en esta práctica, el *sexting* se está volviendo cada vez más habitual. Y como ya hemos visto en otros aspectos de la vida amorosa, lo que a una generación le parece una locura a menudo se convierte en algo cotidiano para la siguiente.

INFIDELIDAD

Por supuesto, enviar fotos de desnudos no es el único comportamiento con implicaciones sexuales que los *smartphones* permiten o facilitan. Pensemos en la infidelidad. En el pasado, los hombres y mujeres que engañaban a sus parejas solo podían coquetear con otros

---

96   Rosin, "Why Kids Sext" («Por qué los jóvenes practican el *sexting*»).

en persona o por teléfono. La gente creaba sus propios códigos: «Dejaré que el teléfono suene dos veces antes de colgar. Esa será la señal para que te acerques a la ventana. Allí verás una tirolina. Descuélgate por ella hasta la casa del árbol y nos veremos allí a las 22:30 h.»

Ahora puedes estar en la cama con tu esposa y preguntarle: «Oye, nena, ¿qué estás mirando en el móvil?». A lo que ella podría responder: «Bah, solo estoy leyendo un artículo en *The Times*», cuando en realidad puede estar mandándole a tu vecino una foto de su Sra. Pouterson.

¿El aumento de nuestras opciones y el acceso a las nuevas tecnologías han hecho que más gente vaya por el mal camino? Recuerdo cuando leí los mensajes de Facebook de Anthony Weiner. Me sorprendió muchísimo la cantidad que mandaba a mujeres de todos los rincones del país, y ver cómo esos mensajes cambiaban rápidamente el tono inofensivo del principio por otro mucho más picante.

A continuación os dejo la transcripción de una conversación que mantuvo Weiner con una de esas mujeres, una tal Lisa, de Las Vegas.[97] Weiner, Lisa: perdonad que remueva este asunto, pero es que resulta fascinante:

13 de agosto de 2010

> **L** Estoy intentando localizar al maravilloso Anthony Weiner del que me enamoré el otro día por poner en su sitio a esos malditos republicanos. ¡Y por lo gracioso que fue en ese programa de la tele! Veo que tienes un montón de peticiones de amistad, ¡hazte amigo mío! ¡Eres estupendo!

---

97 Oliver Tree, "'Stop Starin at My Weapon': Hilarious New Details of Weiner's Sordid Facebook 'Affair' with Blackjack Dealer Are Revealed" («"Deja de mirarme el arma": salen a la luz nuevos e hilarantes detalles sobre la sórdida "aventura" de Weiner con una *croupier* en Facebook»), *Daily Mail*, 8 de junio de 2011, http://www.dailymail.co.uk/news/article-2000386/Anthony-Weiner-Facebook-affair-blackjack-dealer-Lisa-Weiss-revealed.html.

> Gracias lisa. Me alegra que me apoyes. ¿Puedo contar contigo para seguir vigilando a la chiflada de (Sharron) Angle[96]? — **AW**

> ¿Verdad que está loca? ¿Verdad que la gente necesita seguridad social, ayuda para los ancianos o acceso a la educación? ¡Si esa pirada sale elegida en mi estado tendré que mudarme! ¡Es más tonta que hecha aposta! ¡Y ya es decir! — **L**

17 de septiembre de 2010

> ¡Me gustan tus nuevas fotos! ¿Cuándo vendrás a Las Vegas a ayudarme a derrotar a esos derechistas dementes? — **L**

> Esta es mi foto en plan «tírame del dedo», jaja. Me alegra que te guste. Estoy listo para un viaje a las vegas. Durante el día habrá que decir unas cuantas verdades ante el público. ¿Algún plan nocturno para nosotros? — **AW**

> Jaja... ¿Esa pregunta va con segundas? ¡Tengo un montón de planes nocturnos! ¿Cuándo vienes? — **L**

> No sé. Hazme una oferta que no pueda rechazar. — **AW**

---

98 Sharron Angle, nacida en 1949, es miembro del Partido Republicano. En 2010 se presentó a las elecciones al Senado en el estado de Nevada (*N. del T.*).

> **L**
>
> Para ponernos a tono, primero veremos unos episodios repetidos de la serie *The Colbert Report*... Después, para caldear de verdad el ambiente, iremos a pintarrajear los carteles de Sharron Angle que tiene mi vecino en el jardín... Cuando ya estemos a tope iremos a la librería a tapar todos los libros de Glenn Beck[99] con ejemplares de *La audacia de la esperanza*[100]... Hago eso más o menos una vez por semana (como ves soy una chica muy atrevida!)... Aunque si eso no te va, podemos quedar para emborracharnos y follar como animales.

Para mí, lo más ofensivo de todo es cuando él emplea la palabra «chiflada».

Además, ¿os habéis fijado en esa sutil, casi subliminal, alusión al sexo? Como no estés atento, ni te das cuenta. Sí, me refiero a cuando la mujer dice lo de «follar como animales».

Este último mensaje marcó un antes y un después en su conversación por Facebook y allanó el terreno para toda clase de mensajes sexuales y fotos de penes (tristemente) memorables.

Lo que más me fascina, sin embargo, es que es algo que habría sido imposible hace treinta años. Obviamente, Weiner podría haber sentido la misma tentación de tener algún escarceo sexual al margen de su relación, pero la privacidad de Facebook, la facilidad para conocer a gente con la que poder engañar a tu pareja y la posibilidad de ligar discretamente a través de un chat..., esa amalgama de tentaciones es sin duda algo exclusivo de nuestra era.

Al tratarse de un asunto espinoso, y por los juicios morales que podría generar en un grupo de estudio cara a cara, aprovechamos la

---

99   Glenn Beck es un escritor, tertuliano y activista político de tendencias conservadoras (*N. del T.*).

100 Segundo libro escrito por Barack Obama en sus tiempos de senador. Se publicó en octubre de 2006 (*N. del T.*).

privacidad de Internet para conocer experiencias reales en lo relativo a la infidelidad y los medios digitales.

Formulé las siguientes preguntas en nuestro foro: ¿Alguien ha tenido una aventura o ha engañado a alguien a través de una red social? Si no existiera esta tecnología, ¿crees que lo habrías hecho de todas formas?

Un chico nos contó que había empezado una relación a través de una web. Al principio empezó como una charla inofensiva, pero, como la conversación de Weiner, con el tiempo fue subiendo de tono. Aunque no llegó a ser tan explícita como la de Weiner, adoptó un tono más íntimo y los dos comenzaron a compartir sus sentimientos y problemas más personales.

> Desde luego, esto jamás habría ocurrido de no ser por la tecnología, ya que mi esposa me vetó el contacto con cualquier mujer que no fuera de mi familia. En el fondo, creo que fue algo bueno: si no hubiera hablado con esa otra mujer (y de no ser por el grado de sinceridad que proporciona el anonimato en Internet), no me habría dado cuenta de lo chunga que era mi relación con la que entonces era mi mujer, y no habría comprendido que todas esas cosas que siempre me parecieron normales, en realidad eran producto del control que ella ejercía sobre todos los aspectos de mi vida, y posiblemente no habría sido capaz de dejarla.

Otro usuario dijo que había iniciado una aventura que jamás se habría atrevido a emprender de no ser por Facebook.

Trabajaban juntos y se conocían de vista. Un día, el chico la buscó en Facebook y le mandó un mensaje preguntándole: «¿Te apetecería salir a tomar una copa algún día?». Poco después iniciaron la aventura.

«Si no existiera Facebook, no creo que hubiera reunido el coraje necesario para preguntárselo directamente. De esta forma fue mucho más fácil dar el primer paso», nos explicó.

Las ventajas que aporta la tecnología a la hora de buscar pareja (tales como la facilidad para ponerse en contacto con la otra persona y la ausencia de esa presión propia de una interacción cara a cara) también se aplican a la infidelidad. Entre otras cosas, lo fácil que resulta ir a más, lo cual, en algo tan polémico como la infidelidad, es algo a tener en cuenta. Con los mensajes puedes tantear lentamente el terreno a la hora de iniciar una posible aventura. Cuando descubres que la otra persona está en tu misma onda, los acontecimientos se pueden desarrollar muy deprisa. O también puedes echarte atrás fácilmente y sin pasar tanta vergüenza como si la conversación hubiera tenido lugar en persona.

Aquí tenéis un ejemplo:

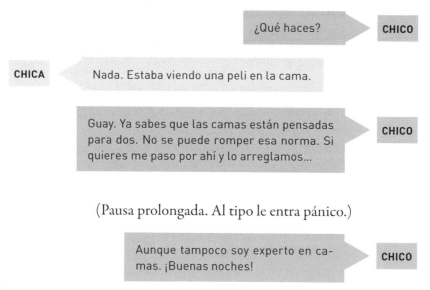

¿Qué haces? — CHICO

CHICA — Nada. Estaba viendo una peli en la cama.

Guay. Ya sabes que las camas están pensadas para dos. No se puede romper esa norma. Si quieres me paso por ahí y lo arreglamos... — CHICO

(Pausa prolongada. Al tipo le entra pánico.)

Aunque tampoco soy experto en camas. ¡Buenas noches! — CHICO

Puede que la otra persona piense que eres un asqueroso, pero también podéis fingir que habéis interpretado mal el mensaje. En el caso de Weiner, frases como «¿tienes algún plan nocturno para nosotros?» y «hazme una oferta que no pueda rechazar» le permitieron tantear el terreno de forma segura para comprobar si Lisa también mostraba algún interés sexual.

Además, la privacidad de nuestros móviles supone un lugar nuevo para promover y desarrollar relaciones clandestinas. En el pasado, la gente que quería ligar o liarse con alguien en secreto tenía que irse a un restaurante o un bar lejano para minimizar el riesgo de que alguien pudiera reconocerlos. En la actualidad, con las precauciones pertinentes, nuestros teléfonos son un refugio privado donde almacenar todas esas intimidades a las que no queremos que nadie tenga acceso.

En un grupo de estudio, un tipo nos contó que en una ocasión empezó a escribirse con una compañera de trabajo, casada, sin segundas intenciones, y que al final acabaron manteniendo una relación en secreto. Salvo en algún caso excepcional, no se escribían ningún mensaje fuera de la oficina. Pero un día el tipo le mandó un mensaje gracioso sobre algo que había visto que le hizo acordarse de una cosa sobre la que se había reído con ella en el trabajo. La mujer le respondió y empezaron a hablar.

Las conversaciones se volvieron cada vez más frecuentes, y al poco tiempo empezaron a verse después de trabajar. Finalmente, surgió una atracción entre ellos que acabó en una relación clandestina. La mujer casada mandaba mensajes continuamente a este tipo, que tuvo que cambiar en su móvil el perfil de contacto de ella para no levantar sospechas. Así que, en lugar de recibir mensajes de Susan, parecía que los mensajes eran de un amigo llamado David.

Si alguna vez me escribiera tanto con una persona a la que quisiera mantener en secreto, creo que elegiría como nombre en clave «Scottie Pippen». Aunque supongo que si algún amigo me cotilleara el móvil se preguntaría qué hago escribiéndome tan a menudo con ese exjugador estrella de los Chicago Bulls.

Solo espero que la mujer de Scottie Pippen nunca tenga una aventura en la que emplee la misma estrategia y que el amante no le escriba cuando Scottie esté en la habitación y su mujer pueda ver la pantalla del móvil. Scottie Pippen podría creer que se trata de un Scottie Pippen procedente de otra dimensión, enviado para matarlo y robarle la esposa. El pobre Scottie sufriría unas secuelas psicológicas mucho más graves que si simplemente hubiera descubierto una infidelidad.

Pero volvamos a nuestro caso de la vida real: al final, los dos decidieron que lo mejor era terminar la aventura. Pero surge la misma pregunta: ¿habría llegado a producirse esta situación si estas personas no hubieran contado con la privacidad de los mensajes de texto para introducir un elemento romántico en su relación?

Ella estaba casada y yo lo respetaba. Jamás se me habría ocurrido llamarla por teléfono para contarle una gracia. Habría sido raro. Pero como eran unos simples mensajes, pensé que no había nada de malo. Sin embargo, conforme avanzó la cosa, los dos llegamos a la conclusión de que había química entre nosotros. Cuando estás con el móvil te encuentras en una zona segura en la que nadie más puede irrumpir. Fue en ese pequeño mundo privado donde pudimos hablar del estrés, la confusión y la atracción que estaba generando esta situación. De no ser por los mensajes, no sé si habría surgido algo entre nosotros.

Sin embargo, algunas personas que nos contaron su experiencia consideraban que la tecnología no tiene por qué convertirnos en unos libertinos. Según ellos, el que quiere ser infiel es infiel. Con o sin tecnología, al final lo que hay al otro lado son personas de carne y hueso.

«No creo que nadie que fuera fiel en cualquier otra circunstancia vaya a engañar a su pareja porque alguien le mande una carita con un guiño en un mensaje», escribió un usuario en el foro, en el tema de debate que generó más respuestas. «Puede que facilite ser infiel, pero no hace que resulte más difícil ser fiel.»

No obstante, aunque su uso no conduzca a una infidelidad propiamente dicha, las nuevas tecnologías plantean nuevos problemas y tentaciones incluso para los cónyuges más fieles. Además de ofrecer intimidad, la tecnología digital nos expone a un foro repleto de posibles pretendientes. Un tipo recordaba cómo, cuando se embarcaba en una nueva relación, redes sociales como Instagram le ofrecían un escaparate donde podía ver todas las opciones disponibles.

Quiero a mi novia, pero cuando estábamos empezando a ir en serio, me metía en Instagram y veía a un montón de tías buenas. Y pensaba: «Jo, ¿intento salir con estas chicas? ¿O siento la cabeza y me comprometo?». Parecía la versión opuesta al dicho «ojos que no ven, corazón que no siente». Mis ojos veían y mi corazón sentía a todas horas.

La privacidad de Internet y del mundo virtual también ha llevado al auge de entornos en los que la gente puede ser infiel sin ser juzgada por ello. El ejemplo más conocido es Ashley Madison, una web de contactos muy famosa que está pensada para ayudar a la gente a echarse un amante. El lema de la empresa es: «La vida es corta. Ten una aventura.»

La empresa incluye a sus usuarios de pago en el «Programa de aventura garantizada», que asegura la devolución del dinero si no encuentras a nadie al cabo de tres meses. La página de inicio incluye un icono que permite a los usuarios «Buscar y conversar con casados de tu zona», así como un blog y una cuenta de Twitter que incluyen consejos tipo «Cómo encontrar y mantener un amigovio», así como artículos de actualidad tales como «A los hombres no les molesta que sus esposas sean infieles.»

Por lo visto la web está creciendo a pasos agigantados, y ha pasado de los 8,5 millones de usuarios de 2011 a los, según estadísticas de la propia página, 11 millones de usuarios en 2014.[101]

Soy consciente de que el ser humano lleva engañando a su pareja desde el mismo momento en que surgió el concepto de monogamia, y de que, hasta la fecha, no hay indicios sólidos que demuestren que Internet está incentivando la infidelidad. Dicho esto, me cuesta creer que algo como Ashley Madison pudiera hacerse tan popular, y en tan poco tiempo, en un mundo donde no existieran estas tecnologías digitales. No sé si ahora seremos más infieles que antes o no, pero lo que está claro es que ahora resulta mucho más fácil serlo.

RUPTURAS EN EL MUNDO VIRTUAL

Otra cosa que también se ha vuelto más sencilla gracias a la tecnología moderna son las rupturas. Hace no tanto tiempo, romper con

---

101 La cifra de 2011 se incluye en: Sheelah Kolhatkar, "Cheating, Incorporated" («Infidelidad S. A.»). *Bloomberg Businessweek*, 10 de febrero de 2011. La cifra de 2014 procede de la web de Ashley Madison. Se puede consultar en https://www.ashleymadison.com/blog/about-us/.

alguien requería una conversación cara a cara con una tremenda carga emocional, o, como mínimo, una llamada telefónica en la que la persona que quería acabar la relación tenía que explicar lo que sentía. Por lo general, esa conversación también requería tener en cuenta los sentimientos y la susceptibilidad del otro, y hacer todo lo posible para no echar por tierra la autoestima de la persona a la que le estabas diciendo adiós.

Esa es la razón por la que nuestra cultura ha acuñado frases como «No es por ti, es por mí», «Es que ahora no estoy preparado para tener una relación» y «Lo siento, es que quiero concentrarme en pintar caricaturas en el paseo marítimo.»

Por supuesto, a nadie le gustan estas conversaciones. Pero las considerábamos necesarias, porque era lo mínimo que, como seres humanos decentes, podíamos hacer por el otro.

Hoy en día, cada vez hay más personas, en su mayoría jóvenes, que muestran una mayor tendencia a romper con sus parejas por mensaje o a través de redes sociales en lugar de hacerlo en persona o por teléfono. Según una encuesta realizada en 2014 entre casi tres mil jóvenes de entre dieciocho y treinta años que hubieran terminado una relación el año anterior, el 56 % dijeron que habían roto a través de algún medio digital, siendo los mensajes el método más popular (25 %), seguido de cerca por las redes sociales (20 %) y por último el correo electrónico (11 %). Según explicaron, utilizaban esos medios porque les permitían «explicar mejor sus razones».

Por el contrario, solo el 18 % de los encuestados habían roto en persona, y apenas un 15 % había puesto fin a su relación con una llamada.[102] Un sobrecogedor 0,0014 % había roto con su pareja contratando un dirigible en el que ponía: «Tammy, creo que deberíamos empezar a salir con otras personas.» (Nota: creo recordar que eso solo lo hizo un tal Phil, de Indiana.)

La razón más habitual por la que la gente decidía romper con un mensaje o a través de las redes sociales era porque resultaba «menos in-

---

102 Deni Kirkova, "You're Breaking Up with Me by TEXT?" («¿Me estás dejando con un MENSAJE?»), *Daily Mail*, 5 de marzo de 2014.

cómodo», lo cual tiene su lógica si tenemos en cuenta que los más jóvenes suelen comunicarse para casi todo por medio del teléfono móvil.

Curiosamente, el 73 % de esos jóvenes —los mismos que aseguraban haber roto con alguien por medio de mensajes o redes sociales— dijeron que se enfadarían si alguien rompiera con ellos de esa forma.

Hay que aclarar que el citado estudio no especificaba hasta qué punto eran serias esas relaciones, así que no valoraba cómo la duración o la intensidad de la relación incidían en el método de ruptura elegido. Obviamente, hay una gran diferencia entre romper con alguien después de tres semanas que después de tres años. De hecho, la antropóloga Ilana Gershon ha descubierto que muchos jóvenes que mantienen una relación no demasiado seria preferirían que rompieran con ellos usando estos métodos menos tradicionales.[103]

En el foro pedimos a los usuarios que nos dieran su opinión sobre estas nuevas formas de ruptura. Muchos de los que respondieron admitieron haber roto con sus parejas por mensaje o utilizando medios digitales para evitar problemas y conflictos. Una mujer explicó: «No tuve que verle la cara ni oír su voz, así que pude ser totalmente sincera con él. Era un buen chico, pero yo quería pasar página.»

Lo interesante de este caso —pero también lo inquietante— es que esta chica nos está diciendo que el hecho de escribirle un mensaje le permitía ser más sincera porque no quería verse obligada a edulcorar las razones por las que estaba poniendo fin a la relación. Es posible que los mensajes nos permitan dejarnos de sandeces en plan «No es por ti, es por mí» y ser más sinceros.

Aunque, en realidad, casi todas las historias que nos contaron nos dejaron la impresión de que la gente utilizaba los servicios de mensajería para evitar confrontaciones, y no para ser más sinceros. Entre esas historias había muchas en las que la gente rompía así relaciones que habían llegado a ser bastante serias. Algunos usuarios nos contaron historias como esta:

---

103 Ilana Gershon, *The Breakup 2.0: Disconnecting over New Media (Ruptura 2.0: desconectar utilizando los medios digitales)*, Ithaca, Cornell University Press, 2011.

Era un día normal. Se suponía que iba a quedar para almorzar con el chico con el que llevaba saliendo dos años. Fui en coche a su casa y no estaba. Lo llamé un montón de veces y no me respondió. Me fui a casa. Me metí en Facebook y vi que tenía un mensaje. Era suyo, y me decía: «Oye, he estado pensando en lo nuestro y en si de verdad quiero estar contigo :/». Y eso fue todo.

Lo que más me sorprendió, porque no me lo podía creer, fue cómo decidió poner fin a nuestra relación, teniendo en cuenta que el día anterior nos habíamos visto, y que supuestamente también íbamos a quedar ese día. Después de eso le llamé para aclarar la situación, pero solo sirvió para empeorar las cosas. Como es lógico, no he vuelto a hablar con él desde entonces.

Esta historia me dejó de piedra. Después de dos años, el tipo finiquita la relación con un «:/», ni siquiera con un emoticono en condiciones. Leímos muchas historias parecidas, plagadas de rupturas pasivo-agresivas que al final conseguían que la situación fuera mucho más desagradable y dolorosa que si se lo hubieran dicho a la cara.

Poner fin a una relación cambiando el estado en el perfil de una red social sin decírselo a su pareja es otro método que utiliza la gente hoy en día. Una mujer nos contó: «En la universidad, mi novio rompió conmigo cambiando su estado de Facebook a soltero. Volvimos a salir seis años después, y entonces rompió conmigo con un mensaje. Supongo que debería dejar de salir con él.» Y en caso de que vuelvas a salir con él, si un día te dice que tiene que hacer una parada rápida en una tienda de alquiler de dirigibles, quizá deberías prepararte para que el cielo te dé malas noticias.

Esta otra historia es impresionante por la seriedad de la relación que precedió al mensaje de ruptura:

En junio de 2012, cuando tenía cuarenta y tres años, mi novio rompió conmigo por medio de un mensaje de texto, ¡después de llevar ocho años juntos! Se puede decir que yo crie a su hija, me comprometí al máximo con él y con todos los aspectos de su vida. Me sentí muy dolida y humillada, porque pensé que lo mínimo era que rompiera conmigo en persona, o al menos por teléfono.

Aunque por lo visto la herida no fue demasiado profunda, porque mirad lo que ocurrió después:

Después de diez meses sin tener contacto, su tío falleció (y) le llamé (y) le dejé un mensaje con mis condolencias. Al final hablamos a raíz de eso (y) pasado un tiempo volvimos a salir. Aún sigo muy enamorada de él (y) le he perdonado por lo ocurrido. ¡Y creedme que le eché una buena bronca por lo del mensaje! :-)

Sin ánimo de ofender, hagamos un breve paréntesis para dar gracias por no ser ninguna de las personas que forman esa relación.

Cuando comenté este asunto con gente de mi generación, se quedaron estupefactos al enterarse de que tanta gente rompe de esa manera. La generación más joven ha adoptado una idea que parecía disparatada y la ha convertido en la norma. Pero ¿de verdad es tan raro? Si estáis de acuerdo con Sherry Turkle, que piensa que el predominio de las comunicaciones que se fundamentan en mensajes está afectando negativamente las conversaciones cara a cara y las habilidades necesarias para tenerlas, este cambio resulta completamente lógico.

LOS EX Y EL MUNDO VIRTUAL

Para los que salen de una relación, sobre todo aquellas personas a las que deja el otro, los medios digitales también son una forma fácil de volver a conectar con amantes del pasado. Escuchamos muchas historias de exparejas que volvían a entrar en contacto por medio de mensajes de Facebook o de Gchat y que acababan engañando a sus nuevas parejas.

Pero aunque ese contacto no acabe en una infidelidad, tener que ver a sus exparejas en las redes sociales es duro para quienes han sido rechazados.

—Hace que resulte más difícil pasar página —nos contó un entrevistado—. Aunque se trate de uno de esos casos rarísimos en los que dejas a alguien y quedéis como amigos, debes poner a prueba tu autocontrol cuando no tienes más que pulsar un botón para descubrir qué tal le va la vida sin ti.

La tentación de seguir acechando a tu ex por Internet es prácticamente universal. Un estudio descubrió que el 88 % de las personas que aún tenían acceso a la página de Facebook de su ex decían seguir de vez en cuando sus actividades, mientras que el 70 % de la gente que no seguía a sus ex en redes sociales admitía haber intentado cotillear su perfil por otros medios, como por ejemplo utilizando la cuenta de un amigo.

Muchos de nuestros entrevistados afirmaban que lo mejor es «dejar de seguirse» en las redes sociales, pero otros opinaban que el hecho de borrar al otro de todas tus cuentas era darle demasiada importancia a algo que en realidad no la tiene. Pese a todo, aunque dejes de seguir a un ex en las redes sociales, es difícil dejarlos atrás. Esto fue lo que nos contó una persona al respecto:

Cuanto más larga haya sido tu relación con ellos, más complicado se vuelve. ¿Puedes bloquearlos en Facebook? Sí, por supuesto. Pero tenéis los mismos amigos o, como mínimo, tienes agregados en Facebook a los amigos del otro. Así que seguirás viéndolo igualmente por medio de las fotos que cuelguen otras personas.

Hay gente que ha encontrado soluciones creativas para el problema de los ex en las redes sociales. Una chica de diecinueve años de Toronto, llamada Cassandra, retocó con Photoshop unas fotos en las que salía con su exnovio para ponerles encima la cara de Beyoncé y las publicó en Tumblr.

—Si imaginarte que esos buenos ratos los pasaste en compañía de Beyoncé no te ayuda a salir adelante, nada lo hará —declaró en la web de noticias BuzzFeed.[104]

He reflexionado un poco acerca de esta estrategia y he llegado a la conclusión de que también podría funcionar con otros famosos.

Señoritas, ¿tienen problemas para olvidar a su hombre? ¿Qué tal si se hacen un fotomontaje en Photoshop con el prota de *The Transporter*, Jason Statham?

Chavales, ¿os entristecen esas fotos del viaje que hicisteis a Hawái con vuestras novias? ¿Y si en lugar de con vuestra ex, estuvierais en Hawái con el tipo más divertido del mundo: Dwayne *la Roca* Johnson?

---

104 Rossalyn Warren, "A Girl Is Getting over Her Ex by Photoshopping Photos of Beyoncé Over His Face" («Una chica supera la ruptura con su ex a base de poner fotos de Beyoncé sobre su cara con Photoshop»), *BuzzFeed*, 29 de julio de 2014.

Chicas, ¿os entra el bajón cuando veis las fotos de esa cenita romántica con vuestro ex, que os dejó por vuestra mejor amiga? ¿Y si en lugar de una cena romántica hubiera sido una estimulante conversación con la jueza del tribunal supremo Sonia Sotomayor?

Y aun cuando ni tu pareja ni tú tengáis la tentación de utilizar las nuevas tecnologías para ser infieles —pues ya hemos comprobado lo mucho que lo facilita—, hay otra tendencia que está empezando a calar en las relaciones modernas: el fisgoneo.

EL FISGONEO

Si las tecnologías digitales facilitan la infidelidad, no hay duda de que también hacen mucho más fácil que te pillen. Cada interacción con alguien en Internet deja un rastro digital a su paso.

Ese rastro digital y el hecho de saber que nuestra pareja tiene un mundo secreto en su teléfono móvil pueden conducir a lo que llamaremos «el fisgoneo».

Un consejo: mientras estés leyendo este apartado, cada vez que aparezca la palabra «fisgoneo» léela para tus adentros con una siniestra voz susurrante. Así la lectura resultará más divertida. Haz una prueba: fisgoneo... ¿Lo ves?

Tanto en nuestros grupos de estudio como en el foro, muchas personas nos contaron que revisar los mensajes, correos electrónicos y redes sociales de sus parejas sin que ellas lo supieran les había permitido descubrir pruebas incriminatorias que en ocasiones les llevaron a poner fin a la relación.

—Rompí con una chica por culpa de un mensaje que vi en su móvil —rememoró una persona—. Estábamos en la cama y ella se levantó para ir al baño. Al cabo de un rato su teléfono vibró. Era un mensaje. En la pantalla de inicio apareció un mensaje de su exnovio que decía algo en plan: «¿Volverás a venir esta noche?».

«Mi ex y yo adoptamos la fea costumbre de revisarnos el móvil el uno al otro y eso condujo a muchas crisis de confianza», escribió un chico en el foro. «La mayoría de las veces no había nada que esconder, pero antes de la última bronca que tuvimos descubrí que me había estado mintiendo cuando me decía que iba a una sesión de estudio de la Biblia, pues en realidad salía con un tipo al que había conocido en una de esas sesiones.»

Y no, no se trataba de su nuevo mejor amigo, Jesucristo.

Así que ya sabéis, lectores: si vuestra pareja os dice que ha acudido a una sesión de estudio de la Biblia, lo más probable es que se esté dando un revolcón con alguien.

Incluso en los casos en los que alguien fisga y no encuentra indicios de infidelidad, el simple hecho de revisar el móvil de su pareja puede acarrear problemas. Cuando indagas para asegurarte de que tu pareja te es fiel, es posible que sin darte cuenta estés rompiendo su confianza.

Durante nuestras entrevistas, la gente que era objeto de este fisgoneo tenía diferentes opiniones al respecto. A algunos les daba igual porque no tenían nada que ocultar. Muchos tenían la teoría de que si dejas abiertas tus cuentas en redes sociales, no tiene nada de malo que te las fisguen. Pero otros opinaban que fisgonear el teléfono móvil de tu pareja supone una violación de su confianza o revela un problema de celos subyacente. Algunos decían incluso que era motivo suficiente para poner fin a una relación.

Sin embargo, una cosa que me llamó la atención fue que, tanto si tu pareja te está engañando como si no, estas sospechas y el consiguiente fisgoneo pueden conducir a una paranoia tremenda que termina volviéndote loco.

Fisgoneo... (¿Todavía sigues poniendo la voz susurrante? ¡Solo era por asegurarme!)

Un chico en un grupo de estudio grande que hicimos en Nueva York nos contó que descubrió que su novia le engañaba cuando se dejó abierta su cuenta de Gmail. Vio que había una conversación entre su antiguo novio y ella y, como ya sospechaba algo, no pudo evitar leerla. De los asistentes, aproximadamente unas ciento cincuenta personas, la mayoría asintieron cuando les pregunté: «Entonces, si alguien se olvida de cerrar su cuenta, ¿es lícito leer sus mensajes?».

El caso es que la chica le estaba engañando, pero accedió a dejar de verse con el antiguo novio. Pasaron el mal trago, pero aquello condujo a una peligrosa espiral descendente en la que el chico se dedicaba a revisar sus correos electrónicos, Gchats y mensajes de texto. La chica cambiaba las contraseñas, pero él se dedicaba a crackearlas. A veces encontraba algo sospechoso, como conversaciones eliminadas, y otras veces no. Finalmente, descubrió la prueba (un correo electrónico) de que la relación con el exnovio no se había acabado como le había prometido. Entonces rompieron.

Lo interesante del asunto es que, aunque el fisgoneo le ayudó a descubrir la infidelidad de su novia, después de eso el chico decidió no volver a husmear en los móviles en sucesivas relaciones. Tenía la impresión de que el fisgoneo no provoca más que recelos y paranoias que pueden romper la confianza necesaria para mantener una relación.

Coincidí con esa idea después de escuchar todas las historias que nos contaron durante las entrevistas. Muchos de los entrevistados nos dijeron que el simple hecho de mirar de pasada el móvil o las redes sociales de sus parejas podía provocar el impulso incontrolable de fisgar y seguir leyendo. Basta con ver de reojo un mensaje o un correo electrónico remitido por un desconocido del sexo opuesto —o por la estrella de la NBA Scottie Pippen— para levantar sospechas. La gente reconoce que por lo general la mayoría de las veces no hay nada de qué preocuparse. Pero aun así, a veces es difícil no seguir tirando del hilo.

En la mayoría de las relaciones, las barreras de nuestros mundos virtuales privados se rompen sin que nos demos cuenta. A medida que evoluciona una relación, la pareja acaba por compartir sus contraseñas por razones prácticas.

—Oye, cariño, ¿cuál es la contraseña de tu portátil? ¡Quiero escuchar esa canción tan chula de Pitbull en Spotify!

—Mi contraseña es «Pitbull» —responde ella.

—¡Anda, qué casualidad!

Enseguida te encuentras escuchando *Planet Pit*, el famoso disco de Pitbull. Entonces llega un mensaje de Gchat de un tipo llamado Armando.Perez@gmail.com. Y tú piensas: «Anda, la leche. Armando Pérez... ¡Ese es el verdadero nombre de Pitbull! ¿Por qué le mandará un mensaje a mi novia?».

¿Estará teniendo tu novia una aventura con Pitbull? ¿Leerás el mensaje de Gchat para asegurarte? ¿Dejarás de confiar durante un rato en tu pareja para apaciguar tus temores? Es un dilema al que nunca creíste que te tocaría enfrentarte, pero ahora no te queda más remedio.

El fisgoneo, o echar un vistazo por accidente a los mensajes privados de tu pareja, no es la única forma de caer en la espiral de la locura. A veces basta con leer los mensajes que publica, a la vista de todos, en una red social.

Una participante en uno de nuestros grupos de estudio nos contó que empezó a sospechar cuando vio que otra chica escribía continuamente en el muro de Facebook de su novio.

—La chica esa no hacía más que poner cosas en su muro —dijo—. Me quedé en plan: «¿Es que no te das cuenta de que tiene novia?».

Se puso nerviosa y decidió revisar los mensajes de su novio, y confirmó que la estaba engañando.

Varios hombres y mujeres nos contaron también que sus parejas se enfadaban si a alguien del sexo opuesto «le gustaban» muchas de las fotos que publicaban en Instagram, o incluso cuando colgaban cierto tipo de fotos.

Un chico al que entrevistamos nos contó que su novia se ponía muy celosa si veía fotos en Instagram en las que estuviera en compañía de otras chicas, o si sus fotos les gustaban a otras usuarias, o si le dejaban demasiados comentarios.

—En una ocasión cometí el error de poner un «me gusta» en una foto de una amiga mía en bikini. Se lió la de San Quintín —dijo.

Estos problemas no son necesariamente nuevos. ¿Acaso que una novia se enfade porque te guste una foto en Instagram de una chica guapa en bikini es diferente de la novia que se enfada porque te quedas mirando a una chica guapa en la playa?

Todas las broncas y malentendidos cotidianos que siempre han estado presentes en nuestras relaciones se reinventan de una forma peculiar en el mundo digital.

Otro chico, Sean, nos contó que empezó a sospechar de una posible infidelidad cuando vio algo en el móvil de su novia en un momento de mucho estrés.

Mi novia tuvo un accidente esquiando. La acompañé en la ambulancia y ella me dio su móvil para llamar a sus padres.

Después de llamar, me di cuenta de que se había descargado SnapChat. Yo no tenía ni idea de lo que era. Lo único que había oído era que se trataba de una aplicación pensada específicamente para enviar fotos de gente desnuda.

Así que la abrí y vi que había unos ocho Snapchats de un tipo cuyo nombre no me sonaba.

Me enfadé. Pero no dije nada. Le habían puesto una faja lumbar, así que no me pareció el mejor momento.

Unos meses más tarde, organizamos una fiesta y conocí al tipo en cuestión. Resultó que era gay, así que me quedé mucho más tranquilo.

A mí me pasó algo parecido cuando mi novia se enfadó conmigo por mi actividad en Instagram. Me disponía a tomar un vuelo a Nueva Zelanda para asistir a la boda de un primo. Antes de embarcar, la llamé. Me saltó el buzón de voz, así que le escribí un mensaje que decía: «¡Hola! Voy a despegar pronto. Solo quería hablar antes de que salga el vuelo. Dame un toque cuando puedas.» Y ella respondió: «Te llamé hace cuatro horas.»

Sospeché que estaba enfadada, más que nada porque incluyó el emoticono del tipo hindú con el de una pistola al lado de la cabeza.

La volví a llamar y al final me respondió. Le expliqué que había estado ocupado haciendo la maleta y preparándome para el viaje, y que pensé que podríamos hablar con calma cuando llegara al aeropuerto. Y ella me replicó:

—Ah, ¿que estabas ocupado haciendo la maleta? Pues he visto en el Instagram de un amigo tuyo una foto en la que sales en la piscina haciendo fotos con una Polaroid, así que me parece que si tuviste tiempo de juguetear con una cámara, también podrías haberme llamado o escrito un mensaje.

En ese momento me limité a decirle que lo sentía y que no volvería a ocurrir.

Una semana más tarde, sin embargo, fue el Día de San Valentín. Tiré la casa por la ventana. Era nuestro primer San Valentín juntos. Le envié sus flores favoritas al trabajo, junto con un Fuzzball (un muñeco de peluche del programa que hizo Michael Jackson para Disney, *Captain EO*, para recordarle nuestro viaje a Disney World) y unos bombones que eran iguales que unos que le encantaron en una escapadita que habíamos hecho a México.

Al venir a verme a casa después de trabajar le dije que cerrara los ojos y la llevé a una habitación donde había puesto uno de sus discos favoritos de Stevie Wonder. Cuando abrió los ojos, vio que había servido dos copas de su vino preferido. Entonces llegó el momento de darnos los regalos.

Empecé yo.

Le dije:

—Oye, ¿recuerdas que hace una semana te enfadaste porque no te devolví la llamada antes de mi viaje, y que te cabreaste porque estuve trasteando con la cámara Polaroid? Bueno, lo hice porque te he comprado esta cámara Polaroid retro y quería asegurarme de que funcionaba antes de dártela, así que... aquí tienes tu regalo.

Mi novia se sintió FATAL.

Fue el mejor regalo de San Valentín que me han hecho en la vida.

¿HASTA QUÉ PUNTO ESTÁ EXTENDIDA LA INFIDELIDAD?

La sospecha de estar siendo engañado no es un temor siempre infundado. Según un sondeo representativo nacional, en Estados Unidos entre el 20 y el 40 % de los hombres casados heterosexuales, y el 25 % de las mujeres casadas heterosexuales tienen al menos una aventura extramatrimonial a lo largo de su vida, y entre el 2 y el 4 % de todos los casados admitieron ante los investigadores haber tenido una aventura el año anterior.

En parejas no casadas pero «comprometidas» hay un índice de infidelidades del 70 %. Además, el 60 % de los hombres y el 53 % de las mujeres confiesan haber practicado la «caza furtiva de cónyuges»[105] (intentar seducir a una persona que tiene una relación estable). Esto no debe confundirse con la caza furtiva del rinoceronte, que consiste en intentar seducir a un rinoceronte para participar en un encuentro romántico interracial. Tampoco hay que confundirlo con escalfar huevos,[106] que consiste en intentar seducir a un delicioso huevo para metérselo en la barriga sin cocinarlo demasiado.

Pensemos en el «mejor supuesto posible» en cuestión de infidelidad. Tu pareja desde hace diez o más años ha tenido un lío de una noche con una persona a la que no volverá a ver, se arrepiente de ello, no ha significado nada y no volverá a hacerlo nunca.

Según una encuesta nacional de Match.com, el 80 % de los hombres y el 76 % de las mujeres preferirían que su pareja «confesara su

---

105 Irene Tsapelas, Helen Fisher y Arthur Aron, "Infidelity: When, Where, Why" («Infidelidad: cuándo, dónde, por qué») en: William R. Cupach y Brian H. Spitzberg, *The Dark Side of Close Relationships II (El lado oscuro de las relaciones íntimas* II), Nueva York, Routledge, 2010, pp. 175–96.

106 El autor hace un juego de palabras intraducible, partiendo de la expresión «mate poaching», la «caza furtiva de cónyuges». «Poach», además de caza furtiva, también significa escalfar, de ahí los chistes relacionados con los rinocerontes y los huevos. (*N. del T.*)

error... y sufriera las consecuencias», en lugar de «llevarse el secreto a la tumba».

Pregunté a muchos de los participantes en nuestros grupos de estudio cómo se sentirían si su pareja tuviera un lío de una noche. Su malestar pareció no deberse tanto al hecho de que su pareja se liara con alguien —desde un punto de vista práctico, no cambiaría demasiado la relación—, sino por saber que su pareja les ha sido infiel.

—En teoría, no me lo tomaría demasiado mal —dijo Melissa, de veintiséis años—. Pero ¿tener la certeza de que ha ocurrido? No sé si eso podría soportarlo.

Tal y como vimos todos en la famosa película *Una proposición indecente*, solo porque Woody Harrelson piense que será capaz de soportar la situación no significa que lo consiga cuando se haga realidad.

Otras personas no estaban dispuestas a aceptar esa hipotética situación. Para muchos, sería motivo suficiente para poner fin a la relación de inmediato. Una mujer a la que entrevistamos recordó una noche en la que contó a unos amigos, una pareja que acababa de tener un bebé, una relación extramatrimonial que había tenido.

La mujer se dio la vuelta hacia su marido y le dijo:

—Si alguna vez me engañas, me divorcio y me llevo al niño.

Entonces se levantó y se fue a la cama. Y el marido exclamó:

—Por mí perfecto. *¡Sayonara, baby!*

De acuerdo, esto último no lo dijo, pero está claro que hay gente que no tolera en absoluto la infidelidad y que hay matrimonios que ya no consiguen remontar el vuelo después de que uno de los cónyuges salga hecho una fiera de una habitación gritando «*¡Sayonara, baby!*».

FRANCIA:
MONOGAMIA Y AMANTES

En Estados Unidos se tiene la idea optimista de que la mayoría de la gente le será fiel a su pareja, pero los datos demuestran que

un gran número de personas no lo es. Como hemos visto, cuando se trata de sexo y relaciones de pareja, lo que creemos sobre el papel no siempre concuerda con lo que hacemos en la práctica.

Cuando la columnista de *The New York Times* Pamela Druckerman hizo una serie de entrevistas para *Lust in Translation*, su libro sobre la infidelidad en todo el mundo, los estadounidenses que han sido infieles parecieron intentar quitarse parte de la responsabilidad.

—Muchas de las personas a las que entrevisté empezaban diciéndome: «Yo no soy la clase de persona que tendría una aventura» —explicó Druckerman—. Y yo siempre pensaba: «Pues eres precisamente la clase de persona que tendría una aventura, porque no existe una única clase.»

Según un estudio reciente sobre la percepción de las aventuras extramatrimoniales en cuarenta países distintos, el 84 % de los estadounidenses afirma que la infidelidad resulta «inaceptable desde el punto de vista moral».[107] Otro sondeo, realizado por Gallup, descubrió que la infidelidad está peor vista en general que la poligamia, el suicidio y la clonación de animales.[108]

Así que si hubiera dos tipos en un bar, uno que engaña a su mujer y otro acompañado de un cerdo clonado llamado Bootsie, sería el infiel, y no el cerdito Bootsie, el que se llevaría las peores miradas.

Si comparamos este nivel de disconformidad con los datos sobre la incidencia real de la infidelidad, las cosas no cuadran. ¿De verdad creemos que todas esas personas que tienen una aventura son unos monstruos inmorales? Serían demasiados monstruos, ¿no? Da la impresión de que a menudo aceptamos a regañadientes la infidelidad en nuestras propias vidas a la vez que seguimos condenando la práctica en general.

Aunque no todas las culturas condenan la infidelidad de una forma tan drástica.

---

107 Richard Wike, "French More Accepting of Infidelity Than People in Other Countries" («Los franceses toleran más la infidelidad que la gente de otros países»), Pew Research Center, 14 de enero de 2014.

108 Frank Newport e Igor Himelfarb, "In U.S., Record-High Say Gay, Lesbian Relations Morally OK" («En EE. UU., la mayoría afirma que las relaciones entre gais y lesbianas son moralmente aceptables»), *Gallup.com,* 20 de marzo de 2013.

El país que demuestra con diferencia ser más tolerante con las aventuras extramatrimoniales —y no creo que nadie se sorprenda— es Francia, donde solo el 47 % de los encuestados la consideraba como algo inaceptable desde el punto de vista moral. Lo cual es bueno, porque Francia es el país con los índices más altos de infidelidad: el 55 % de los hombres y el 32 % de las mujeres, según las estadísticas más recientes.[109]

% DE GENTE QUE CONDENA MORALMENTE LA INFIDELIDAD

94	94	93	93	93
Territorios Palestinos	Turquía	Indonesia	Jordania	Egipto
92	92	90	90	90
Pakistán	Líbano	Malasia	Túnez	Filipinas
89	86	84	84	84
El Salvador	Ghana	EE.UU.	Brasil	Bolivia
81	80	80	79	79
Corea del Sur	Uganda	Kenia	Australia	Grecia
77	76	76	76	74
Nigeria	Reino Unido	Canadá	Venezuela	China
73	73	72	71	69
México	Israel	Argentina	Polonia	Rusia
69	68	67	66	65
Japón	Senegal	Chile	Rep. Checa	Sudáfrica
64	64	60	47	
España	Italia	Alemania	Francia	

109 Henry Samuel, "French Study Shows a Majority of Men and a Third of Women Cheat" («Un estudio francés demuestra que la mayoría de los hombres y un tercio de las mujeres son infieles»), *Telegraph*, 21 de enero de 2014.

El segundo país más tolerante es Alemania, donde el 60 % considera que las relaciones extramatrimoniales son inaceptables desde el punto de vista moral. Algunos otros países europeos, entre ellos España e Italia, están también dentro de esa media.

En cambio, los países que están más próximos a Estados Unidos en porcentaje se encuentran sobre todo en África y Latinoamérica, lugares como Ghana, Bolivia y Brasil. Aquellos con los índices de desaprobación más elevado, en torno al 90 %, son principalmente países islámicos de Oriente Medio.

Tras caer en la cuenta de que podría aprovechar para pegarme unas buenas panzadas en París, decidí viajar a Francia para intentar aprender más cosas sobre su cultura amorosa.

Puede que los franceses tengan fama de ser tolerantes con la infidelidad, pero no es lo mismo ver un porcentaje en una encuesta que hablar con gente de carne y hueso sobre sus experiencias respecto a algo tan peliagudo como tener una aventura. Fuimos a Francia no para verificar si la gente es infiel y tiene un punto de vista diferente al nuestro, sino para descubrir hasta qué punto esa manera de concebir la monogamia influye en sus relaciones, en sus familias y en sus vidas. No es que hubiéramos idealizado su forma de hacer las cosas, pero nos preguntábamos si, al menos, la gente que vive en lugares más conservadores podría aprender algo de la postura tolerante de los franceses.

Durante nuestras entrevistas y grupos de estudio, la mayoría de los franceses a los que conocí dijeron que era natural, o incluso inevitable, buscar novedades y emociones en asuntos de sexo. Eso no significa que no se enfaden ante una infidelidad, pero sí que lo hacen de una forma distinta a los estadounidenses. Los franceses no juzgan esa infracción con tanta dureza.

—En Francia puedes ser un buen tipo y aun así tener amantes —nos contó un joven parisino llamado Lukas.

—No creo que se pueda ser fiel toda la vida —dijo Irene, de veintitrés años—. Es imposible pensar que nunca volverás a sentirte atraído por otra persona. Si estuviera casada y tuviéramos hijos, no lo tiraría todo por la borda si mi marido se acostara con otra.

—Se sabe más o menos que todo el mundo ha tenido algún lío, así que cuando se descubre, la gente se muestra más comprensiva —dijo George, un joven de veinticinco años que vivía entre Francia y Austria—. En el subconsciente de los franceses existe la idea de que todo el mundo es infiel, aunque en realidad no es así.

Como mínimo, la mayoría de los franceses da por hecho que sus líderes políticos tienen amantes, y a menudo una segunda familia al completo. Cuando François Mitterrand era presidente, su amante Anne Pingeot y la hija que tenían en común, Mazarine, solían visitarlo en el palacio del Elíseo, pese a que él tenía esposa e hijos. En el funeral del presidente, en 1996, su segunda familia se sentó junto a la familia oficial.

Los políticos no son los únicos que hacen este tipo de cosas. Los participantes en los grupos de estudio nos hablaron de ciertos acuerdos a los que llegan las parejas francesas y que costaría imaginar en Estados Unidos. Una mujer nos contó que su tío solía guardar disimuladamente los huesos de los platos de carne que preparaba su esposa para dárselos al perro de su amante, y que al final su tía, harta de tanta pantomima, se dedicó a empaquetar ella misma los huesos para la querida de su marido.

Cuando entrevistamos al perro, esto fue lo que nos dijo: «Es un poco raro, pero vamos, yo no me quejo. ¡Doble ración de huesos, amigo!».

Otra mujer nos contó que, en su familia, un pariente mayor se iba de vacaciones con su esposa y su amante, las dos juntas. Se alojaban en habitaciones separadas, pero aparte de eso hacían una sorprendente cantidad de cosas todos juntos.

El asunto de los amantes era muy normal. Lo más sorprendente que descubrí fue que, el Día de San Valentín, las floristerías se anunciaban con una frase que decía: «¡No te olvides de tu amante!».

Cuando salí del último grupo de estudio, me crucé en la acera con el perro de antes y me dijo:

No sé. En cierto modo lo entiendo. Sus expectativas sobre la fidelidad son más realistas, pero... ¿y todo ese rollo de los amantes? Da la impresión de que los hombres se están aprovechando de la buena voluntad de las mujeres y que ellas se han resignado a esta degradante situación.

No mola nada... excepto lo de la doble ración de huesos, ¿sabes?

Admiro a los franceses por aceptar sus instintos con tanta sinceridad, pero tiene que haber algún punto intermedio entre unas expectativas monógamas irreales y tener una segunda familia de repuesto.

Por cierto, no tendrás por ahí una bolsa de plástico, ¿verdad? ¿Por? No, por nada...

CAPÍTULO 7

SENTAR LA CABEZA

Nunca he sido la clase de hombre «que se compromete». A los veintitrés tuve mi primera relación estable y me duró tres años. Por aquel entonces estaba viviendo en Nueva York, pero tuve que mudarme a Los Ángeles. Tenía veinticinco años. La chica estaba dispuesta a mudarse conmigo a L.A., pero sentí que no estaba preparado para vivir con otra persona a esa edad, y menos aún si eso suponía hacer que se mudara a la otra punta del país. Al final lo dejamos después de un año de intentar mantener la relación a distancia.

Fue una relación maravillosa, pero también me lo pasé en grande siendo soltero la mayor parte del tiempo entre los veintiséis y los treintaiún años. Ya comentamos hace unas cuantas páginas que tener multitud de opciones a tu disposición puede dificultar que sientes la cabeza con la persona adecuada. Es algo a tener en cuenta, pero también tiene su lado bueno: con tantas opciones, ¡ser soltero puede resultar divertidísimo!

Además, por aquel entonces llevaba un ritmo de vida que no era el más indicado para mantener una relación seria. Alternaba constantemente entre Los Ángeles y Nueva York por asuntos de trabajo, y no tenía muy claro adónde me llevaría mi futura carrera.

Me lo pasé estupendamente teniendo citas esporádicas, pero en cierto momento me cansé del trabajo que costaba mantener una vida activa de soltero. Como a otras personas a las que entrevistamos para el libro, el mundo de los solteros me había dejado exhausto.

Durante una época me comportaba como el romántico empedernido que salía hasta las cuatro de la mañana por temor a que, si me iba a casa, me perdería a esa mujer mágica e increíble que aparecería en el bar a las 03:35 h. Sin embargo, después de tanto trasnochar y de tantas mañanas horribles, comprendí que la mayoría de las mujeres mágicas e increíbles no se presentan en un bar a las 03:35 h, sino que lo normal es que a esas horas estén en la cama. En general, los hombres y mujeres que salen por ahí hasta las tantas no pertenecen al grupo de los «mágicos/increíbles», sino al de los «problemáticos/balas perdidas».

Cuando cumplí treinta años empecé a hartarme de ligar en los bares. Había vivido esa clase de noches en todas sus modalidades. Conocía todos los casos que podrían darse y la probabilidad de que cada uno de ellos se produjera. Cuando llegas a ese punto, te das cuenta de lo improductivo que puede llegar a ser intentar encontrar el amor saltando de bar en bar. Tienes datos suficientes como para saber que, estadísticamente, lo más inteligente que puedes hacer cuando entras en un bar es irte al baño, meneártela y largarte.

También empecé a quedarme sin amigos solteros. Un día me quedé solo durante una barbacoa que organicé en mi casa y no vi más que parejas a mi alrededor. Parecía ser el único soltero del grupo. Todos los demás estaban partiendo en dos sus costillares a la brasa para compartirlos. En cambio, yo tuve que comerme el costillar entero como si fuera una especie de obeso ermitaño. Sentí que había llegado el momento de cambiar. Había llegado el momento de sentar la cabeza.

Decidí que quería mantener una relación, o al menos intentarlo. Había pasado mucho tiempo desde la última. Me puse a pensar en las ventajas. Tendría a alguien que me importaría de verdad y que a su vez se preocuparía por mí. Se acabaron las tonterías de las conversaciones por mensaje. No nos decepcionaríamos el uno al otro. Siempre tendría alguien con quien ver una película, o con quien ir a un restaurante nuevo, o (y este era mi mayor deseo en aquella época) alguien con quien quedarme en casa, cocinar y vaguear.

Era divertido estar soltero, pero había alcanzado lo que podríamos llamar el «punto de agotamiento». Lo había experimentado en mis propias carnes, pero cuando hice las entrevistas para este libro me di cuenta de que era un sentimiento universal.

Llega un momento en que el coste del esfuerzo necesario para mantener una vida de soltero divertida supera a los beneficios que reporta. Esas noches en las que te das un revolcón esporádico maravilloso empiezan a verse superadas por las veces en las que te vuelves solo a casa, borracho, y te despiertas con resaca y un burrito mordisqueado encima del pecho.

La interminable ristra de primeras citas en las que repites las mismas gilipolleces una y otra vez, y en los mismos lugares, empieza a resultar agotadora. Las citas sin compromiso son divertidas, pero entre tanta diversión se cuela muchas veces una sensación de vacío.

Sentar la cabeza ofrece la oportunidad de llenar ese vacío con el amor estable, profundo e íntimo de una relación seria.

Me dispuse entonces a encontrar a la persona adecuada. Cuando salía, intentaba estar atento a cualquier chica que pareciera un buen partido para una relación. Al principio no tuve suerte, hasta que almorcé con un amigo que me hizo ver las cosas de otro modo.

—Quiero sentar la cabeza, pero no logro conocer a nadie que me guste de verdad —le dije.

—¿Y dónde dices que conoces a esas chicas? —me preguntó.

—En bares y discotecas —respondí.

—Así que vas a esos lugares horribles, conoces a gente horrible, ¿y te extraña? Tienes que vivir como una persona normal. Ve al supermercado, compra tu propia comida, cuídate. Si llevas una vida responsable, te toparás con gente responsable —me dijo.

Parecía lógico. Me estaba dedicando a salir por ahí como un lunático y me quejaba porque solo conocía a otros lunáticos. Comprendí que si quería encontrar a alguien con quien asentarme debía cambiar mi forma de buscar. En lugar de ir a bares y discotecas, debía hacer las cosas que querría que le gustaran a una hipotética novia. Fui a más museos, a más eventos gastronómicos, a bares más tranquilos/interesantes a horas más tempranas, y la cosa mejoró.

Me esforcé más para salir con amigas de amigos y empecé a aceptar que me organizaran citas con la esperanza de conocer a gente agradable que hubiera pasado por el filtro de mi círculo social. También decidí que quería llegar a conocer de verdad a las chicas con las que salía. Tal y como apunté en el capítulo 4, en lugar de tener citas con mucha gente distinta, intenté repetir varias veces con las mismas personas.

Unos meses después me encontré con una chica estupenda a la que había conocido unos años antes. Me gustó, pero ella tenía pareja en aquel entonces. Era guapa, divertida, ¡¡¡y era chef!!! Si habéis llevado la cuenta de todas las referencias culinarias que hay en este libro, comprenderéis lo importante que es eso para mí. Empezamos a salir. Al poco tiempo empezamos a quedarnos en casa, a cocinar y a vaguear. Fue formidable.

Al cabo de unas semanas, la cosa empezó a volverse seria y me encontré ante el dilema de si quería sentar la cabeza del todo o no. ¿De verdad quería una novia? ¿De verdad quería abandonar mi vida de soltero?

Estaba convencido de que quería tener una relación, pero cuando esa chica tan asombrosa se cruzó en mi camino aún tenía miedo. La idea de sentar la cabeza me ponía los pelos de punta.

Ya he explicado que vivimos en la era con mayor número de opciones amorosas, y que, cuando te embarcas en una relación, cierras la puerta a todas ellas.

Ser soltero implica mucho trabajo, pero las relaciones también. Mis obligaciones laborales y el gigantesco lastre de la distancia (yo iba a volver a Los Ángeles y ella vivía en Nueva York) eran inconvenientes serios.

Al final, decidí tirarme a la piscina.

Ahora vivimos juntos en L.A., y cocinamos y vagueamos de forma habitual. Ella es maravillosa, y estoy muy contento con mi relación, pero tomar la decisión fue duro. Y es duro para muchos de los solteros que pululan por ahí.

MIEDO A ASENTARSE, MIEDO A ESTANCARSE

Ya hemos visto que tener muchas opciones dificulta la tarea de encontrar a la persona adecuada. El problema existe, pero también tiene su lado positivo: con tantas opciones, ser soltero llega a ser divertido. Hay muchísimas oportunidades de encontrarse con gente con la que conectar y con la que tener experiencias increíbles. Pueden ser esporádicas, serias, ni una cosa ni la otra o lo que te apetezca.

Cuando se presenta la oportunidad de sentar cabeza, el atractivo de la vida de soltero no se nos quita de la cabeza. El temor que muchos de los solteros reconocían en nuestras entrevistas era que, al meterse en una relación seria, no estuvieran asentándose, sino estancándose.

Tal y como están hoy en día las relaciones, mucha gente sufre lo que podríamos llamar «el dilema de la actualización». Los solteros no dejan de preguntarse si habrá una alternativa mejor para ellos ahí fuera.

Este dilema era habitual sobre todo en las ciudades grandes. En lugares como Chicago y Boston, la gente nos contó lo difícil que resulta sentar cabeza, porque cada vez que doblan una esquina se topan con un montón de desconocidos que les atraen y les resultan interesantes.

—Lo que ocurre, tanto en el caso de los hombres como el de las mujeres, es que hay demasiada gente —nos contó una chica—. Siempre piensas que al doblar la siguiente esquina, o en la otra punta de la ciudad, habrá alguien que podría gustarte un poquito más que la persona con la que acabas de cruzarte.

Incluso los que no viven en ciudades como estas pueden toparse con un montón de gente en el mundo digital. En cierto sentido, al comprometernos es como si les estuviéramos cerrando la puerta a todas esas personas que vemos por la calle o en nuestros dispositivos digitales. ¿Alguna vez os habéis puesto a navegar sin rumbo fijo por Instagram? Es como adentrarse en una madriguera de conejos: te metes en los perfiles de tus amigos, en los de los amigos de tus amigos, en los de la gente a la que le han gustado las fotos de tus amigos... Encuentras a un montón de gente atractiva. Revisas sus fotos, comienzas a hacerte una idea de cómo son, y luego te preguntas: «Oye, ¿y si esta persona y yo conectáramos?».

En un mundo en el que te pasas el día sentado en pijama deslizando el pulgar sobre un puñado de rostros de ensueño, el dilema de las opciones sale a relucir, haciendo que la idea de sentar la cabeza resulte demasiado restrictiva. Sí, tienes a alguien estupendo a tu lado, pero ¿estás seguro de que es la mejor opción posible?

Incluso a aquellos que superan este obstáculo y deciden comprometerse aún les aguardan más retos.

EL AMOR PASIONAL Y EL AMOR CÓMPLICE

La sabiduría popular nos dice que en toda relación hay dos fases. Está la fase inicial, en la que te enamoras y todo te parece mágico y nuevo. Pero al cabo de un tiempo, quizá de unos pocos años, las cosas se vuelven menos interesantes y más rutinarias. El amor perdura, pero la magia del principio ya no existe. Como decía Woody Allen en *Annie Hall*, «el amor se desvanece».

—¡Eso no ocurre en mi relación! ¡Todo va estupendamente! ¡Llegamos a la cumbre de la montaña, después esa cumbre se convirtió en una meseta y ahora estamos camino de otra cumbre!

De acuerdo, ¿entonces qué haces leyendo este libro sobre relaciones de pareja? ¿Así que tú no cometes los mismos errores que esa gente triste y solitaria cuya vida es una mierda comparada con la tuya? Pues muy bien, ¿entonces por qué no dejas este libro y te vas a darte un revolcón con esa pareja que tanto te quiere, so listillo?

Pero espera, aguarda un segundo... Según las últimas investigaciones científicas, es probable que estés mintiendo. Porque, sí, te estoy hablando de escáneres cerebrales y cosas de esas. ESCÁNERES CEREBRALES.

Los investigadores han descubierto que existen dos clases distintas de amor: el amor pasional y el amor cómplice.

La primera etapa de una relación se caracteriza por el amor pasional. Es cuando tu pareja y tú perdéis la cabeza por el otro. Una sonrisa te provoca mariposas en el estómago. Cada noche es más mágica que la anterior.

Durante esta fase, tu cerebro se muestra muy activo y libera toda clase de neurotransmisores placenteros y estimulantes. Tu cerebro inunda tus sinapsis neuronales con dopamina, el mismo neurotransmisor que se libera cuando te metes cocaína.

—Carol, no puedo describir cómo me haces sentir. Un momento, claro que puedo: haces que mi mente libere neurotransmisores placenteros y que mi cerebro experimente una descarga de dopamina. Si la experiencia de esnifar cocaína hace que te entren ganas de escalar un poste telefónico con las manos desnudas solo para comprobar que eres capaz de hacerlo y eso pudiera compararse con una persona, serías tú.

Pero como pasa con las drogas, la euforia se desvanece. Los científicos estiman que esta fase suele durar entre doce y dieciocho meses. Llegados a cierto punto, el cerebro recupera su equilibrio. Deja de bombear adrenalina y dopamina, y te empiezas a sentir igual que antes de enamorarte. La pasión que sentías al principio comienza a desaparecer. Tu cerebro se pone en plan: «Que sí, que está bien, que la tipa esa es estupenda y bla, bla, bla. Deja de incordiar.»

¿Qué ocurre entonces? En el caso de las relaciones asentadas, a medida que se desvanece el amor pasional emerge una segunda clase de amor que lo sustituye: el amor cómplice.

El amor cómplice difiere del pasional desde el punto de vista neurológico. El amor pasional siempre alcanza pronto su cénit y después se desvanece; sin embargo, el amor cómplice es menos intenso, pero aumenta con el tiempo. Y mientras que el amor pasional activa los centros de placer del cerebro, el amor cómplice se asocia con las regiones cerebrales que se ocupan de los vínculos y las relaciones a largo plazo. La antropóloga Helen Fisher, autora de *Anatomía del amor* y una de las académicas más conocidas en el estudio del sexo y la atracción, formó parte de un equipo de investigación que recopiló escáneres cerebrales de personas —que en aquel entonces eran de mediana edad y llevaban casadas una media de veintiún años— que contemplaban una fotografía de sus cónyuges, y los compararon con los escáneres cerebrales de personas más jóvenes al mirar a sus nuevas parejas. Lo que descubrieron, escribió Fisher, fue lo siguiente: «En el caso de los cónyuges mayores, las regiones del cerebro asociadas con la ansiedad ya no estaban activas; en vez de eso, la actividad se centraba en las áreas asociadas con la tranquilidad.»[110] Desde el punto de vista neurológico, es similar a la clase de amor que sientes por un viejo amigo o por un familiar.

Entonces, ¿el amor pasa de ser como meterse cocaína a lo que siento por mi tío? Bueno, no quiero que os llevéis una mala impresión del amor cómplice. Sigue siendo amor, lo que pasa que menos intenso y más estable. Y sigue conteniendo pasión, solo que está equilibrada con la confianza, la estabilidad y la comprensión de los defectos del otro. El amor pasional es la cocaína del amor, el amor cómplice es como tomar una copa de vino o fumarse unas caladas de una hierba suave. Así parece un poco mejor que lo de mi tío, ¿eh? Todos preferimos beber alcohol y fumar hierba antes que a nuestros parientes, ¿no? Pues eso.

Por otro lado, es lógico que el amor pasional no dure mucho. Si todos nos pasáramos la vida entera embargados por el amor pasional, la civilización se acabaría. Nos quedaríamos metidos en casa mirando a nuestras parejas con cara de bobos mientras las calles se llenan de animales enormes y niños vagabundos que rebuscan en la basura.

La transición del amor pasional al amor cómplice puede resultar peliaguda. En su libro *La hipótesis de la felicidad*, Jonathan Haidt, psicólogo social de la Universidad de Nueva York, identifica dos momentos peligrosos en toda relación amorosa.

---

110 Helen Fisher, "How to Make Romance Last" («Cómo hacer que una historia de amor perdure»), *O, the Oprah Magazine*, diciembre de 2009.

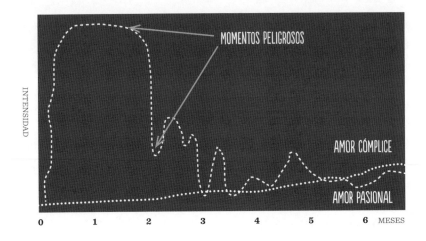

Uno de ellos es la cúspide de la fase del amor pasional. Todos lo hemos sentido en nuestras propias carnes. La gente se emociona y se mete de lleno en una relación: se echa novio o novia, se tiran juntos unas semanas o unos meses, van ciegos de amor pasional y entonces pierden la cabeza, se van a vivir juntos y se casan antes de lo debido.

Es como decidir lo que vas a hacer con tu vida de ahora en adelante mientras estás puesto de coca.

—¡Ya lo tengo! Voy a fundir unos viejos reproductores de VHS y hacer un molde con el plástico derretido para crear figuritas de acción. ¡Entonces las venderé, y con los beneficios financiaré mi propia línea de ropa! La llamaré «pijamas reversibles». ¡Piénsalo! Por un lado es ropa de calle normal, pero por la noche le das la vuelta y... ¡BOOM, ES UN PIJAMA! Oye, ¿me está sangrando la nariz?

A veces las parejas pasan sin problemas de la fase pasional a la del amor cómplice. Otras veces, sin embargo, esa transición desemboca en una relación tóxica y absurda, y tras divorciarse se preguntan cómo diantres se les ocurrió meterse en ese lío.

—Mierda, la parte del pijama se ensucia que no veas. Igual es porque hay que ponérsela toda la noche antes de darle la vuelta para utilizar el lado de calle por la mañana. Oh, mierda, ¡¿qué estoy haciendo?! ¡Soy idiota! ¡Idiota! Mierda. No debí acceder ilegalmente a la cuenta bancaria de mis padres y sacar todos los ahorros para su jubilación. Creo que voy a necesitar mucha más coca para salir de este embrollo...

El segundo momento peligroso es cuando el amor pasional empieza a desvanecerse. Cuando comienza a disiparse la euforia inicial y empiezas a preguntarte si de verdad tu pareja, con la que estabas obsesionado hace apenas unas semanas, es la persona adecuada. Antes, cada detalle que descubrías de tu amante te parecía una sorpresa maravillosa, como volver a casa y encontrarse un bombón de chocolate sobre la almohada. Pero ahora estás en plan: «De acuerdo, que sí, ¡¡ya sé que te encanta confeccionar uniformes de la Guerra Civil con una tremenda precisión histórica!!».

Antes tus mensajes eran muy tiernos:

> Me cuesta concentrarme en el trabajo, porque no puedo hacer más que pensar en ti.

Ahora tus mensajes tienen más bien esta pinta:

> Oye, quedamos en el Carrefour.

O:

> El perro que te empeñaste en comprar ha vuelto a cagarse en mi zapato.

Entonces llegas a la conclusión de que algo no marcha bien con esa persona o con la relación, pues ya no resulta tan excitante como antes. Así que rompéis sin dar al amor cómplice la oportunidad de florecer.

Haidt dice que, cuando llegas a esta etapa, debes tener paciencia. Con suerte, si apuestas por la otra persona, ganarás un valioso compañero de por vida.

A mí mismo me pasó lo que dice Haidt, de una forma un tanto curiosa. Unos meses después de que empezara a salir con mi novia acudí a la boda de un amigo en Big Sur. Fui solo, porque mi amigo, muy considerado él, no me dejó llevar acompañante. Así que me tocó ejercer de carabina y meterme constantemente entre las cabezas de los demás para decir cosas como: «Ey, chicos, ¿de qué estáis hablando?». Qué buen plan, ¿eh?

El caso es que los votos que pronunciaron en aquella boda me marcaron. Los novios se dijeron las cosas más bonitas y entrañables que os podáis imaginar. Cosas como: «Eres el prisma que absorbe la luz de la vida y la convierte en un arcoíris» o «Eres el bálsamo que cura mi corazón. Sin ti, mi alma tendría un eccema.» Bueno, digamos que fue una versión menos cursi y más sentida de cosas como esas.

Después de esa boda, cuatro parejas distintas rompieron, al parecer porque creían que el amor que los unía no era comparable al expresado en esos votos.

¿Tiraron la toalla demasiado pronto, en un momento peligroso? No lo sé, la verdad, pero yo también me asusté al oír esas cosas. ¿Tendría yo lo mismo que tenía esa gente? En ese momento, no. Pero por alguna razón, sentí en el fondo de mi ser que debía seguir apostando por mi relación, y que al final, llegado el caso, ese grado de amor aparecería por sí solo. Y con el tiempo, así ha sido.

¿HACE FALTA CASARSE?

En las relaciones hay compromisos y COMPROMISOS, de esos que implican una licencia, normalmente alguna clase de bendición religiosa, y una ceremonia en la que todos tus parientes y amigos cercanos miran cómo tu pareja y tú os prometéis seguir juntos hasta que la muerte os separe.

¿Y qué les pasa a las personas una vez que dejan atrás las fases iniciales del amor y pasan por sus momentos peligrosos?

Esta gráfica, que hemos tomado prestada de Jonathan Haidt, mide la intensidad del amor durante un matrimonio.

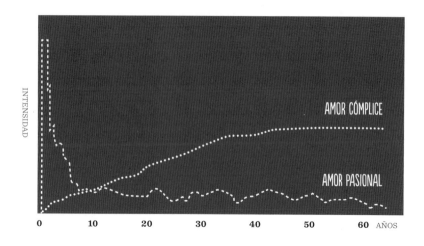

INTENSIDAD

AMOR CÓMPLICE

AMOR PASIONAL

0   10   20   30   40   50   60 AÑOS

Al principio, cuando te acabas de casar, recibes una nueva inyección de amor pasional. Ese repunte dura unos dos años. Después la pasión se desvanece y pasas por varios altibajos. Compruebas lo que supone vivir juntos y formar una familia. Cuando los niños vuelan por fin del nido —alrededor del vigésimoquinto año en la segunda gráfica—, hay una nueva subida de la intensidad amorosa. Podéis disfrutar del amor e incluso revivir parte de la pasión que os unió en un primer momento. Y luego, poco después de eso, te mueres.

Haidt no entra en detalles sobre los picos y las zonas valle del gráfico, pero me he atrevido a suponer qué es lo que baja.

Cada vez que veo en una boda a una preciosa pareja intercambiando sus votos bajo un árbol o una montaña, un arcoíris o lo que sea, empiezo a pensar en esta gráfica.

La cruda realidad es que da igual lo mucho que os améis, lo hermosa que sea la ceremonia, lo tiernos y poéticos que sean los votos. En cuanto se acabe la boda, vuestro amor se irá haciendo menos pasional y vuestras vidas se volverán más complejas, en el sentido menos divertido del término.

La parte romántica de la relación ha tocado techo.

Después del intercambio de anillos, el cura debería decir:

—Hala, a pasarlo bien, tortolitos. A causa de nuestra propensión cerebral al conformismo hedonista, no estaréis tan acaramelados como ahora dentro de unos años, pero en fin… ¿Dónde decíais que estaban los aperitivos? Yo ya he cumplido.

Entonces, ¿qué sentido tiene casarse?

En las últimas décadas, en la mayoría de los países desarrollados, las tasas de nupcialidad han descendido de forma vertiginosa, haciendo que algunos se pregunten si se trata de una institución que agoniza. Philip Cohen, uno de los principales demógrafos de la familia, ha documentado este notable y generalizado descenso en la tasa global de nupcialidad desde la década de los setenta. Según sus cálculos, el 89 % de la población mundial vive en un país donde las tasas de nupcialidad están en retroceso, y los que viven en Europa y en Japón están pasando por algo que podría describirse más bien como una caída en picado.[111]

TASA DE NUPCIALIDAD APROXIMADA EN EUROPA

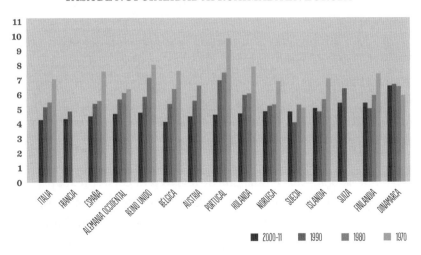

En Estados Unidos, la tasa de nupcialidad se encuentra actualmente en mínimos históricos. En 1970, por ejemplo, había en torno a setenta y cuatro matrimonios por cada mil mujeres solteras. En 2012, esa cifra

111 Philip N. Cohen, "Marriage Is Declining Globally: Can You Say That?" («¿Sabía usted que el matrimonio está en decadencia en todas partes?»), *Family Inequality* (blog), 12 de junio 2013.

ha descendido a treinta y un matrimonios por cada mil mujeres solteras. Una caída de casi el 60 %. Los estadounidenses también se están sumando a la tendencia internacional de retrasar la edad para contraer matrimonio. En 1960, el 68 % de la gente de entre veinte y treinta años estaba casada, en comparación con el 26 % de 2008.[112]

Por primera vez en la historia, el estadounidense medio pasa más años soltero que casado.

¿Y qué hace la gente en lugar de casarse?

Tal y como escribió Eric en su libro *Going Solo*, estamos viviendo una época en la que se están probando multitud de formas nuevas de asentarse. El contubernio a largo plazo está en auge, sobre todo en Europa. La tendencia a vivir solo ha aumentado de forma notable en casi todas partes, y en muchas capitales —desde París a Tokio, pasando por Washington y Berlín— casi la mitad de los hogares tienen un solo residente.

Aunque no por ello se desprecia la institución del matrimonio. Después de todo, varias ramas de la investigación social muestran que los matrimonios prósperos pueden hacer que la gente viva más, y sea más feliz y sana que la gente soltera. (Claro está, hay muchos matrimonios que acaban mal, y las personas que se divorcian o se quedan viudas tal vez no obtengan todos esos beneficios.)

Los matrimonios que van bien aportan, además, una mayor seguridad financiera, y hoy en día una de las cosas que más preocupan a los psicólogos es que la gente acomodada se casa más —y con mejores resultados— que los pobres, lo que aumenta la desigualdad. En Estados Unidos, el sociólogo Andrew Cherlin escribió: «El matrimonio se ha convertido en un símbolo de estatus, en un indicador a tener muy en cuenta a la hora de determinar el éxito vital de un individuo.»[113]

---

112 Christina Sterbenz, "Marriage Rates Are Near Their Lowest Levels in History— Here's Why" («Descubra por qué las tasas de nupcialidad han alcanzado sus mínimos históricos»), *Business Insider*, 7 de mayo de 2014.

113 Andrew J. Cherlin, "In the Season of Marriage, a Question: Why Bother?" («En temporada de matrimonios, una pregunta: ¿para qué molestarse?»), *New York Times*, 27 de abril de 2013.

Cuando vi esta gráfica (p. 250), me quedé pensativo. ¿No sería más lógico renunciar al matrimonio y, en su lugar, dedicarse a mantener relaciones de uno a dos años de duración con un alto nivel de pasión? ¿No sería eso mejor que enfrentarse a los quebraderos de cabeza provocados por decenios en lo que hemos estado esperando llegar a la cúspide del amor cómplice?

En caso de hacer eso, la gráfica resultante tendría un aspecto como este, ¿no?

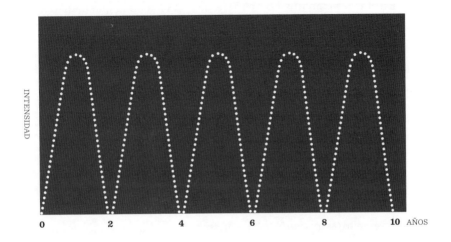

Contacté con Jonathan Haidt, el psicólogo que confeccionó las gráficas del amor pasional y el cómplice, y le pregunté qué le parecía esa hipotética gráfica. Esta fue su respuesta:

> Hay dos formas de entender la plenitud: una es la visión hedonista del amor pasional/cómplice, que dice que la vida es mejor cuanta más pasión alberga. La otra es una visión narrativa, según la cual la vida consiste en construir una historia.
>
> Si eres de los que piensan que la vida resulta mejor cuanta más pasión tiene, entonces sí, esa estrategia sería mucho más aconsejable que casarse. Enamorarse es la experiencia más

intensa y maravillosa que existe. O la segunda más intensa, después de ciertas drogas, si bien sus efectos apenas duran unas horas. Pero aparte de eso, enamorarse es lo más maravilloso que existe.

En mi caso, enamorarme de mi mujer no me supuso ningún trabajo. Después tuvimos hijos, los criamos, y eso ocupó casi todo nuestro tiempo. Resultaría raro ser una pareja metida en una pasión romántica cuando estás criando a tus hijos. Y ahora que ha pasado toda esa locura, puedo volver a escribir libros, que me encanta. Y tengo una compañera de por vida en la que pienso a todas horas. Y eso no es malo ni decepcionante. Tengo una compañera de por vida. Nos entendemos muy bien. Hemos construido una fabulosa vida en común. Los dos somos muy, muy felices.

Si adoptas una visión narrativa, te marcas diversos objetivos en las diferentes etapas de la vida. Las citas y los encuentros fogosos están muy bien cuando eres más joven, pero algunos de los mayores gozos de la vida proceden de la crianza de los hijos y de lo que se conoce como «generatividad». A la gente le cuesta mucho construir cosas, hacer cosas, dejar cosas atrás. Y por supuesto, tener hijos implica hacer todo eso. En mi caso concreto, tener hijos me supuso descubrir que había rincones en mi corazón que no sabía que existían. Y si me hubiera entregado a una vida de escarceos sexuales continuos, jamás habría abierto esas puertas.

Si eres de los que piensan que el sentido de la vida es quedarse todo el día mirando a tu amante a los ojos hasta el día en que te mueras... pues no me gustaría estar en tu pellejo.

¿Esto último ha sido una cita de James Van Der Beek en *Juego de campeones*? Curiosa elección. Al margen de eso, el análisis de Haidt me parece muy lógico. El amor pasional es una droga que te hace sentir estupendamente. Querer repetir esa sensación una y otra vez puede sonar bien en teoría, pero en la práctica resulta un poco absurdo. El éxtasis también te hace sentir estupendamente, pero si os dijera que mi plan de vida es ganar dinero suficiente para meterme éxtasis a todas horas durante veinte años, pensaríais que estoy mal de la cabeza.

Además, es bonito imaginar que esa gráfica está compuesta por picos continuos con apenas unas bajadas ocasionales, pero como sabe todo aquel que se ha pasado mucho tiempo soltero, lo más probable es que la gráfica tuviera muchos más altibajos:

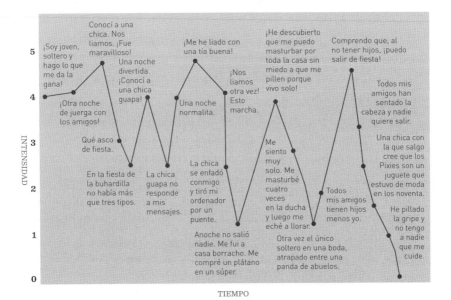

MONOGAMIA Y PSEUDOMONOGAMIA

Comprometerse en una relación tiene muchas cosas formidables. Es un vínculo cargado de amor, confianza y estabilidad. Es algo hermoso. Pero ¿qué pasa con la excitación y la sensación de novedad que provoca un encuentro romántico totalmente inesperado? Pues que eso se acabó, amigo.

En el caso de muchos de nuestros entrevistados, esto genera un conflicto que no es fácil resolver. Con independencia del grado de compromiso con su pareja, la gente se muestra indecisa entre los beneficios de una relación monógama estable y la excitación propia de la vida de soltero.

Hay personas, incluidos muchos eminentes psicólogos evolucionistas y antropólogos biológicos, que afirman que los hombres y las mujeres ni siquiera están programados para ser monógamos.

Hablé largo y tendido de este asunto con la antropóloga y bióloga Helen Fisher. Ella sostiene que nuestros ancestros de los tiempos de las cavernas, al verse obligados a transmitir su material genético, tenían muchas parejas sexuales al mismo tiempo, y tras miles de años de promiscuidad, el cerebro humano sigue programado para aparearse con múltiples individuos.

En realidad, las actuales normas referidas a la fidelidad y la exclusividad sexual son relativamente modernas. De acuerdo con la historiadora del matrimonio Stephanie Coontz, en el siglo XVIII los hombres estadounidenses eran bastante abiertos respecto a sus correrías extramatrimoniales. Encontró cartas en las que los maridos les contaban a sus cuñados cómo eran sus amantes, o les explicaban que habían contraído enfermedades de transmisión sexual por alternar con prostitutas. No he conseguido encontrar ninguna de esas cartas, pero me las imagino como algo parecido a esto:

> *Mi queridísimo Charles:*
>
> *Espero que cuando recibas esta carta estés sano como un roble. Confío en que así sea, pues si la memoria no me falla, siempre has destacado por ser de constitución recia y vigorosa.*
>
> *¿Qué opinión te merece eso que han venido a llamar «revolución»? Me temo que, ganemos o perdamos, seguiremos padeciendo sus efectos durante las décadas venideras.*
>
> *Cambiando de asunto, además de a tu hermana, me estoy follando a Tina, una mujer a la que conocí en la*

taberna la semana pasada. Ah, y una prostituta a la que conocí en Boston me contagió la sífilis.

Recibe un afectuoso saludo de tu cuñado:

Henry

Los hombres, explica Coontz, creían tener el derecho natural a estas correrías sexuales, y las mujeres solían aceptarlo como un factor inherente a su relación. «Durante miles de años, que los hombres tuvieran líos y aventuras se daba por hecho», contó Coontz a *The New York Times*. «Eso hoy en día sería impensable.»[114]

¿Y cómo se produjo ese cambio?

Estuve hablando con Dan Savage, periodista y columnista de temas sexuales que ha escrito mucho acerca del eterno conflicto entre la fidelidad y las correrías sexuales paralelas a una relación estable. Savage sostiene que el movimiento por los derechos de la mujer durante el siglo xx cambió de forma radical nuestra manera de afrontar esta cuestión. Las mujeres, explica Savage, refutaron con toda la razón del mundo la presunción de que los hombres podían tontear por ahí mientras que ellas debían quedarse en casa esperando. Pero el cambio decisivo se produjo cuando, en lugar de extender a las mujeres esa libertad de la que siempre habían disfrutado los hombres, la sociedad adoptó la postura contraria.

Los hombres podrían haber dicho: «Está bien, echemos los dos una canita al aire.» Pero en lugar de eso, sintieron celos ante la idea de que sus mujeres se dedicaran a coquetear por ahí, así que dijeron: «¿Cómo? No, ¡no quiero que te líes con otros hombres! Así que los dos nos quedaremos en casita tranquilos.» Fue en ese punto, según Savage, cuando las expectativas monógamas se asentaron entre hombres y mujeres, pese a que se trata de algo que ninguno de los dos sexos está programado para cumplir.

---

114 Mark Oppenheimer, "Marriage, with Infidelities" («Matrimonio, con infidelidades»), *The New York Times*, 30 de junio de 2011.

—Nuestra cultura dicta que, si quieres tirarte a otra persona, primero tienes que poner fin a tu actual relación, porque si no estás haciendo algo malo —dijo Savage—. A mí eso me parece una tontería. Existe una fidelidad más elevada. Un bien superior. Una relación implica algo más que no volver a rozar con el pene a una persona distinta.

Yo mismo me puse a prueba con un experimento mental. Pongamos que mi novia se ha ido a Miami para asistir a una despedida de soltera y que allí se cruza con el actor y estrella del R&B Tyrese Gibson (el de la saga *Fast and the Furious, Baby Boy…*). Entonces, por alguna razón, conectan y ella se acaba liando con Tyrese. Es un lío de una sola noche. Mi novia no se ha enamorado de Tyrese. No pretendía emparejarse con él. No estaba intentando que la invitara a cenar a GibsiHana, el restaurante personalizado que Tyrese ha construido en el patio trasero de su casa imitando un restaurante japonés de cadena Benihana.[115]

Si se diera esa situación creo que no me sentaría mal… siempre que no me enterase.

Le planteé a mi novia la misma situación hipotética, pero con los papeles invertidos: sería yo quien se liaría con otra. Mi novia no pensaba igual que yo. Según ella, no había ninguna razón para desviarnos de nuestra monogamia, y pensaba que hacerlo supondría violar la confianza que hay en nuestra relación. Dijo que si me emborrachase y ocurriera algo así, se mostraría comprensiva, pero se trataría de algo tan gordo que querría saberlo. Sin embargo, también dijo que había una gran diferencia entre que yo me emborrachara un montón y cometiera un error, y que buscara intencionadamente tener un lío al margen de nuestra relación.

Por otra parte, sospecho que habría sido mejor haber mantenido esa conversación en la intimidad de nuestra casa y no en un bar, donde la gente se me quedó mirando con evidente curiosidad al comprender por qué estaba debatiendo con mi novia la hipotética posibilidad de que me pusiera los cuernos con Tyrese Gibson.

---

115 ¡Es cierto! Venga, buscadlo en Google.

Savage opina que a casi todo el mundo le tienta la infidelidad, y sencillamente hay ciertas personas que no pueden resistirse a ella. Y en vez de sucumbir a esos impulsos que todos tenemos, engañar a nuestra pareja, que nos pillen y destruir la relación, Savage piensa que sería mejor reconocer que tenemos esos deseos y decidir cómo lidiar con ellos... en pareja.

—Si tienes hijos en común, una historia en común, propiedades en común, si has unido a dos familias diferentes, eso pesa más que si te han hecho una felación durante un viaje de trabajo —dijo.

Savage no se opone a la monogamia. Reconoce que tiene sus ventajas para aquellos que son capaces de mantenerla como parte de una relación próspera. El problema, según él, es que ahora hay mucha gente que se compromete a cosas que, siendo realistas, no serán capaces de cumplir.

La idea de intentar mantener una relación estable y de satisfacer al mismo tiempo nuestros impulsos de novedad sexual ha conducido con el paso de los años a experimentos como las llamadas «relaciones abiertas». Las parejas han intentado de todo, desde probar con matrimonios abiertos hasta ser *swingers*,[116] pasando por la política del «ojos que no ven».

¿Cuánta gente habrá llevado a cabo experimentos de este tipo? Los datos más recientes de los que disponemos muestran que el 26 % de los estadounidenses y el 18 % de las estadounidenses a los que entrevistaron afirmaron mantener «una relación sexual abierta». Es sorprendente que los jóvenes de entre veintiuno y treinta años son los menos propensos a probar esta clase de acuerdos, solo un 19 %, mientras que estos experimentos son más habituales entre los cuarentones: un 26 %. ¿Y la gente más mayor? El 22 % ha probado a tener una relación sexual abierta. ¡Ahí es nada!

---

116 Literalmente, «promiscuo», «libertino». Es un término que también se utiliza en castellano para referirse a las personas que hacen intercambio de parejas (*N. del T.*).

¿Relaciones abiertas? ¿Es eso de acostarse con otros? Sí, a veces lo hacemos.[117]

Savage acuñó el término «pseudomonogamia» para describir la relación abierta que mantiene con su pareja. El quid de la cuestión radica en un fuerte compromiso común por parte de ambos, pero dejando la puerta abierta a escarceos sexuales paralelos.

La «pseudomonogamia» no es un concepto idéntico para todo el mundo. Cada pareja establece sus propios acuerdos de antemano para decidir qué clase de actividad sexual paralela a la relación se permite. Hay personas que exigen una honestidad total por parte de su pareja, mientras que otros prefieren seguir la política del «ojos que no ven, corazón que no siente». Los hay que restringen el grado de proximidad que debe tener la otra persona: que sea como mínimo un amigo de un amigo, o un amigo de un amigo de un amigo, o un desconocido que ninguno de los dos

---

117 **NOTA:** Para cubrirme las espaldas, de nuevo me toca deciros que esta es una pareja que posó para una fotografía de archivo, y no tengo la menor idea de si están juntos o de si efectivamente tienen una relación abierta y «se acuestan con otra gente». No es gente real. Bueno, sí, son reales. No son, qué sé yo, clones ni nada parecido. Pero bueno, ya sabéis lo que quiero decir. En realidad he de deciros que son cíborgs.

NOTA 2: Me acaba de decir mi abogado que, para no tener ningún problema legal, debo dejar por escrito que en realidad no se trata de cíborgs. Simplemente son dos personas que posaron para una foto de archivo. Lamento cualquier posible confusión al respecto.

volverá a ver, alguien que vive en otro estado, o quizá que solo pueda ser la rectora de la Universidad Estatal de Michigan, June Pierce Youatt (bueno, de acuerdo, esto último no es muy habitual).

En nuestras entrevistas y en nuestro foro conocimos a varias parejas que habían llegado a acuerdos similares al que me explicó Savage. Algunas de ellas hablaban con mucho entusiasmo de su experiencia. Una mujer escribió esto en el foro:

> Llevo ya diez años manteniendo relaciones abiertas, y llevo ocho con mi marido. Decidí embarcarme en una relación así cuando me di cuenta de que todos los novios que había tenido me habían engañado, y yo a ellos. Llegué a la conclusión de que quizá necesitaba variedad, y que me sentía atraída por hombres más aventureros desde el punto de vista sexual.
>
> Mantener una relación abierta es un alivio: no más mentiras, no más rupturas horribles, no más sentimiento de culpa. Mi marido y yo seguimos unas reglas, como que él solo puede verse con alguien una vez a la semana, y si a mí no me gusta la chica que elige, puedo hacer que deje de verla.
>
> Lo mejor de todo es que podemos ser fieles a nuestros sentimientos sin miedo a ser juzgados. Se acabó esconder la atracción o la tensión sexual. Estamos locamente enamorados y tenemos una hija en común. Sé que no es apto para todo el mundo, pero a nosotros nos funciona.

Otras parejas se servían de esta clase de acuerdos para facilitar las relaciones a distancia. Una mujer que llevaba unos meses saliendo con un músico me habló del acuerdo al que habían llegado para las veces en que él estuviera de gira. Ella era consciente de que su novio se pasaba varios meses seguidos en la carretera, así que le dejaba manga ancha durante las giras... hasta cierto punto. Crearon unas reglas que él tenía que seguir.

—Nada de coito, solo felaciones. De ahí no paso —nos contó.

Tampoco quería que su novio mantuviera contacto con las chicas con las que tuviera esos escarceos.

—No quiero estar en la cama y enterarme de que se está escribiendo con una chica de Cincinnati —nos explicó—. Y cuando él está fuera, yo tengo los mismos privilegios.

También conocimos a una mujer de Brooklyn que había empezado a salir con un chico que le había dejado claro que quería liarse de vez en cuando con otras personas. Llegaron a un acuerdo por el que ambos podían tener relaciones sexuales con otros, pero solo bajo las siguientes condiciones: la persona tenía que estar fuera de su círculo de amistades (ser como mínimo el amigo de un amigo), no contarían nada al respecto, y si salían para liarse con otra persona, debían preparar una buena excusa para que no se supiera que estaban echando una canita al aire. Era un acuerdo del estilo «ojos que no ven, corazón que no siente», y les funcionaba.

En el caso de ella, sin embargo, mantener una relación abierta no era la opción ideal. Cuando le preguntamos por qué su pareja y ella lo hacían, nos explicó que no se debía a que quisiera tener una mayor variedad sexual en su vida. Era más bien un mecanismo de defensa, para no correr el riesgo de que la relación se acabara por el interés de su novio por acostarse con otra gente.

—Tengo la sensación de que me engañaría de todos modos —dijo—, así que al menos de esta manera puedo tener cierto control.

Conocimos a otras personas que habían mantenido relaciones abiertas en las que los dos miembros de la pareja no se sentían igual de entusiasmados con el acuerdo. Un chico nos contó en el foro que había accedido a mantener una relación abierta con una mujer para que no le dejara. Pero, tal y como nos explicó, aquello no sirvió más que para provocarse mucho daño durante mucho tiempo:

> Estaba tan enamorado que pensé que mantener con ella una relación abierta era mejor que no tener nada. Pero como a mí no me gustaba nadie más, todo se redujo a que yo me limitaba a estar solo con ella, mientras que ella se veía con otros tipos hasta que encontró a alguien que le gustaba más que yo. Fue una situación rara. Yo la llamaba para decirle cosas como: «Oye, ¿te apetece ir al cine y

luego salir a cenar?», y ella me respondía: «Uy, qué corte. Es que esta noche he quedado con Schmitty Yagermanjensen.» O eso, o no respondía a mis llamadas, lo cual era incluso peor, porque entonces tenía que imaginarme lo que estaba haciendo... Ser el segundo plato de alguien no mola nada, y así fue como me sentí yo.

Otra mujer nos contó que embarcarse en una relación abierta fue la peor decisión que tomó en su vida.

—Cuando las cosas se torcieron, fui yo la que se llevó la peor parte. Bajo la apariencia del «cómo nos queremos todos y qué bien nos llevamos», se acostó con una tercera mujer con la que yo aún no me sentía cómoda, y prácticamente me mandó a la mierda. Ya no nos hablamos —dijo.

A veces ambas partes están en igualdad de condiciones a la hora de llegar a un acuerdo de este tipo... al menos en teoría. En la práctica, sin embargo, no tardan en descubrir que acostarse con otra gente puede ser algo complicado.

Conocimos a Raina, una mujer que había intentado poner en marcha un acuerdo de este tipo con su nuevo marido. Se mudaron a Hong Kong después de casarse y acordaron permitir escarceos sexuales fuera de la pareja siguiendo la política del «ojos que no ven». Los dos estaban entusiasmados con la idea, pero en cierto momento, Raina descubrió que las cosas habían llegado más lejos de lo que esperaba:

Pensé que estaba siendo realista. Así que tuve una conversación con él en la que le dije: «No voy a divorciarme si tienes algún que otro desliz, pero tienes que ser tan discreto como un agente de la CIA. No quiero saberlo. No quiero ni sospecharlo. Tienes que llegar a ese punto, que resulte invisible.

Pero pusimos otra norma: si alguna vez yo quería saberlo, tendría que contarme la verdad.

Así que, durante un viaje que hicimos a Kioto por mi cumpleaños, se lo pregunté.

Él me respondió: «No sé si debería decirte esto el día de tu cumpleaños.»

Y yo pensé: «De acuerdo, eso significa que ha hecho algo.»

Y le dije: «Bueno, ¿y por qué no me dices solamente con cuánta gente ha sido?».

Y él me respondió: «Déjame pensarlo.»

Tuvo que calcularlo.

Y al final me dijo una cifra.

Antes de nada, quiero que sepáis que en ese momento llevábamos trece meses casados.

Veintiséis.

Veintiséis personas.

Yo me esperaba una, quizá dos.

¡No me esperaba veintiséis!

En fin, qué puedo decir... ¡feliz cumpleaños, Raina!

La relación se acabó poco después.

Le dije a Savage que mi temor ante la idea de intentar mantener una relación abierta con alguien era que pudiera provocar un peligroso efecto dominó. Aunque no llegáramos al extremo de la relación de Raina, me parecía bastante probable que las cosas se nos acabaran yendo de las manos. Todas las parejas que conozco que han probado esos experimentos han acabado rompiendo.

Savage no estuvo de acuerdo conmigo.

—Cuando una relación no monógama fracasa, todo el mundo le echa la culpa a la poligamia; cuando una relación exclusiva fracasa, nadie le echa la culpa a la exclusividad —replicó.

Savage también explicó que las relaciones no monógamas que funcionan están construidas sobre unos cimientos fuertes.

—Basándome en mis muchos años de estudio y en mi experiencia personal, las relaciones que tienen éxito con la «pseudomonogamia», o que al menos muestran cierto entendimiento mutuo en ese sentido, no se salen de la monogamia durante años —me contó Savage. También me dijo que los dos integrantes de la pareja deben desear de verdad una relación abierta, que ninguna de las dos partes debe hacerlo a regañadientes. Si las ganas proceden solo de uno de ellos, es imposible que funcione.

Esta modalidad parece básicamente haber sido concebida para lidiar con el hecho de que el amor pasional tiene fecha de caducidad, y a partir del concepto de que la base de una relación estable no es una atracción ni una intensidad infinitas, sino un vínculo emocional profundo, obtenido a base de esfuerzo y que se intensifica con el tiempo. En otras palabras: el amor cómplice.

El argumento de Savage sobre la necesidad de ser más fieles a nuestros deseos resulta convincente. Pero para la mayoría de la gente, al menos en Estados Unidos, mantener una actividad sexual paralela a la relación principal es algo difícil de concebir. Cuando sacaba el asunto en alguna conversación desenfadada o en nuestros grupos de estudio, imperaba el escepticismo. Algunas personas temían incluso que el simple hecho de planteárselo a sus parejas pudiera provocar problemas en la relación.

—Si le propusiera algo así a mi esposa —dijo un chico—, nada volvería a ser igual. Si ella no estuviera dispuesta, yo no podría dar marcha atrás y decir: «Oye, no, que estaba bromeando, a mí no se me pasa por la cabeza tener relaciones sexuales con otra gente. Es algo que no me atrae en absoluto.» En vez de eso, quedaría plantada la semilla de la duda y me metería en un lío tremendo. Sería una fuente de problemas que nunca desaparecerían del todo.

Otros comprendían, en el plano teórico, el razonamiento que expone la gente que decide mantener una relación abierta, pero dudaban que pudieran llevarlo a la práctica.

—En mi caso no me sentiría a gusto en una relación así —nos contó una mujer—. Me gustaría hacerlo, pero estoy segura de que no sería capaz de soportarlo.

Muchas de las mujeres a las que entrevistamos nos dijeron que si sus novios les propusieran mantener una relación abierta, les entrarían dudas sobre la seriedad con que se tomaban la relación.

—Si llegáramos a ese punto, ¿para qué molestarse en comprometerse con alguien? —preguntó una mujer, que no parecía ver con buenos ojos la idea de la pseudomonogamia—. Si no quieres comprometerte, ve a meneártela a otra parte. (Para que quede claro, se estaba dirigiendo a una hipotética pareja. No me estaba diciendo que abandonara la entrevista para ir a masturbarme.)

Los expertos, incluso aquellos que coinciden con Savage en el plano teórico, también dudan de que esta clase de acuerdos resulten viables en la práctica.

—Por supuesto, soy consciente de lo tentador que puede resultar que intentemos llegar a un acuerdo mutuo, abierto y equitativo —dijo Coontz, la historiadora del matrimonio—. Pero dudo que pueda salir bien.

Barry Schwartz, experto en cuestiones relacionadas con la toma de decisiones, también mostró su preocupación por la idea de intentar explorar otras opciones paralelas.

—Cuando tenía tu edad, los matrimonios abiertos se pusieron de moda —me contó—. Todos esos progres tan influyentes estaban convencidos de que podían mantener una relación sentimental con sus parejas y acostarse con otras personas al mismo tiempo. Habían superado la absurda moralidad de sus padres. Sin embargo, todos y cada uno de ellos acabaron divorciándose en el plazo de un año. Así que, al menos en aquel entonces, el experimento fue un fracaso. La monogamia no pudo sobrevivir a la promiscuidad.

Quizá la persona que mejor sabe poner todo este asunto en perspectiva sea el rapero Pitbull. Posiblemente sea el descubrimiento más importante que he hecho durante toda la investigación que he realizado para este libro y para la vida en general: encontré una entrevista en la que Pitbull comentaba que mantenía una relación abierta con su novia. Pitbull es de los que

siguen al pie de la letra el dicho: «Ojos que no ven, corazón que no siente».[118]

—La gente está obsesionada con lo que es normal y lo que no, con lo que está bien y lo que está mal —dijo Pitbull—. Puede que lo que a ti te parece bien, a mí me parezca mal... Al final lo único que cuenta es que la gente sea feliz.[119]

Ojalá supierais lo mucho que me emociona acabar este capítulo con un pensamiento tan profundo y revelador como este que nos ha ofrecido Pitbull.

---

118 En castellano en el original (*N. del T.*).

119 Mimi Valdés, "Do Open Relationships Work?" («¿Funcionan las relaciones abiertas?»), *Men's Fitness*, octubre de 2007.

CONCLUSIÓN

Cuando empecé este libro tenía un montón de preguntas candentes sobre el amor en la era digital. Las experiencias que todos hemos vivido en alguna ocasión me confundían, enfadaban y frustraban a menudo. Encontrar el amor (o incluso algo esporádico) en un entorno en el que predominan las ristras interminables de mensajes y obstáculos como el «mutismo» de Tanya en 2012 puede resultar agobiante.

Incluso después de lograr establecer una relación sana y estupenda con una pareja a la que amo, persistieron las incógnitas. Empecé a darle vueltas a la idea de sentar la cabeza. ¿Debía cerrar todas esas puertas tan interesantes que conforman el mundo de los solteros? Y si las cosas empiezan a volverse más rutinarias y menos emocionantes, ¿conseguirá el *sexting* mejorar en algo nuestra vida amorosa? Si sospecho que mi pareja está jugando a dos bandas, ¿hasta qué punto es ético fisgar en su cuenta de Facebook o en sus mensajes para averiguarlo? Y si el amor pasional termina por desvanecerse, ¿debería conformarme con mantener una relación monógama a largo plazo a pesar de todo?

Escribí este libro porque quería comprender mejor todas las incógnitas que conlleva el amor en la era digital. Así que, después de formar equipo con un eminente sociólogo, de entrevistar a cientos de personas, de consultar a los mayores expertos del mundo en amor y relaciones de pareja, de realizar trabajos de campo en cinco países, y tras leer una montaña de libros, estudios, noticias y artículos académicos, ¿qué he aprendido?

Muchas cosas, la verdad.

Esto es lo que he sacado en claro de esta experiencia:

Hoy en día, encontrar pareja suele ser más complicado y agobiante de lo que fue para generaciones anteriores, pero también tenemos más probabilidades de acabar con alguien que nos guste de verdad.

Nuestra búsqueda de la persona adecuada —e incluso nuestro concepto de «persona adecuada»— ha cambiado de forma radical en un periodo muy breve de tiempo.

Si yo hubiera nacido un par de generaciones antes, me habría casado bastante joven. Lo más probable es que hubiera sido con alguna chica que viviera en el mismo barrio de mi ciudad natal, Bennettsville, en Carolina del Sur, aproximadamente a los veintitrés años. Ella habría sido incluso más joven, lo que significa que habría pasado directamente de los brazos de su padre a los míos, sin tiempo para desarrollar ni perseguir sus propios intereses.

Pongamos que su familia es propietaria de la franquicia local de Hardee's.[120]

Conocería a sus padres al poco tiempo y tendrían que valorar si yo era un chico decente, con un trabajo decente, y que no tuviera pinta de asesino en serie. Después seríamos novios durante un breve periodo de tiempo y finalmente nos casaríamos.

Yo regentaría el Hardee's, y es posible que se me diera bastante bien. Puede que incluso llegara a mis oídos el rumor de que un tipo está haciendo contrabando de panecillos a través de la frontera con Georgia. El fraude funcionaría así: tras robar los panecillos en nuestra tienda, el tipo y su compinche se dedicarían a venderlos a precio de coste en el mercado negro de los panecillos. Sus continuos viajes a Georgia me harían sospechar, y un día decidiría esconderme en el maletero de su Ford F-150, bajo una montaña de panecillos, y al llegar a su destino

---

120 Para los que no lo sepan, Hardee's es una cadena de comida rápida especializada en panecillos rellenos. Preparan más cosas, pero yo recuerdo ir allí sobre todo por sus panecillos. Especialmente por el panecillo relleno de pollo.

aparecería de repente y gritaría: «¡DEVOLVEDME MIS PANECI-
LLOS, MALANDRINES!».

La familia de mi esposa se sentiría orgullosa.

Si todo saliera bien, mi esposa y yo envejeceríamos juntos y dis-
frutaríamos de una relación próspera. Aunque también es posible que,
al hacernos mayores, cambiáramos y nos diéramos cuenta de que lo
nuestro no funciona. Puede que mi esposa se hartara de su papel de
ama de casa y que tuviera sueños y aspiraciones que no estaban al alcance de las mujeres de aquella época. Puede que yo me convirtiera
en un gruñón insatisfecho que acabaría sus días al lado de Alfredo en
una residencia de ancianos, planeando nuevos métodos para sacarles
donuts a las visitas.

Pero no vivo en esa época. Cuando cumplí los veintitrés, la idea de
casarme ni se me pasaba por la cabeza. En lugar de eso, viví la «madurez
emergente» y crecí como persona. Conocí a gente de todas las partes
del mundo en esa etapa de mi vida. No me vi limitado a la gente de mi
barrio en Bennettsville. Así que, conforme me hacía mayor, fui desarrollando mi carrera, salí con gente en Nueva York y Los Ángeles, y por
último empecé a salir con una preciosa chef de Texas a la que conocí
en Nueva York gracias a los amigos de unos amigos.

Jamás nos habríamos conocido en generaciones anteriores, porque
yo me habría casado con la chica del Hardee's y ella seguramente se habría
quedado en Texas con algún tipo al que habría conocido en su vecindario,
tal vez un magnate de la salsa picante llamado Dusty.[121] Y, ¿quién sabe?
Aunque nos hubiéramos conocido, es posible que no hubiéramos conectado. Cambié mucho de los veintitrés a los treinta y un años.

Estoy bastante seguro de que mi situación actual es bastante mejor
que la que me habría deparado el destino si hubiera nacido unas décadas
antes. Y ya ni te cuento en el caso de las mujeres. Gracias a los avances
sociales, las mujeres trabajadoras de clase media de hoy en día son libres

---

121 En Carolina del Sur fui al colegio con un muchacho que se llamaba Dusty Dutch
(literalmente, «holandés polvoriento»). En serio. ¿No os parece un nombre increíble? No he podido resistirme a comentarlo. Me alegro de que al fin esta anécdota haya salido a la luz.

de desarrollar sus vidas y sus carreras profesionales sin obligación de casarse. Tener un marido e hijos ya no es requisito indispensable para tener una vida adulta plena y gratificante. Que quede claro: no estoy diciendo que ejercer el rol tradicional de ama de casa en lugar de ser una mujer trabajadora esté mal, y sé que las decisiones que deben tomar las mujeres con respecto al trabajo son complicadas. Tampoco estoy diciendo que las mujeres que deciden desarrollar su carrera profesional odien a sus hijos ni nada de eso. ¿Ha quedado claro? NO ME ESTOY METIENDO EN LAS DECISIONES VITALES DE NADIE (salvo que la decisión sea fumar *crack* y tratar a tus hijos como el personaje de Mo'nique trata a Preciosa en la película *Precious*). Lo importante es que jamás en la historia ha habido tantas mujeres como hoy en día que puedan tomar esas decisiones por sí mismas.

Incluso si las mujeres deciden desarrollar una carrera profesional, hay estudios que demuestran que siguen ocupándose de más tareas domésticas que los hombres (poneos las pilas, chicos), aunque están más cerca de alcanzar la igualdad que hace apenas un par de generaciones. Ya no tienen que comprometerse a los veinte años con algún impresentable al que sus padres consideran un buen partido porque tiene un buen trabajo o lo que sea.

El matrimonio «lo suficientemente bueno» ya no es suficientemente bueno para los solteros de hoy. No nos contentamos con casarnos con alguien que da la casualidad de que vive en tu misma calle y se lleva bien con nuestros padres.

Evidentemente, hubo un montón de gente de generaciones previas que conoció a alguien de su barrio y llegó a tener un profundo vínculo afectivo, como un alma gemela. Pero hay muchos otros que no tuvieron esa suerte. Y nuestra generación ya no tiene que correr ese riesgo. Queremos un alma gemela. Y estamos dispuestos a buscar donde haga falta, durante el tiempo que haga falta, para encontrarla.

Un alma gemela no es solo alguien a quien amamos. Como en el caso de nuestros abuelos, es probable que haya un montón de personas ahí fuera con las que podríamos sentar la cabeza y, con el tiempo, llegar a amarlas. Pero queremos algo más que amor. Queremos un copiloto de por vida, que nos complemente y que pueda soportar la verdad, por mezclar metáforas sacadas de tres películas diferentes de Tom Cruise.[122]

Desde el punto de vista histórico, nos encontramos en un momento único. Nadie ha tenido nunca tantas opciones amorosas, ni unas expectativas tan desmesuradas a la hora de elegir. Y es que, entre tantas opciones, ¿cómo podemos estar seguros de haber acertado?

Pues muy sencillo: ¡no puedes estar seguro! Así que no te queda otra que tirar para adelante y tener la esperanza de que a medida que crezcas y madures, acabarás aprendiendo a navegar por este nuevo océano amoroso hasta encontrar a la persona adecuada para ti.

La tecnología ha cambiado no solo la forma de encontrar el amor, sino también los eternos desafíos a los que nos enfrentamos en una relación.

Una de las peculiaridades del amor en la era digital es que cuando empiezas a salir con alguien, vuestras vidas físicas no son las únicas que se mezclan, sino también vuestros mundos virtuales. Las parejas de hoy disponen de un espacio compartido que pueden aprovechar para algo tan íntimo como el *sexting*. A veces este mundo virtual compartido es un epicentro de entusiasmo y novedad, pero otras veces se convierte en una nueva fuente de celos. Y entonces resulta que nos dedicamos a fisgonear en la privacidad de nuestra persona especial en lugar de confiar en ella.

Ese miedo que nos conduce al fisgoneo tiene su lógica porque, nos guste o no, la gente es infiel. No solo eso: la gente mete la pata con sus relaciones a todas horas. A este respecto, Estados Unidos podría aprender algo de Francia. No me gusta demasiado la idea de que una mujer francesa se vea obligada a vivir con su marido cuando él tiene una que-

---

122 Las películas a las que se refiere el autor son, por este orden, *Top Gun*, *Jerry Maguire* y *Algunos hombres buenos* (*N. del T.*).

rida, pero sí me gusta que los franceses sean capaces de reconocer de forma realista que cometer errores es algo inherente a la naturaleza humana, pues así son conscientes de que las personas, por muy buenas que sean sus intenciones y por mucho que amen a sus parejas, a veces se descarrían. Como dice Dan Savage (y, hasta cierto punto, Pitbull), una relación trasciende el mero concepto de la exclusividad sexual.

Trata a tus pretendientes como personas de carne y hueso, no como simples notificaciones en una pantalla.

Gracias a las cibercitas y los *smartphones*, podemos intercambiar mensajes con gente de todo el mundo. Podemos relacionarnos con posibles pretendientes a una escala inconcebible para las generaciones anteriores. Pero ese salto hacia la comunicación digital tiene un importante efecto secundario. Cuando enciendes el móvil y ves un mensaje de un pretendiente, no siempre ves a otra persona: a menudo no ves más que una pequeña notificación con un texto dentro. Y es fácil olvidar que detrás de esa notificación hay una persona de carne y hueso.

Cuanto más interactuamos con la gente a través de Internet, más complicado se vuelve recordar que detrás de cada mensaje de texto, de cada perfil de OkCupid y de cada foto de Tinder hay una persona compleja que vive y respira, igual que tú.

Es muy, muy importante recordar eso.

En primer lugar porque, cuando olvidas que estás hablando con una persona real, puedes empezar a escribirle cosas que nadie en su sano juicio le diría jamás a alguien en la vida real.

Si estuvieras en un bar, ¿se te ocurriría acercarte a un chico o una chica y repetir la palabra «ey» diez veces seguidas sin esperar a que te responda? ¿Se te ocurriría pedirle a una mujer a la que has conocido hace dos minutos que te enseñe una teta? Aunque solo estés buscando un rollete de una noche, ¿de verdad crees que funcionaría? Y si funciona, ¿de verdad quieres liarte con alguien a quien no le importa que le trates así?

Aun así, la gente envía esta clase de mensajes a todas horas. No me queda más remedio que pensar que se debe a la facilidad con la que olvidamos que estamos hablando con otro ser humano y no con una notificación. Y tampoco podemos olvidar que el contenido de tus mensajes puede determinar seriamente la valoración que hagan de ti como persona.

Tenemos dos identidades: la del mundo real y la del mundo virtual, y las tonterías que hace nuestra identidad virtual pueden provocar que nuestro yo del mundo real quede como un idiota. Estas dos identidades van de la mano. Si te portas como un imbécil en el mundo virtual y mandas mensajes absurdos llenos de faltas de ortografía, tu yo del mundo real pagará las consecuencias. La persona que está al otro lado no ve la diferencia entre tus dos identidades. No se para a pensar: «Bueno, seguro que en persona es mucho más agradable e inteligente. Esto no es más que su identidad virtual.»

Si escribes algo inofensivo en plan «Hola, qué tal» a alguien a quien acabas de conocer y con quien te gustaría salir, en principio no tiene nada de malo. Pero cuando te paras a pensar en todas nuestras entrevistas y recuerdas la cantidad de basura que recibe la gente en su móvil, comprendes que los mensajes de este tipo te hacen parecer una persona aburrida y del montón.

No te limites a escribir un mensaje cutre en plan «Hola, qué tal». Intenta decir algo más elaborado o divertido e invita a esa persona a hacer algo distinto e interesante. Dale un toque personal. Menciona algo sobre lo que os hayáis reído, como ese vídeo de un perro pilotando un aerodeslizador (jo, qué suerte tuvisteis de verlo juntos, anda que no me habría gustado estar ahí). Quién sabe, ¡a lo mejor es la persona con la que pasarás el resto de tu vida! Tengo muchos amigos que empezaron a salir con alguien sin querer nada serio hasta que de repente se encendió una chispa y la cosa acabó yendo a más. También me ocurrió a mí.

Hasta el encuentro más informal puede conducir a algo más importante, así que trata a tus pretendientes con el nivel de respeto que se merecen. Incluso aunque la cosa no vaya a más, si escribes tus mensajes de forma respetuosa lo más probable es que la persona que los reciba también se vuelva más receptiva. Todo son ventajas.

Y si quisieras rizar el rizo, una conversación por teléfono a la antigua usanza tampoco estaría de más.

También he aprendido que a todo el mundo le gusta practicar el jueguecito de los mensajes dejando pasar más tiempo que el otro para responder, midiendo la longitud de los mensajes en función de lo que escriba el otro, intentando tener siempre la última palabra y cosas así. Incluso los que afirman que no practican ningún jueguecito, están siguiendo de alguna forma una estrategia.

Todo el mundo odia esos juegos y nadie quiere participar en ellos. En la mayoría de los casos, lo que la gente quiere es ser sincera y decir lo que siente, y claro está, también quieren que los demás sean francos y directos con ellos. Pero ahí está el problema: desgraciadamente, esos jueguecitos funcionan bastante bien. Por mucho que la gente quiera cambiar las cosas, no sé si seremos capaces de superar las predisposiciones e inseguridades más asentadas en nuestra psique.

Pero debemos darnos cuenta de que todos estamos en el mismo barco y debemos capear los mismos temporales. Así que, si no te gusta alguien, en lugar de no hacerle caso intenta ser considerado con él, porque estas situaciones pueden resultar muy frustrantes. Intenta escribirle un mensaje sincero o, al menos, miéntele y dile: «Oye, lo siento, estoy trabajando en mi primer disco de rap, que se va a llamar *El jodido amo del barrio*, así que me voy a encerrar en el estudio y necesito concentrarme, no busco pareja en este momento. Me siento muy halagado, eres una persona estupenda y te deseo lo mejor.»

A la hora de escribir un libro como este, lo más fácil sería decir lo mala que es la tecnología y su impacto sobre las relaciones. Este cambio en la manera de comunicarnos puede ser un engorro, y al oír cómo reniegan los mayores de las nuevas tecnologías es fácil acabar idealizando el pasado. Pero hace poco estuve en una boda en la que comprobé que la era digital también tiene su lado bueno.

Durante el brindis, una dama de honor compartió algunos de los primeros correos electrónicos que la novia le había enviado años atrás,

cuando conoció al novio, que por aquel entonces se mostraba doloro-
samente ajeno a sus insinuaciones. En esos primeros correos electrónicos, la novia estaba triste porque el chico no le correspondía y se preguntaba si debería darse por vencida. Su amiga llegó incluso a decirle
que «pasara de él» porque se estaba convirtiendo en «una pesada».
Pero ella siguió insistiendo, y unos meses más tarde envió un correo
electrónico donde le decía que estaba locamente enamorada.

Escuchar cómo leía esos correos fue una experiencia increíble, y me
sirvió para darme cuenta de que la tecnología digital nos da a todos la
oportunidad de tener un registro inigualable de nuestras relaciones
románticas.

En nuestro primer aniversario, mi novia me regaló un libro muy
gordo que recopilaba todos los mensajes de texto que nos habíamos
mandado durante nuestro primer año de relación. Fue muy divertido
repasar todas las cosas que nos habíamos dicho. Incluso anotó al lado
de algunos mensajes lo que se le pasó por la cabeza en el momento de
enviarlos, así que fue increíble.

Y después de haberle hecho lo mismo a cientos de personas, ahora
me toca a mí. Esta vez echaremos un vistazo a MIS mensajes. Para que
conozcáis el contexto, conseguí el número de mi novia durante una barbacoa en Brooklyn y hablamos para quedar esa semana a comer *ramen.*

> Hola, soy Aziz. Llámame cuando puedas (para lo de
> ese delicioso *ramen* al estilo *tsukemen*)

Enviado el 15 de julio de 2013 a las 14:03 h

> Delicioso *ramen tsukemen* = Restaurante Minca en la Quinta
> Avenida, entre las calles A y B. ¿A qué hora puedes?

Recibido el 15 de julio de 2013 a las 15:14 h

> Si te viene bien podría quedar a cenar esta
> noche antes del monólogo.

Enviado el 15 de julio de 2013 a las 17:13 h

Bien, así que el primer mensaje lo envié yo después de llamarla, y le escribí en lugar de dejar un mensaje de voz. Mi novia no me respondió con una llamada, sino que me escribió. En el libro que me dio, ella deja claro que en ese momento no se dio cuenta de que le había pedido que me llamara. Tras darse cuenta de su error, le preocupó que al haberme mandado un mensaje de texto yo pudiera pensar que estaba muy nerviosa o que me había pasado de la raya.

> Hoy no puedo, salgo a cenar con las chicas de la cafetería. Podría mañana o el miércoles. X cierto, aún no te he visto hacer un monólogo, estoy deseando. X curiosidad: del 1 al 10, ¿cómo de gracioso eres?

Recibido el 15 de julio de 2013 a las 17:20 h

Fijaos en que pasó un día hasta que respondí.

> Hola. Quedamos en el Minca a las 20:15 y luego al Comedy Cellar, que hoy actúo. ¿De acuerdo? De 1 a 10... Mmmm, digamos que soy la galletita *hokey pokey* de los monólogos.

Enviado el 16 de julio de 2013 a las 10:13 h

> ¡Guay! Son las galletas más divertidas que vendemos en la cafetería. Nos vemos en el Minca.

Recibido el 16 de julio de 2013 a las 11:09 h

No respondí a su siguiente mensaje hasta las 10:13 h del día siguiente. Esperé a propósito para no quedar como un desesperado. Y recuerdo perfectamente que le mandé un borrador del mensaje a un amigo y lo reescribí varias veces antes de mandárselo a ella. (Lo de las galletas *hokey pokey* era una referencia a unas galletas artesanales que preparaban en su restaurante, unas que sabía que le encantaban.)

Ahora sé que mi espera le provocó cierta inquietud. Ella me dijo que pensó que me había podido sentar mal la pregunta sobre lo gracioso que me consideraba en la escala del uno al diez. Pero esa misma noche, mientras seguía esperando mi respuesta, se enteró de que yo le había preguntado a una amiga suya si estaba soltera, así que supo que todo iba bien.

Aun así, la espera produjo un efecto. Más tarde me contó que se puso muy contenta cuando respondí a la mañana siguiente.

Es interesante volver a revisar esos primeros mensajes, porque dicen muchas cosas sobre nuestro estado anímico en un momento determinado. Los dos nos comíamos mucho la cabeza con los mensajes que escribíamos, pero no éramos conscientes de que queríamos lo mismo.

A medida que iba progresando nuestra relación (y nuestros mensajes), mi novia me dijo lo mucho que significaba para ella que le enviara mis primeros mensajes amorosos en los que le decía que la echaba de menos o que estaba pensando en ella. Cuando los leí, recordé lo bien que nos lo pasamos en esa época.

Así que, aunque estas nuevas herramientas nos puedan enfadar o agobiar en las primeras etapas de una relación, esa misma tecnología también nos ha proporcionado un lugar nuevo donde almacenar, recordar y compartir el amor que sentimos el uno por el otro, y me alegro de que así sea.

No concibas las cibercitas como citas en sí mismas. Considéralas un preámbulo digital.

Las cibercitas han sido posiblemente el mayor cambio que se ha producido en la búsqueda del alma gemela. Recordad: entre 2005 y 2012, nada menos que un tercio de las parejas que se casaron en Estados Unidos se conocieron por Internet. Cuando se publique este libro, no hay duda de que esa cifra será todavía más elevada y que habrá aparecido alguna web o aplicación nueva que hará que Tinder, o cualquier otro servicio que sea popular en este momento, se quede desfasado.

A muchos de los usuarios de webs de contactos con los que hablamos les iban bien las cosas, pero muchos otros se sentían frustrados y estaban hartos de todo ese mundillo. Sin embargo, la mayor parte de los que estaban hastiados parecían pasar más tiempo delante de una pantalla que delante de una persona en una cita de verdad.

La mejor forma de usar las webs de contactos es a modo de foro donde conocer gente con la que de otro modo nunca llegarías a ponerte en contacto. Es la nueva forma de expandir la búsqueda fuera de tu vecindario.

La clave es salir de la pantalla y conocer a esa gente. No malgastes noches enteras intercambiando mensajes interminables con desconocidos. Contacta con personas a las que tengas alguna oportunidad de gustarles y entonces, después de unos cuantos mensajes —los suficientes como para confirmar que no sean unos indeseables—, invítalas a salir.

Llegados a cierto punto, seguir escribiéndose mensajes por Internet es una pérdida de tiempo. Confía en tu capacidad para valorar a una persona cara a cara.

El atractivo de las cibercitas y su vasto surtido de pretendientes puede provocar que quedarte en casa en pijama saltando de un perfil a otro te parezca una opción mejor que salir a un bar o a un restaurante atestado de gente, pero no nos olvidemos de otra gran fuente de pretendientes en potencia: el mundo real.

¿Os acordáis de Arpan, el tipo que estaba tan quemado con las cibercitas? Contactamos con él un año después del grupo de estudio para comprobar si seguía conociendo chicas por Internet y llevándolas a la bolera (solo para beber, claro).

Nos alegró descubrir que su vida amorosa había cambiado a mejor. Había conocido a alguien especial y llevaba saliendo con ella unos meses, y parecía muy feliz, con mucha más energía que aquella melancólica mañana de domingo que compartió con nosotros.

Arpan conoció a su chica en la vida real, pero aseguraba que sus experiencias con las cibercitas le habían ayudado a conocer gente nueva. Nos explicó que todos esos mensajes sin respuesta le habían quitado el miedo al rechazo y le habían hecho perder la vergüenza a la hora de acercarse a una chica.

Conoció a su novia en un bar tras verla de lejos y reunir fuerzas para ir a presentarse.

—Me acerqué al grupo con el que estaba, saludé a todas sus amigas, y entonces la miré a los ojos y le dije: «Te he visto desde allí y no he podido evitar venir a saludarte».

Resultó alentador descubrir que Arpan le había dado la vuelta a la tortilla desde el día que lo conocimos, y fue fascinante oírle decir que su éxito amoroso en el mundo real se debía a las cosas que había aprendido con las cibercitas.

Con tantas opciones románticas, en lugar de intentar explorarlas todas, asegúrate de dedicarle el tiempo necesario a una persona antes de pasar a la siguiente.

Tenemos muchísimas opciones y se nos da fatal evaluarlas. Si quedamos para una cita y resulta aburrida, enseguida pasamos al siguiente de la lista.

Cambia las tornas a tu favor. Búscate un plan interesante. Aplícate la teoría de la «carrera de camionosaurios» y haz cosas que te ayuden a saber lo que de verdad se siente al estar con esa persona. No os limitéis a miraros el uno al otro ante una mesa mientras tomáis una copa y mantenéis la charla de siempre sobre parientes, ciudades natales y estudios universitarios.

Además, ten fe en la gente. Una persona puede parecer normalita, pero si inviertes tiempo en la relación, quizá sea más interesante de lo que pensabas.

Piensa en ello como si fuera la música del rapero Flo Rida.[123] Cuando escuchas su última canción, al principio piensas: «Caray, Flo Rida. Estás repitiendo lo mismo una y otra vez, una canción tras otra. Esta canción no tiene nada de especial.» Y cuando la escuchas por décima

---

123 «Shorty had them apple bottom jeans... boots with the fur... (with the fur!)... the whole club was looking at her...» (El autor cita una letra del rapero. En castellano vendría a decir: «La tía buena llevaba unos *jeans* que le marcaban el trasero... botas de pelo... [¡de pelo!]... todo el bar se quedó mirándola...).

vez, te pones en pie para gritar: «¡¡FLO!! ¡LO HAS CONSEGUIDO! ¡¡MENUDO TEMAZO!!».

En cierto modo, todos somos como una canción de Flo Rida: cuanto más tiempo nos dedicas, más especiales nos encuentras. Los sociólogos se refieren a esto como «La teoría Flo Rida del atractivo creciente a través de la repetición.»

Otra cosa que se me ha quedado grabada es la importancia de evaluar las opciones en el mundo real, y no solo en la pantalla. Cuando estaba terminando este libro, se puso en contacto conmigo una mujer que había asistido a un espectáculo cómico que había realizado en Michigan en septiembre de 2013. Durante el monólogo me dediqué a hablar de los mensajes y pregunté si alguna persona del público había conocido a alguien recientemente y se había escrito con él. Esta mujer, que estaba sentada en la primera fila, levantó la mano, así que la invité a subir al escenario para que nos contara su experiencia.

Dijo que había conocido a un chico la semana anterior y que se había estado escribiendo con él. Lo había conocido a través de los amigos de unos amigos en una fiesta. El chico vivía en el mismo bloque de apartamentos que ella, y después de conocerla le dejó una nota en la puerta que decía, «¿Cenamos mañana?», y dejó anotado también el número de su apartamento.

Ella escribió «Estoy ocupada» en la nota y la dejó en la puerta del chico.

Entonces el chico volvió a pegar una nota en su puerta para preguntarle: «¿Estás ocupada esta noche? ¿Y qué tal el lunes, o el miércoles, o el viernes?».

Entonces la chica trasladó la conversación a Facebook y le mandó al chico un mensaje que decía:

Hola, Ron, imagino que eres tú, y no Sara, el que me deja las notas :-)

Lo de la cena me parece estupendo, pero tengo mucho lío últimamente, además de un proyecto importante en el que tendré que trabajar todos los días durante las próximas dos semanas. La abuela de mi cuñado está muy malita y me toca cuidar de mis sobrinos mientras mi hermana está con la familia de su marido. ¿Te parece que te avise cuando las cosas se calmen un poco? Gracias.

Y él le respondió: «No te preocupes. La familia es lo primero».

Como en otros casos parecidos, se pueden deducir muchas cosas a partir de estos mensajes. Su extensa lista de excusas, incluso esa tan emotiva de la abuelita muriéndose, no auguraba nada bueno para su pretendiente. Pedí al público que aplaudiera si pensaban que de verdad le gustaba ese chico y que saldría con él cuando las cosas «se calmaran un poco». Sonaron unos pocos aplausos. Cuando le pregunté al público si pensaban que no le gustaba y que nunca saldría con él, los aplausos ganaron por goleada. El público opinaba que esta chica no tenía ningún interés en salir con él.

Después de oír eso, la chica dijo que se había cruzado un par de veces con él y que le había parecido majo, y que «a lo mejor» se planteaba salir con él. Eso fue lo último que supe al respecto.

En septiembre de 2014, un año después, la chica consiguió ponerse en contacto conmigo. Me dijo que después de releer los mensajes se dio cuenta de que debía darle al chico una segunda oportunidad. Empezaron a salir, y ahora, un año después, ¡iban a casarse!

Me quedé atónito.

Y en el contexto de este libro, me parece una historia muy significativa. Con todas las nuevas herramientas de las que disponemos para establecer contacto y comunicarnos, aún no existe ninguna tan eficaz como pasar un rato con alguien en persona.

A menudo, cuando estás soltero y te dedicas a salir con gente, conoces a alguien que te gusta, consigues su número y lo guardas en el móvil, convirtiéndolo en una «opción» que tienes en tu dispositivo. A veces acabas manteniendo alguna interacción digital con esa opción, y finalmente os conocéis en persona. Pero no siempre se produce ese contacto, así que esa persona, que a lo mejor es muy divertida e interesante, acaba sepultada en las profundidades de tu teléfono móvil.

Cuando me dedicaba activamente a la búsqueda de pareja, conocí a una chica en un bar. Por alguna razón, pasado un tiempo dejamos de escribirnos mensajes y no llegamos a quedar una segunda vez. Años después nos cruzamos en la fiesta de un amigo común y nos lo pasamos estupendamente juntos. Me sentí como un bobo. ¿Por qué no había aprovechado la oportunidad de mantener el contacto con esa chica tan maravillosa?

Después de escribir este libro, creo saber la razón. Probablemente se debiera a que estaba demasiado ocupado persiguiendo otras opciones. Pasé de escribirle y la dejé morir en mi móvil.

Para mí, la moraleja de estas historias es que, por muchas opciones que creamos tener en nuestras pantallas, debemos tener cuidado de no perder el rastro de los seres humanos que hay al otro lado de ellas. Nos iría mucho mejor si dedicáramos más tiempo a conocer gente de verdad en lugar de pasarnos las horas muertas pegados a nuestros dispositivos tratando de descubrir quién más hay ahí fuera.

Bueno, pues ¡¡ya he acabado mi libro!! ¡¡YUPIII!!

Pero antes de despedirnos, me gustaría decir una cosa más sobre nuestros dilemas sentimentales. Hoy en día, hay mucha gente que va diciendo por ahí que las redes sociales y las nuevas tecnologías están impidiendo que la gente se comunique de verdad entre sí. Otros tantos afirman que gracias a los avances tecnológicos nos va mejor que nunca. Llegados a este punto, espero haber dejado claro que no me decanto por ninguno de estos dos argumentos extremos.

La cultura y la tecnología siempre han sacudido los cimientos del amor. Cuando se inventó el arado e hizo que el valor del trabajo aportado por las mujeres en la unidad familiar disminuyera, hubo un escándalo. Cuando el automóvil permitió a la gente viajar y reunirse con otras personas que vivían lejos, se produjo otro escándalo. Lo mismo ocurrió con los telégrafos, los teléfonos, los televisores y cualquier invento que pueda surgir en el futuro. Quién sabe, puede que alguna mujer esté leyendo esto en el futuro y piense: «Mmm... en fin, al menos en aquella época los tipos no te mandaban a tu casa su pene por teletransporte. Qué buenos tiempos, aquellos.»

La historia demuestra que siempre nos hemos adaptado a esos cambios. Por grande que sea el obstáculo, siempre acabamos encontrando el amor y la pasión.

Ahora que he concluido este proyecto tengo una perspectiva mucho más amplia del nuevo panorama sentimental. Y lo principal que he aprendido a lo largo de toda esta investigación es que todos vamos en el mismo barco. Espero que vosotros también penséis lo mismo.

Te deseo a ti, y a todos los lectores, la mejor de las suertes a la hora de buscar el amor en la era digital.

Y por la mejor de las suertes me refiero a que espero que algún día conozcas a alguien increíble, le escribas un mensaje elaborado, le lleves a una carrera de camionosaurios y que, tras compartir un delicioso cuenco de *ramen*, le hagas el amor en la habitación temática de *Jurassic Park* de un hotel del amor en Tokio.

AGRADECIMIENTOS

Técnicamente, este libro es «obra de Aziz Ansari», pero lo cierto es que en muchos aspectos se trata de un trabajo colectivo.

Para empezar, debo dar las gracias al gran Eric Klinenberg. Si eres un sociólogo de renombre y un escritor de éxito, formar equipo con un cómico para escribir un libro a caballo entre el humor y la sociología, dedicado al amor en la era digital, no es lo que se dice una apuesta segura. Pero Eric creyó en mí y en el proyecto desde el primer momento. Durante los últimos dos años hemos pasado una desorbitada cantidad de tiempo juntos, trabajando para diseñar y poner en práctica este proyecto. Trabajar de forma tan estrecha e intensa con alguien puede provocar roces en ciertos momentos, pero con Eric fue una experiencia divertida y enriquecedora en todo momento. También ayudó que, respecto a comer, Eric también es un maximizador, así que nunca cuestionó nuestros larguísimos almuerzos de trabajo ni las agotadoras búsquedas hasta encontrar el mejor lugar para comer en cada momento. Eric: un millón de gracias, señor.

Además de Eric, la otra clave para llevar este libro adelante fueron nuestras numerosas entrevistas, que nos proporcionaron datos del mundo real en los que inspirarnos y de los que aprender. Este libro no habría sido posible sin esos cientos de personas de todo el mundo que participaron en estas entrevistas y que tuvieron la amabilidad de compartir con nosotros los aspectos más íntimos de sus vidas. Con esto me refiero también a todos aquellos que participaron en nuestro foro digital. Jamás podré agradecéroslo lo suficiente.

Investigamos un montón para este libro, y no habríamos podido hacerlo de no ser por la ayuda de nuestros fabulosos ayudantes y colaboradores.

Matthew Wolfe, también conocido como *el Hombre Lobo*, ha sido un sensacional ayudante de investigación. Cumplió con todos nuestros encargos, por extraños que fueran. Ya se tratara de localizar anuncios por palabras de hace cientos de años o de encontrar a alguien que retocara con Photoshop imágenes de Dwayne *la Roca* Johnson, fue capaz de conseguirlo todo. Más aún, cumplió su labor con la máxima profesionalidad y la mejor disposición, lo que hizo que trabajar en el libro resultara mucho más sencillo y divertido de lo que podría haber sido. *Hombre Lobo*, clavaste tu labor, y te damos las gracias.

Shelly Ronen fue una colaboradora fundamental en las primeras etapas del proyecto, ayudándonos a organizar grupos de estudio en Nueva York y haciendo sus propias entrevistas, además del trabajo de campo que realizó en Buenos Aires. Kumiko Endo nos ayudó muchísimo en Tokio, reclutando gente para los grupos de estudio y guiándonos a través de la singular y fascinante cultura amorosa de la ciudad. Sonia Zmihi organizó nuestros grupos de estudio en París. Gracias, *arigato, merci*.

Robb Willer, sociólogo de la universidad de Stanford y nativo también de Carolina del Sur, colaboró con nosotros durante todo el proceso de investigación, ayudándonos a analizar los datos más complejos y a apreciar el valor de las carreras de camionosaurios a la hora de salir con alguien.

Aprendimos muchísimo de las aportaciones de académicos y expertos en relaciones de pareja que tuvieron la generosidad de compartir con nosotros su tiempo y sus ideas: Danah Boyd, Andrew Cherlin, Stephanie Coontz, Laurie Davis, Pamela Druckerman, Thomas Edwards, Eli Finkel, Helen Fisher, Jonathan Haidt, Sheena Iyengar, Dan Savage, Natasha Schüll, Barry Schwartz, Clay Shirky y Sherry Turkle. Todos ellos individuos muy brillantes, y me siento afortunado por haber podido pasar un rato con ellos y haberme contagiado de una parte de su sabiduría.

También quiero mandar un agradecimiento especial a unas cuantas personas que nos ayudaron muchísimo con nuestros datos. Christian Rudder, cofundador de OkCupid, y Helen Fisher, antropóloga y asesora de Match. com, nos proporcionaron toda clase de datos extraídos de sus propias plataformas e investigaciones. Victoria Taylor y Erik Martin, de Reddit, nos ayudaron a organizar el foro de *Modern Romance*, que se convirtió en una herramienta de investigación de un valor incalculable. Michael Rosenfeld, de la Universidad de Stanford, compartió con nosotros los datos de su asombrosa encuesta, «Cómo se conocen y mantienen las parejas», y Jonathan Haidt, de la Universidad de Nueva York, nos permitió reproducir sus gráficas y tomarnos ciertas libertades con ellas.

Geoff Mandel es el responsable de los fabulosos fotomontajes que hay en el libro, y tuvo que soportar correos electrónicos míos con mensajes tan absurdos como este: «Oye, Geoff, ¿puedes aumentar el tamaño de los velociraptores de la habitación del amor de *Jurassic Park* un 30 % y meter también unas cuantas velitas para darle un toque romántico?». Walter Green fue el encargado de las gráficas y el diseño, y lo hizo de maravilla. También tengo que mandar un agradecimiento enorme a Warren Fu y Crisanta Baker, que nos echaron una mano con los diseños preliminares de la sobrecubierta del libro. La sobrecubierta final fue diseñada por Jay Shaw, con fotografías de Ruvan Wijesooriya. La sobrecubierta de la edición limitada fue obra de Dawn Baille y su equipo de BLT.

En Nueva York recibimos apoyo logístico por parte de Jessica Coffey, Siera Dissmore, Victor Bautista, Sebastien Theroux y Matthew Shawver. En Los Ángeles, Honora Talbot y Dan Torson nos ayudaron a llegar a tiempo a todas partes. También quiero dar las gracias al Upright Citizens Brigade Theatre por cedernos un espacio para nuestros grupos de estudio más grandes, y al University Settlement por ayudarnos a concertar las entrevistas con los mayores.

Un grupo reducido de amigos y compañeros de trabajo leyó los primeros borradores del manuscrito, y sus comentarios nos ayudaron a dar forma a la versión final. Entre ellos se incluyen: Aniz Ansari, Siera Dissmore, Enrique Iglesias,[124] Jack Moore, Matt Murray, Kelefa Sanneh, Lizzie Widdicombe, Andrew Weinberg, Robb Willer, Harris Wittels, Jason Woliner y Alan Yang.

Nuestros agentes y representantes, Richard Abate, David Miner y Dave Becky de 3Arts, Mike Berkowitz de APA (en el caso de Aziz) y Tina Bennett de William Morris (en el caso de Eric), nos dieron unos consejos estupendos durante todas las fases del proceso. También quiero dar las gracias a mi publicista, Jodi Gottlieb. Aunque mientras escribo estas líneas técnicamente no tengo ni idea de lo que opinará la prensa sobre este proyecto, estoy seguro de que Jodi trabajará sin descanso para darlo a conocer. También quiero dar las gracias a David Cho, al que se le da de miedo hacer un montón de cosas en todos los frentes digitales y que siempre está abierto a compartir una deliciosa comida coreana conmigo. A mis abogados, Jared Levine, Corinne Farley y Ted Gerdes, que me enviaron correos electrónicos increíbles que decían cosas como: «No puedes decir bajo ningún concepto que la pareja de ancianos de la foto de archivo se están "acostando con otras personas", salvo que aclares de forma explícita que en realidad no se están "acostando con otras personas".

Scott Moyers, nuestro editor en Penguin, ha sido un apoyo increíble todo el tiempo. Captó el concepto del libro desde el primer momento, lo apoyó sin reservas, y jamás intentó convertirlo en algo que no era. Además de Scott,

---

124 Por desgracia, nuestros numerosos intentos por hacerle llegar el manuscrito al señor Iglesias fueron en vano.

tenemos que dar las gracias a Ann Godoff, Mally Anderson, Afif Saifi, Hilary Roberts, Jeannette Williams y al resto del gabinete de prensa de Penguin, que siempre nos mantuvo las espaldas bien cubiertas.

Y por último, nuestros mayores agradecimientos van para nuestras parejas, con las que navegamos por el océano del amor en la era digital.

Para Kate, que padeció el inesperado papel que se impuso su marido como portavoz de los solteros de Norteamérica. Eric confía en que este libro haya servido para redimirlo.

Para Courtney: si todo el mundo tuviera la suerte de tener una pareja tan comprensiva, cariñosa, atenta, talentosa y guapa como tú, dudo que hubiera mercado para un libro como este.

Y para Eric, un último mensaje de Aziz. Espero no haberte metido en líos con tu esposa cuando te aplasté en el concurso de «a ver quién le escribe la mejor carta de amor a su chica».

BIBLIOGRAFÍA

Bailey, Beth, *From Front Porch to Back Seat: Courtship in Twentieth Century America*, Baltimore, Johns Hopkins University Press, 1988.

Boyd, Danah, *It's Complicated: The Social Lives of Networked Teens*, New Haven, CT, Yale University Press, 2014.

Cherlin, Andrew J., *Marriage, Divorce, Remarriage*, Cambridge, MA, Harvard University Press, 2009.

— *The Marriage-Go-Round: The State of Marriage and the Family in America Today*, Nueva York, Knopf, 2010.

Cocks, H. G., *Classified: The Secret History of the Personal Column*, Londres, Random House, 2009.

Coontz, Stephanie, *Historia del matrimonio*, Barcelona, Gedisa, 2009.

Davis, Laurie, *Love at First Click: The Ultimate Guide to Online Dating*, Nueva York, Simon & Schuster, 2013.

Druckerman, Pamela, *Lust in Translation: The Rules of Infidelity from Tokyo to Tennessee*, Nueva York, Penguin Press, 2007.

Dunbar, Robin, *The Science of Love*, Hoboken, NJ, Wiley, 2012.

Fisher, Helen, *Anatomía del amor: Historia natural de la monogamia, el adulterio y el divorcio,* Barcelona, Anagrama, 2007.

— *Why Him? Why Her? Finding Real Love by Understanding Your Personality Type*, Nueva York, Henry Holt, 2009.

Haidt, Jonathan, *La hipótesis de la felicidad,* Barcelona, Gedisa, 2010.

Illouz, Eva, *Por qué duele el amor: Una explicación sociológica,* Buenos Aires, Katz Editores, 2012.

Iyengar, Sheena, *El arte de elegir*, Barcelona, Gestión 2000, Grupo Planeta 2011.

Jones, Daniel, *Love Illuminated: Exploring Life's Most Mystifying Subject (with the Help of 50,000 Strangers)*, Nueva York, Harper Collins, 2014.

Klinenberg, Eric, *Going Solo: The Extraordinary Rise and Surprising Appeal of Living Alone*, Nueva York, Penguin Press, 2012.

Ling, Richard Seyler, *New Tech, New Ties: How Mobile Communication Is Reshaping Social Cohesion,* Cambridge, MA, MIT Press, 2008.

Northrup, Chrisanna, Pepper Schwartz, y James Witte, *The Normal Bar: The Surprising Secrets of Happy Couples and What They Reveal About Creating a New Normal in Your Relationship*, Nueva York, Harmony, 2013.

Oyer, Paul, *Everything I Ever Needed to Know About Economics I Learned from Online Dating*, Cambridge, MA Harvard Business Review Press, 2014.

Rosenfeld, Michael J., *The Age of Independence: Interracial Unions, Same-Sex Unions, and the Changing American Family*, Cambridge, MA, Harvard University Press, 2007.

Rudder, Christian, *Dataclysm: Who We Are (When We Think No One's Looking)*. Nueva York, Crown, 2014.

Ryan, Christopher; Jethá, Cacilda, *En el principio era el sexo: Los orígenes de la sexualidad moderna. Cómo nos emparejamos y por qué nos separamos,* Barcelona, Ediciones Paidós, Grupo Planeta, 2012.

Schwartz, Barry, *The Paradox of Choice*, Nueva York, Ecco, 2004.

Simon, Herbert A, *Models of Man: Social and Rational,* Oxford, Wiley, 1957.

Slater, Dan, *Love in the Time of Algorithms: What Technology Does to Meeting and Mating*, Nueva York, Current, 2013.

Turkle, Sherry, *Alone Together: Why We Expect More from Technology and Less from Each Other*, Nueva York, Basic Books, 2012.

Webb, Amy, *Data, a Love Story: How I Cracked the Online Dating Code to Meet My Match*, Nueva York, Dutton, 2013.

ÍNDICE

CRÉDITOS FOTOGRÁFICOS

Pág. 10: Everett Collection/Shutterstock.com

Págs. 48, 175: Por cortesía del autor

Pág. 82: A and N Photography/Shutterstock.com

Pág. 85: Por cortesía del *Beaver County Times*

Págs. 89, 90: Extraídas de https://www.youtube.com/watch?v=0bomkgXeDkE

Pág. 112 (abajo a la izquierda): Por cortesía de Anna Sacks

Págs. 112 (abajo a la derecha, abajo a la izquierda, abajo a la derecha), 113 (todas las imágenes), 114 (abajo), 115 (arriba), 115 (abajo): Utilizadas con autorización

Pág. 116 (arriba): © 2/Pete Atkinson/Ocean/Corbis y Jeff rey Waibel/Thinkstock (composición)

Pág. 116 (abajo): © George Steinmetz/Corbis y Paulo Rosende/Thinkstock (composición)

Pág. 122: Por cortesía de Tinder

Pág. 125: Por cortesía de Grindr LLC

Pág. 157: Natursports/Shutterstock.com

Pág. 170 (arriba): "Charge of the Fembots, Robot Restaurant, Shinjuku, Tokio, Japón" de Cory Doctorow, utilizada bajo licencia Creative Commons 2.0 Reconocimiento-Compartir igual<http://commons.wikimedia.org/wiki/File:Charge_of_the_fembots_Robot_Restaurant,_Shinjuku_Tokyo.jpg>

Pág. 170 (abajo): Levent Konuk, 3dalia, y etse1112/Thinkstock

Pág. 184: trailexplorers/Shutterstock.com

Pág. 223: Pascal Le Segretain/Getty Images. Fotografía de fondo por cortesía de Matt y Meg Lane.

Pág. 224 (arriba): Barry King/FilmMagic/Getty Images. Fotografía de fondo por cortesía de Matt y Meg Lane.

Pág. 224 (abajo): Ethan Miller/Getty Images. Fotografía de fondo por cortesía de Matt y Meg Lane.

Pág. 225: Gobierno de los Estados Unidos. Fotografía de fondo por cortesía de Matt y Meg Lane.

Pág. 260: Lisa F. Young/Shutterstock.com

Pág. 266: Jeff Bottari/WireImage/Getty Images